Jonas Lüscher

KRAFT

Jonas Lüscher

KRAFT

Roman

C.H.Beck

5. Auflage. 2017

© Verlag C.H.Beck oHG, München 2017
Umschlaggestaltung: Rothfos & Gabler, Hamburg
Umschlagabbildung: Istockvectors / alsahi / Getty Images
Satz: Fotosatz Amann, Memmingen
Druck und Bindung: GGP Media GmbH, Pößneck
Gedruckt auf säurefreiem, alterungsbeständigem Papier
(hergestellt aus chlorfrei gebleichtem Zellstoff)
Printed in Germany
ISBN 978 3 406 70531 1

www.chbeck.de

I.

Wir haben alle schon mit Liebe zu tun gehabt, von der wir dann einsehen mussten, dass wir sie uns nicht leisten können.

Paul Ford

Das Rumsfeldporträt hängt direkt in Krafts Blickachse. Wenn er wieder nicht weiterweiß und sein Blick über den Rand seines Notebooks hinweg in der Leere schwimmt, erscheint es als verwaschener Fleck in Rot, Blau und Grau vor der eichengetäfelten Wand. Es dauert immer nur wenige Atemzüge, bis sich die kalten Augen des Verteidigungsministers hinter der randlosen Brille ihr Recht verschaffen und, eine Art Leitstrahl aussendend, sich Krafts Bewusstseins bemächtigen, ihn unwillkürlich zum Fokussieren zwingen, sodass sich die Farbflecken in einer einzigen schnellen, fließenden Bewegung zu einem konkreten Bild verdichten, die tiefen Nasolabialfalten hervortreten, der lippenlose Mundstrich, die etwas kurz geratene Nase – die so gar nicht zu der scharfen Ausdrucksweise, für die der alt- und ausgediente Falke berüchtigt war, zu passen scheint –, das akkurat gekämmte silberne Haar, der straffe Krawattenknoten, der den Hühnerhals fest umklammert hält und unter Zuhilfenahme des gestärkten Hemdkragens die selbstsichere, spöttische Visage daran hindert, dem nadelgestreiften Tuch zu entkommen, um auf den Adlerschwingen, die sich aus den Falten einer himmelblauen Fahne hinter dem rechten Ohr des berüchtigten Aphoristikers ausbreiten, in höhere Gefilde zu entschwinden.

Warte nur, denkt sich Kraft am siebten Tag, an dem er, tatenlos unter solcher Beobachtung stehend, sich wieder einmal durch diese Aufmerksamkeit verlangenden Augen aus seinen leeren Gedanken gerissen sieht, dir zum Trotz werde ich nach einem europäischen Ton suchen. Dies ist es, was ich zu tun gedenke. Einen europäischen Ton, in dem sich Leibniz' Optimismus und Kants Strenge mit Voltaires verächtlichem Schnauben und Rabelais' unbändigem Lachen verbinden und sich in Hölderlin'schen Höhen mit Zolas Gespür für das menschliche Leiden vereinigen wird und Manns Ironie ... nein, Mann würde er außen vor lassen, diesen halben Kalifornier.

Erst hatte er an einen Scherz geglaubt, als er vor sechs Monaten Ivans Mail aus Stanford mit dem Betreff *Theodizee* geöffnet hatte, aber Ivan beliebte nicht zu scherzen, noch nie, auch damals schon nicht, als sie sich einundachtzig in Berlin kennengelernt hatten, und die regelmäßige Korrespondenz, die sie in den letzten Jahrzehnten ausgetauscht hatten, zeigte in ihrer schnörkellosen Sachlichkeit, dass weder die verstrichene Zeit noch die kalifornische Sonne daran etwas zu ändern vermocht hatten. *Dear Dick*, lautete die englische Anrede, an die sich Richard Kraft längst gewöhnt hatte, so, wie er sich an das Ivan gewöhnt hatte, mit dem István Pánczél irgendwann – etwa zur gleichen Zeit, als kurze E-Mails die mit der Maschine getippten Briefe auf dünnem blauen Luftpostpapier abgelöst hatten – seine Nachrichten zu unterzeichnen begann. Und dann fuhr er fort, *deine Teilnahme ist sehr erwünscht. Sämtliche Kosten übernehmen wir. Give my regards to Heike and the twins. Best, Ivan.*

Im Anhang fand Kraft die aufwendig gestaltete Ausschreibung einer Preisfrage, die man zum Anlass des dreihundert-siebten Jahrestages des Leibniz'schen *Essays zur Theodizee über die Güte Gottes, die Freiheit der Menschen und den Ursprung des Übels* zu stellen gedachte und in Anlehnung an die Preisfrage der Berliner Akademie von 1753 *Gefordert wird die Untersuchung des Pope'schen Systems, wie es in dem Lehrsatz «Alles ist gut» ent-halten ist,* allerdings um einiges schlanker, aber auch optimis-tischer, folgendermaßen formuliert hatte:

Theodicy and Technodicy: Optimism for a Young Millennium
Why whatever is, is right and why we still can improve it?

Der Modus Operandi war klar geregelt. Die Beiträge sollten an einem einzigen Nachmittag im Cemex Auditorium der Stanford University präsentiert werden. Eine schnelle Ab-folge von Vorträgen, das Zeitlimit von 18 Minuten durfte nicht überschritten werden, der Einsatz von Präsentations-software war ausdrücklich erwünscht, das Publikum ausge-wählt und illuster, die Welt – die Organisatoren schienen sich sicher, dass die Welt interessiert sei – per Livestream zu-geschaltet. Dem Verfasser der preiswürdigsten Antwort winkte eine Million Dollar.

Ja, dachte Kraft, damit durfte man sich natürlich der Auf-merksamkeit der Welt gewiss sein.

Er blieb für einen Moment, bevor er weiterlas, an einem verrutschten Bubengesicht im besten Mannesalter hängen. *Tobias Erkner, Entrepreneur, Investor and Founder of The Amazing Future Fund,* benannte die Bildlegende den Mann mit der platten Nase und der Reflexion einer ringförmigen Blitz-lampe in der Iris, die ein jugendlich-enthusiastisches Fun-keln in die eigentlich ausdruckslosen Augen zauberte. Kraft konnte sich nicht erinnern, jemals einen Text gelesen zu haben, der ihm in ähnlicher Weise seinen Verstand zu sprengen drohte, wie jener, in dem ebendieser Tobias Erkner unter seinem eigenen Porträt seine Vision darlegte und begründete, weshalb es so dringlich sei, dass sich die Besten und Klügsten, weltweit, mit dieser Frage befassten und er deswegen bereit sei, eine Million Dollar aus seinem Privatvermögen als Preisgeld auszuschreiben.

Nicht, dass Kraft keine Erfahrung mit Texten gehabt hätte, in denen die seltsamsten Ideen aus der Geistesgeschichte mit den krudesten weltanschaulichen Überzeugungen legitimiert wurden. Das kannte er von einer bestimmten Sorte intelligenter Erstsemester, die in zu jungen Jahren zu viel vom Falschen gelesen hatten, was im Zusammenspiel mit einer bestimmten hormonellen Disposition zu einer schwierigen Gemengelage führen konnte; so etwas bügelte er in der Regel in ein, zwei Semestern glatt.

Aber das hier war etwas anderes. Scheinbar mühelos und mit bestechender Selbstverständlichkeit gelang es dem Gründer des *Amazing Future Fund* augenscheinlich, Widersprüchliches, offensichtlich Falsches und klar erkennbar nicht Zusammengehörendes in einen gänzlich logisch wirkenden Zusammenhang zu bringen. Was Kraft am meisten verstörte, war das völlige Fehlen jeglicher emphatischer Rhetorik. Die Sprache war glasklar, schnörkellos, frei von allen Versuchen, den Leser in emotionale Geiselhaft zu nehmen. Es wäre mühelos möglich gewesen, den ganzen Text logisch zu formalisieren, in eine Kolonne von Prädikatoren und Junktoren zu verwandeln, an deren Ende mit zwingender Notwendigkeit Erkners Konklusion zu stehen hätte, auch wenn, das lag für Kraft auf der Hand, jede seiner Prämissen falsch war. Aber es war, als ob das den Verfasser nicht zu interessieren brauchte, nicht, solange den Gesetzen der formalen Sprache Genüge getan war. Kraft war erschüttert.

Leider war er nicht in der Lage gewesen, Erkners Stringenz zu reproduzieren, als er Heike zu erklären versuchte, weshalb er sie im September für vier Wochen mit den Zwillingen allein lassen müsse. Sie hatte gelacht, und beschämt hatte er auf ihre großen, nackten Füße mit den lackierten Nägeln geblickt.

Das Finden eines bestimmten Tones, sei es ein europäischer, wie er Kraft vorschwebt, oder irgendein anderer, gestaltet sich schwierig, denn es ertönt allenthalben und zu beinahe jeder Uhrzeit ein dumpfes Brausen und wütendes Heulen in den Räumen der Hoover Institution on War, Revolution and Peace. Ein Dröhnen und Fauchen, das einem altertümlichen edelstählernen Gehäuse entweicht, welches wie ein Jetpack auf dem Rücken einer dicken Mexikanerin sitzt, sodass Kraft sich gelegentlich der Vorstellung hingibt, dass nur ihre Leibesfülle sie am Abheben hindert und dass auch deswegen das Gerät so angestrengt, so hörbar an der Leistungsgrenze arbeitet, mit einem an- und abschwellenden Brüllen im Rhythmus der gierigen Schnauze, die die Frau stoisch über den Spannteppich schiebt. Es scheint immer etwas zu saugen zu geben in der Hoover Institution on War, Revolution and Peace.

Würde sich Kraft mit der gestellten Aufgabe leichter tun, so käme ihm vielleicht der Gesichtsausdruck des ehemaligen Verteidigungsministers weniger spöttisch und der Lärm des Staubsaugers weniger laut vor und es würde ihm gelingen, beides auszublenden, so aber bleibt ihm nichts anderes übrig, als regelmäßig dem süffisanten Falken und der Frau mit dem fauchenden Gerät zu entfliehen und in die Höhe des vierzehnten Stockwerkes des mit Büchern über den Krieg, den Frieden und die Revolution gefüllten Turmes zu fahren, in der Hoffnung, es sei noch zu früh für eine der großen asiatischen Reisegruppen, die ihn in seiner Kontemplation stören und sein Vergnügen an der Aussicht schmälern.

Kraft stellt sich in eine der hohen vergitterten Nischen der offenen Aussichtsetage und blickt an dem ungeschlachten Zierrat vorbei, der so gut zur brutalen Gestalt des Turmes passt, welcher von Weitem wie aus dem Vollen gearbeitet aussieht, bei näherem Betrachten aber eine seltsame, applizierte, sandige Oberflächenstruktur aufweist, die ihm etwas Kulissenhaftes verleiht. Dann überspringt er mit seinen Blicken ungeduldig die weitläufige Ziegellandschaft des Campus zu seinen Füßen, mustert, mit der Miene eines Kostverächters, einmal das Silicon Valley von unten nach oben – was kümmert ihn dieses mystische Tal, dieser formlose Siedlungsbrei mit seinen seltsamen Kultstätten, den Geburtsorten dieser oder jener digitalen Lebensform? Das ist nicht seine Religion –, lässt seinen Blick auf der schemenhaften Skyline der Stadt im Norden ruhen und sucht in seinem Herzen nach einem Gefühl des Bedauerns.

Kraft ist nur mit seiner Verachtung allein. Die anderen Besucher des Turmes geraten in der Regel ganz aus dem Häuschen, springen aufgeregt zwischen den Fotografien der Umgebung, die an den Säulen hängen und auf denen die Sehenswürdigkeiten mit Pfeilen und Beschriftungen versehen sind, und den vergitterten Ausblicken hin und her und deuten mit den Fingern auf diesen oder jenen Gebäudekomplex, den ganzen Aufruhr mit vielstimmigen Ausrufen des Entzückens und ausschweifenden Erklärungen begleitend, in Sprachen, die Kraft fremd sind, bis auf wenige Ausdrücke, die, so kommt es ihm vor, besonders laut und enthusiastisch in das kalifornische Blau gerufen werden, als seien sie Namen von Heiligen und Göttern, die es zu beschwören gilt. *Da, da*, scheint einer zu rufen, mit seinem Zeigefinger auf einen Punkt im Norden unweit des Campus deutend, *Facebook!* Anerkennende Ehrfurchtsbekundungen schallen vielstimmig zurück, und die Blicke folgen dem ausgestreckten Finger. Und dort deutet einer in Richtung der Bucht und ruft etwas, von dem Kraft nur *Google* versteht, das aber mit enthusiastischen Ausrufen und intensivem Schauen begrüßt wird, bis ein junger Mann mit dem Ruf *Hewlett-Packard* die Aufmerksamkeit auf sich zieht und die Gruppe auf die Nordseite des Turmes läuft, doch ein anderer deutet nach Süden und macht mit gebogener Hand die Geste für hinter dem Berg. *Cupertino*, sagt er andächtig. *Ahhhh, Cupertino, Apple*, erklingt die Antwort, und schwärmerisch wird im Chor der geheiligte Name wiederholt und mit langen Objektiven der Hügel fotografiert, hinter dem sich das angerufene Obst zu verbergen scheint.

Kraft findet das sehr irritierend, verbietet es sich aber, in den Begriffen *Abendland* und *Untergang* darüber nachzudenken, stattdessen wendet er sich trotzig dem Carillon zu, das gänzlich unbeachtet in der Mitte des nach allen Seiten offenen Raumes steht, der Spieltisch in einem gläsernen Kabuff, die Glocken hängen im Gebälk darüber. Kraft ist bestens über das ungewöhnliche Instrument informiert, ungefragt, von einem der rot bejackten Fahrstuhlführer der Hoover Institution. Über die Anzahl der Glocken: achtundvierzig. Über die Inschrift auf der größten: *For Peace Alone Do I Ring*. Über die Schwierigkeit, das Instrument zu spielen: Nur ein einziger Professor aus dem Music Department sei in der Lage, sozusagen der Letzte seiner Art, beinahe weltweit! Kraft weiß, dass das nicht stimmt. Aber wie reizvoll es doch wäre, denkt er sich, wie reizvoll und zugleich unsäglich lächerlich, wenn er dieses seltene Instrument als einer der ganz wenigen, weltweit, zu spielen verstünde. Er stellt sich vor, wie er in diesem gläsernen Kämmerchen auf dem Bänkchen sitzen und kraftvoll mit den Fäusten die Stöcke des Manuals bedienen würde und wie er, mit den Füßen auf die Pedale tretend, die großen Glocken zum Schwingen brächte. Denen würde er schön den Marsch klöppeln. Im ganzen Silicon Valley wäre er zu hören. Und vielleicht hoch bis zur Stadt im Nebel, wenn er nur kräftig genug auf das tiefste Pedal stampfte. Würde sie es hören können? Johanna, die er vor dreißig Jahren so wütend gemacht hatte, dass sie für immer nach San Francisco verschwand. *For Peace Alone Do I Ring.*

Heike hatte gelacht, kurz und scharf. Und scharfsinnig hatte sie Erkners Text zerpflückt. Scheinbar mühelos, sodass Kraft bald nicht mehr wusste, was ihn so beeindruckt, ja, verstört hatte. Wütend hatte er ihr den Ausdruck der Preisfrage aus der Hand gerissen und ihr dabei schmerzhaft mit der scharfen Kante des Papiers in den Zeigefinger geschnitten.

In der Nacht vor seinem Abflug hatten sie sich gestritten.

Erschöpft warteten sie im Morgengrauen auf das Taxi, das Kraft zum Flughafen bringen sollte. Heike stand in der Haustür, blond, groß, wieder mit nackten Füßen, an deren Hallux sich Krafts Blick unangemessen lang festhakte; diese entzündeten, knöchernen Auswüchse, die ihm wie die Manifestation der Pathologie ihrer Beziehung erschienen. Er mühte sich mit dem Teleskopgriff seines Koffers ab. Geh, gewinne, bring uns das Geld nach Hause, damit wir alle wieder unsere Freiheit haben, hatte sie gesagt. Vergeblich hatte Kraft in ihren Worten nach einem sarkastischen Unterton gesucht. Einem Impuls folgend, wollte er sie umarmen und stellte seinen Koffer ab, Heike aber hatte die Tür bereits geschlossen.

Kraft nahm in den folgenden Stunden seiner Reise jedes meteorologische Phänomen und jede geographische Gegebenheit zum Anlass, um aus seiner leisen Melancholie eine

pathosgetränkte Katharsis zu züchten. Von den menschenleeren Straßen im Dämmerlicht zum regennassen Rollfeld,
von den Wolken über der Nordsee und den grünen Weiden
Irlands über die unendlichen Weiten des Atlantiks, die er
allerdings verschlief, bis zu den gleißenden Schelfeisflächen
Grönlands, die unter ihm in einem unangebrachten Sonnen-
licht glitzerten, steigerte er sich in eine wehleidige Trauer
über das Scheitern seiner Ehe, das ihm bald unumgänglich
schien, und ließ, einem vagen Gefühl der Pflicht folgend,
heroisch all ihre guten Momente Revue passieren, beginnend
mit ihrem ersten Treffen im Verwaltungsreformausschuss
der Universität, dessen Sitzung Heike als Abgesandte einer
Unternehmensberatung besuchte und in deren Verlauf sie
es geschafft hatte, die Runde doppelt so alter Professoren
mit einem rasenden Reigen von PowerPoint-Folien mit Tor-
ten- und Balkendiagrammen gegen sich aufzubringen, mit
Ausnahme von ihm, Richard Kraft, der sich für sie und ihre
Diagramme in die Bresche warf, aus prinzipiellem Dissiden-
tentum heraus und provokant vorgetragenem Bekenntnis
zu wirtschaftsliberalem Gedankengut – einer Provokation,
die allerdings in der Runde seiner Kollegen ihre Wirkung
verfehlte, denn sie ignorierten sie eben so routiniert, wie er
sie vortrug, als handle es sich dabei um einen abgewetzten,
etwas schmuddeligen Vorleger, der am falschen Platz im falschen Raum lag und in unbeachteten Momenten, also stets,
dazu neigte, die fransenbewehrten Kanten aufzuschlagen;
ein tägliches Hindernis, aber nichts, über das sich aufzu-
regen lohnte. Vielleicht gehorchte er aber auch einem ersten
Anflug von spontaner Verliebtheit, eine Geste, die ihm Heike
dankte, indem sie ihn vor versammelter Runde für seine
Aufgeschlossenheit gegenüber ihrer Methodik lobte, nur
um im gleichen Atemzug klarzumachen, dass er aus ihren
Zahlen und Tabellen die völlig falschen Schlüsse gezogen, ja,

sich eben auch gerade um zwei Kommastellen verrechnet hatte.

Dann beschwor er jene erste Einladung herauf, die sie nach einiger Ziererei schlussendlich doch angenommen hatte und bei der er sie mit einem in Tübinger Akademikerzirkeln als prominent durchgehenden Bekanntenkreis und einem Sauerbraten mit handgeschabten Spätzle zu beeindrucken versuchte; erfolgreich, denn sie bot an, als sich die Runde zu später Stunde auflöste, noch zu bleiben und ihm beim Abwasch zu helfen, der halb unerledigt blieb, weil er von der Zeugung der Zwillinge unterbrochen wurde, deren Geburt und erste paar Geburtstage sich Kraft nun, einen Tomatensaft in den Händen, zehntausend Meter über dem Schelfeis ins Gedächtnis rief, um spätestens beim dritten Kindergeburtstag von dem Gefühl beschlichen zu werden, jener halb erledigte Abwasch habe sich in den letzten vierzehn Jahren nie zu Ende bringen lassen, mit solcher Macht hatten sich die Bedürfnisse seiner jungen Frau und der Töchter in sein von Lehre, akademischer Selbstverwaltung, Publikationsdruck und Geltungsdrang übervolles Leben gedrängt, dass er alsbald einsehen musste, dass diese zweite Ehe nicht dazu angetan war, das Scheitern der ersten vergessen zu machen.

Vielleicht ist das mit dem europäischen Ton doch keine so gute Idee. Er muss pragmatisch sein, und das bedeutet in diesem Fall, optimistisch. Für dieses eine Mal. Nicht, dass ihm das liegt oder dass er das Gefühl hat, er – oder der Rest der Welt – habe Grund dazu. Ganz im Gegenteil. Aber er weiß, was von ihm verlangt wird. Immerhin gilt es, eine Jury zu überzeugen. Eine Jury und den Stifter, der sich, nicht unbescheiden, das letzte Urteil vorbehalten hat. Eine Million. Seine ganzen Probleme auf einen Schlag gelöst. Kraft weiß, dass das nicht stimmt. Aber zumindest könnte er sich auf sein Versagen als Person konzentrieren. Aller irdischen Sorgen ledig, dürfte er sich ganz der Auslotung seiner eigenen Unzulänglichkeit widmen. Dafür ließe sich doch für ein Mal optimistisch sein. Alles ist gut. Hierzu müssen sich doch ein paar überzeugende Argumente finden lassen. Irgendwo in der Geschichte. Ohne gleich plump und vorhersehbar den Weltgeist zu beschwören und die Geschichte als solche zum Zeugen zu machen – Kraft ist sich sicher, dass Piet van Baasen und vermutlich auch Sakaguchi in diese Kerbe schlagen werden. Nein, da muss er sich schon etwas Neues einfallen lassen. Weltgeist. Das läuft doch letzten Endes auch nur auf ein alles *wird* gut hinaus. Aber wann? Da hatte sich doch gerade Sakaguchi schon mal zu weit aus dem Fenster gelehnt, sich gewiss gezeigt, es sei nun bereits so weit, und sich dann gezwungen gesehen, wie ein Weltuntergangsprophet am Tag danach öffentlich zu widerrufen. Nein, hier ist echter, aktualer, das heißt, sich im Vollzug befindlicher, wirksam tätiger Optimismus gefragt. Kein *alles wird gut*, und schon gar kein *alles ist schlecht* oder gar ein *alles wird noch schlechter*. Für eine Million darf man durchaus ein *whatever is, is right* erwarten. Und es ist an ihm, die richtigen Argumente dafür zu finden.

Aber Kraft tut sich schwer. Und wie immer, wenn er sich schwertut, flüchtet er in die Recherche.

Warum aber tut sich Kraft so schwer? Man könnte antworten, das sei kompliziert. Es handle sich um ein Zusammentreffen unterschiedlichster Gegebenheiten, schwer zu durchschauen, vor allem für ihn, Kraft, selbst. Und gewisse Umstände, äußerer und innerer Natur, würden einen nicht unerheblichen Druck erzeugen, der einem scharfen Nachdenken nicht eben förderlich ist. Oder aber wir können uns doch um etwas Analyse bemühen und aus dem Durcheinander eine kurze Liste extrahieren, die, mit abnehmender

Dringlichkeit, die Gründe, weshalb Kraft nicht ins Schreiben kommt, beim Namen nennt:

1. Die Schwierigkeit der Aufgabe selbst
2. Krafts Unvermögen, mit der Zeitverschiebung umzugehen
3. Krafts familiäre Situation
4. Krafts finanzielle Situation
5. Die existenzielle Notwendigkeit, die Jury zu beeindrucken, die sich aus drittens und viertens ergibt
6. Krafts Herberge
7. Die ständige Saugerei

Kraft selbst würde dieser Liste vermutlich zustimmen. Aber sicherlich würde er die Gewichtung anders legen.

Weißt du, hatte er am Abend seiner Ankunft zu István gesagt, der sich nun Ivan nannte und dessen amerikanische Frau bereits zu Bett gegangen war und die beiden Männer allein bei kalifornischem Rotwein und schwerem Schokoladenkuchen am Esstisch hatte sitzen lassen, weißt du, ich brauche dieses Geld. Mehr als jeder andere. Ich werde mir damit meine Freiheit erkaufen. Ich werde Heike verlassen, das wird ihr nicht das Herz brechen, und ich werde sie zuscheißen mit meinem Geld, alle drei, Heike und die Mädchen. Ich werde mich freikaufen, sagte er, und nur der leicht forcierte Überschwang, mit dem er diesen Plan verkündete, hätte einen aufmerksamen Zuhörer – was Ivan nicht war und auch István nie gewesen ist, das brauchte Kraft nicht zu befürchten – ahnen lassen können, dass ebendieser Plan nicht auf seinem Mist gewachsen war.

Gut, hatte Heike gesagt, als sie ganz unvermittelt in seinem Arbeitszimmer auftauchte und ihn aus seiner Arbeit riss, an die er sich zu später Stunde gesetzt hatte, nachdem er mit einem der Zwillinge über einer Lateinübersetzung gesessen hatte, während die andere, seiner mehrmaligen Aufforderung folgend, missmutig das Klavier traktierte und Heike selbst mit angezogenen Beinen die Sitzgarnitur im Wohnzimmer belegte, ihren bandagierten Zeigefinger anklagend in die Höhe erhoben, den Blick starr auf den Fernseher gerichtet, in dem sich ein Kleinwüchsiger zwischen Bärenfellen mit zwei Barbusigen vergnügte. Gut, hatte sie gesagt, fahr du nach Stanford und gewinne diesen albernen Wettstreit, dann können wir es uns nämlich leisten, dieses Experiment hier abzubrechen.

Experiment fand er dann doch einen unangemessenen Ausdruck für die letzten vierzehn Jahre, und deswegen brauchte er einen Augenblick, bis er begriff, dass sie damit ihre Ehe meinte, und während er darüber nachdachte, ob er seiner Verletzung Ausdruck verleihen oder doch, angesichts dieses sich ganz unverhofft öffnenden Auswegs, lieber darüber hinweghören sollte, war Heike einmal mehr zu schnell für ihn, und als er sich für erstere Möglichkeit entschieden hatte, von der er sich eine stärkere Position für die zweifellos bevorstehenden Verhandlungen ausrechnete, war sie bereits aus seinem Arbeitszimmer verschwunden und er musste ihr ins Badezimmer folgen, wo sich diese Hoffnung zerschlug, denn Heike hantierte dort mit einer großen Flasche Antiseptikum an ihrem Zeigefinger herum und demonstrierte damit sehr anschaulich das Patt der Verletzungen.

Bei jener Badezimmerszene war Kraft gerade angekommen, als er unter sich Neufundland und bald darauf das amerikanische Festland erblickte. Ein würdeloses Schachern, dessen er sich nur ungern entsann. Vier Wochen hatte er sich ausbedungen, vier Wochen, um sich in Stanford auf die Präsentation vorzubereiten, und zumindest war es auch für Heike ersichtlich, dass er nicht die geringste Siegeschance haben würde, wenn er die Preisfrage zu Hause, zwischen familiären und universitären Pflichten, zu beantworten versuchte, dass er Ruhe und Distanz zur Familie brauchte, um die schwierigen Fragen nach dem *Woher das Übel und wohin mit dem Übel?* zu beantworten, und dass er darauf angewiesen war, all seinen Restoptimismus zu reaktivieren, um zu begründen, weshalb alles, was ist, gut sei; etwas, das war auch Heike klar, was ihm desto besser gelingen würde, je weiter er von ihr weg war. Zwei Wochen gestand sie ihm zu, und dabei blieb es, selbst sein beredtes Ausmalen der pragmatischen Eleganz, mit der sich ihre zerrütteten Familienverhältnisse im Falle eines Sieges abwickeln ließen, die er zu seinem eigenen Erstaunen bereits ins Feld führte, vermochte daran nichts zu ändern. Dies, mein lieber Kraft, sagte sie, ihn zum ersten Mal beim gemeinsamen Nachnamen nennend, ist nicht die beste aller Welten, und verließ das Badezimmer.

In dieser Nacht schrieb er eine lange Mail, in der er Ivan seine Zusage übermittelte und ihn bat, für vierzehn Tage sein Gast sein zu dürfen, bevor er sich, Rücken an Rücken, neben seine bereits schlafende Frau legte, selbst aber lange keinen Schlaf fand und sich, jede Viertelstunde die Glockenschläge der Stiftskirche zählend, langsam in eine Wut hineinsteigerte; eine Wut, gespeist aus Heikes regelmäßigem Atmen, das ihm unangemessen friedlich vorkam, und dem Gefühl des Versagens angesichts der Tatsache, dass der Ausweg aus der Sackgasse, in die er sein Leben hineinmanövriert hatte, sich nicht, wie er immer angenommen hatte, im scharfen Nachdenken über die Welt – als solches bezeichnete er gerne Dritten gegenüber seine Profession, die er sich zugleich als Lebensform verordnet hatte –, sondern, wie es nun ganz offen zutage trat, doch einfach im Monetären fand, auch wenn, aber das schien ihm eher eine zusätzliche Kränkung, das erlösende Geld mit ebenjenem scharfen

Nachdenken über die Welt erst einmal gewonnen werden musste.

Und weil es ihm gelang, ein leises Glimmen dieser Wut über die Wochen und den Atlantik zu retten, war es eine leichte Übung, diese während des endlos scheinenden Wartens bei der Einreise in Atlanta neu zu entfachen, während ein Beagle im Brustgeschirr der Grenzschutzbehörde es sich nicht nehmen ließ, zum dritten Mal eindringlich an Krafts Rucksack zu schnuppern, der zwischen seinen Beinen auf dem ausgetretenen Spannteppich stand und damit Anlass zu einer gründlichen Durchsuchung des Gepäckstückes durch die pferdeschwänzige Hundeführerin bot, von der sie sich auch nicht durch Krafts, ihm selbst unangebracht nervöse, ja fast schuldbewusste Erklärung abbringen ließ, der Hund sei vermutlich irritiert durch den Geruch eines Mortadella-brotes, das eine seiner Töchter, welche, habe er nicht eruieren können, da sie sich wieder einmal mehr gegenseitig die Schuld zugeschoben hätten, in ebenjenem – seinem, wie er betonte – Rucksack vergessen habe, nachdem sie ihn sich ungefragt und unerlaubterweise für den Maibummel ausge-liehen hatte – hierfür fehlte Kraft das englische Wort und er behalf sich erst mit *May perambulation* und versuchte es auf den verständnislosen Blick der Beamtin hin mit *Spring... or let's say early summer stroll*, ein Ausdruck, der ihm, kaum aus-gesprochen, im Zusammenhang mit seinen Töchtern unan-gemessen liederlich in den Ohren klang und ihn befürchten ließ, er habe sich damit in irgendeiner Weise verdächtig ge-macht. Die Beamtin schien sich aber weniger Sorgen um seine Töchter als um die Gesundheit ihres Hundes zu ma-chen, der schwanzwedelnd während dieser kleinen Konversa-tion seine Schnauze wieder in Krafts Rucksack vergraben hatte und nun von seiner Herrin zurückgehalten wurde, die von Kraft, erstaunlich sachlich, ohne das geringste Anzeichen von Ekel in der Stimme, Auskunft darüber verlangte, ob sich jenes Mortadellabrot denn noch im Rucksack befände, was Kraft empört verneinte, er würde ja wohl kaum im September mit einem Wurstbrot vom letzten Mai in der Weltgeschichte herumfliegen; ordnungsgemäß habe er dies oder vielmehr, was davon übrig geblieben sei, entsorgt, aber offensichtlich habe sich der Geruch im Gewebe des Gepäckstückes festgesetzt. Kurz war er versucht, ihr die Mumifizierung der Stulle zu schildern, die dem Umstand geschuldet war, dass sich besagter Rucksack den Sommer über auf dem Dachboden befunden hatte, auf dem es oftmals unerträglich heiß und trocken war, aber es schien ihm, als verlören Hund und Halterin das Interesse an seiner Person, und so hielt er sich zurück und beschäftigte sich wieder mit seiner Wut, die sich nun, zusätzlich angefacht von einem vagen Gefühl der Demütigung, mit dem für Kraft jede Begegnung mit uniformierter Staatsmacht endete, erst recht Raum verschaffen konnte, aber auf dem Weiterflug mit Hilfe eines Scotchs und einer Packung Wasabi-Erbsen in eine hilfreiche Siegesgewissheit transformieren ließ, die ihn dazu verleitete, Ivan in der Empfangshalle des San Francisco Airports in einer überspannten Manier zu begrüßen, als schließe er im Vélodrome von Roubaix seinen Trainer in die Arme, dass es selbst dem vom István zum Ivan gewandelten Freund etwas zu viel Schulterklopfen wurde.

Überhaupt taten sich die beiden Männer schwer, zur alten Verbundenheit zurückzufinden, die sich über die Jahre, bei ebenso unregelmäßigen wie zufälligen Treffen auf Konferenzen und Kongressen in seltsamen Städten, zwischen Bielefeld, Tampere und Canberra, zu einem kümmerlichen Rest abgenutzt hatte, der ihnen – jedem für sich, denn darüber zu sprechen trauten sie sich nicht – umso schäbiger vorkam, je mehr sie sich durch den Verlust eines Gefühls der Zusammengehörigkeit zu einer Glorifizierung der alten Nähe verpflichtet fühlten.

Jene Nähe, die Schlüti, mit dem sich Richard Kraft damals die Wohnung teilte, die Türe hinter sich zuwerfend, am ersten warmen Frühlingstag des Jahres einundachtzig, in das noch klamme Treppenhaus in der Steglitzer Grunewaldstraße brüllend, als «mit den Daumen im Arsch des Anderen» charakterisiert hatte. Schlüti hatte nicht ganz unrecht gehabt, auch wenn aus seinen Worten die Bitterkeit des obsolet gewordenen Mitbewohners sprach, aber tatsächlich demonstrierten Richard Kraft und István Pánczél ihre Verbundenheit mit einer penetrant inszenierten körperlichen Nähe, die jenen ungewöhnlichen Ort für einen Daumen zumindest theoretisch erlaubt hätte, wiewohl ihnen solches gänzlich fernlag; ihre Liebe war ganz politischer und weltanschaulicher Natur.

Kraft, der in den Fächern Volkswirtschaft, Philosophie und Germanistik eingeschrieben war, den man aber auch in Veranstaltungen der Historiker, Soziologen und Politologen als engagierten Hörer antreffen konnte, genoss zu dieser Zeit an der Freien Universität einen Ruf als brillanter Denker, als einer, der mit seinen dreiundzwanzig Jahren bereits fast alles gelesen hatte, was man gelesen haben musste, als einer jener Studenten, denen eine große akademische Karriere sicher war; aber weil er eben nur einer von jenen war, suchte er nach einem sicheren Mittel der Distinktion und wandte sich zu diesem Zweck dem Thatcherismus zu, einer weltanschaulichen Strömung, von der er sicher sein konnte, dass sie ihn in der Studentenschaft genügend isolierte, um fortan unter den Vielversprechenden als der verschrobenste Vielversprechende und damit auf geheimnisvolle Weise als der Vielversprechendste unter den Vielversprechenden zu gelten.

Er erschrak gehörig, als in einer Vorlesung über Althusser am frühen Morgen des 20. Januars 1981 ein allen unbekannter junger Mann aus dem Auditorium das Wort ergriff, sich als ungarischer Dissident und politischer Flüchtling vorstellte und lauthals in gebrochenem Deutsch und ziemlich am Thema vorbei die an diesem Tag anstehende Vereidigung Ronald Reagans als historischen Moment und Wendepunkt in der Weltgeschichte pries, als Fanal gegen die kommunistischen Unterdrücker und ihre willfährigen Büttel in den geisteswissenschaftlichen Fakultäten der freien Welt. Kraft fürchtete, hier eigne sich einer sein Thema und damit seinen unique selling point an, begriff aber schnell, dass dieser István Pánczél mit den zerdrückten Haaren am Hinterkopf ein wunderbarer Verbündeter war, der seinem einsamen Kampf gegen den starken Staat nicht nur die Legitimation des am eigenen Leib erfahrenen Unrechts, sondern auch den intellektuellen Glanz eines osteuropäischen Schachmeisters verlieh, denn István war als Mitglied einer Delegation der ungarischen Mannschaft zur Schachmeisterschaft der Universitäten nach West-Berlin gereist und hatte die Gelegenheit genutzt, sich abzusetzen.

Zumindest war das Pánczéls Version der Geschichte, die er fortan jederzeit bereitwillig erzählte und die auch nicht gänzlich gelogen war, aber zumindest von einem dehnbaren Wahrheitsbegriff Gebrauch machte, denn István unterschlug, dass er seinen Platz in der Schachdelegation den elfenbeinfarbenen Kunstfaserhemden, mit denen der ungarische Verband seine Spieler ausrüstete, zu verdanken hatte, da die Hemden nach zwei Stunden zu riechen begannen, als hätten ihre Träger nicht kleine Holzfiguren auf einem Brett herumgeschoben, sondern sich im Ringkampf gemessen. István, der die Qualifikation zur Turnierteilnahme weit verfehlt hatte, wurde nur nach Berlin mitgenommen, weil man jemanden brauchte, der nachts im Waschbecken des Hotelzimmers die verschwitzten Trikots der Turnierspieler wusch.

Als István am frühen Morgen des 20. Januars vom Geräusch eines Ikarus-Reisebusses aufwachte und aus dem Fenster seines Hotelzimmers blickte, sah er, wie seine Kameraden, die im Turnier den letzten Platz belegt hatten, mit müden Gesichtern in ihren Bus stiegen, und als er nur halb angezogen, mit einem Stapel frisch gewaschener Trikots und einem panisch gepackten Koffer auf den nächtlichen Parkplatz gerannt kam, konnte er nur noch zusehen, wie sich der hellblaue Bus in den Verkehr einfädelte und in Richtung Budapest verschwand; sein Fehlen wurde erst kurz vor Prag bemerkt, und so gaben sich Schachspieler, Trainer und Aufpasser auf einem tschechoslowakischen Rastplatz gegenseitig die Schuld, den Hemdenwäscher Pánczél vergessen und nicht geweckt zu haben, bis man sich auf eine abenteuerliche Geschichte einigte, wie sich der junge Mann unter raffinierten Täuschungsmanövern abgesetzt habe.

István saß derweilen auf der Bettkante in seinem West-Berliner Hotelzimmer und wartete vergeblich auf die Rückkehr des blauen Ikarus. Im Morgengrauen zimmerte er sich seine Geschichte zusammen, mit verblüffenden Parallelen zu jener, die sich seine Kameraden beinahe gleichzeitig ausdachten, stopfte die elfenbeinfarbenen Hemden in eine große Plastiktüte, griff sich seinen kleinen Koffer und schlich durch den Hinterausgang aus dem Hotel. Zwei Stunden irrte er ziellos durch das winterliche Berlin, fühlte sich bald wie eine getragene Socke, die man unter der Tagesdecke vergessen hatte, bald weitete ihm eine Ahnung von neuer Freiheit die Brust, und schließlich rettete er sich vor der Kälte in einen noch leeren Hörsaal der Universität, in dessen Stille er sich seine eben erst ausgedachte Legende zu eigen machte und anschließend diesen Prozess, als sich der Raum zu füllen begann und ein, wie er fand, unerträglich schwärmerischer Privatdozent über einen in der Psychiatrie eingesperrten französischen Marxisten sprach, besiegelte, indem er sich ein Herz fasste, dem Dozenten ins Wort fiel und sich ein erstes Mal vor Publikum als Ungarnflüchtling gerierte.

II.

Und genau dieser äußerst typische Blick erfolgt etwa
eine Sekunde vor dem Augenblick, in dem der Täter in
den Quergang einbiegt! Dabei hält der Täter den Kopf
geradeaus nach vorne gerichtet und senkt nur seinen
Blick für einen kurzen Moment in den Einkaufswagen.
Dieser [...] Blick ist so einzigartig, dass er bislang noch
bei keinem ehrlichen Kunden festgestellt wurde.

Richard Thiess

Was Kraft so plagt, ist, dass er sie theoretisch nicht zu fassen
bekommt, die Tapete. Daraus, so ist er überzeugt, müsste
sich doch etwas machen lassen. Überhaupt, die ganze Einrichtung, angefangen bei ebenjener eierschalenfarbenen
Tapete, auf der Rotkehlchen mit aufgerissenen Schnäbeln
zart hingetupften Walderdbeeren in enervierend regelmäßigem Muster Gesellschaft leisten, bis hin zu den sorgfältig
aufgereihten Sporttrophäen im weißen Rattanregal, dem
keuschen, schmalen Bett unter der Dachschräge, an dessen
weiß lackierten, gusseisernen Stäben sich Kraft nächtens
seine überhitzten Füße kühlt, und dem ebenso weißen, ge-
drechselten Kinderschreibtisch, der gegenüber einer aufge-
arbeiteten antiken Kommode steht. Da steckt so offensichtlich eine Idee dahinter. Die Vorstellung einer geglückten
Kindheit, eines idealen Familienlebens und der feste Glaube,

dass sich das Glück und die Erinnerung daran auf alle Zeiten in diesem Mädchenzimmer konservieren ließen. So wie die verschwitzten, dunklen Gesichter der hünenhaften, aber längst außer Dienst gestellten Basketballspieler, mit deren Bildern Mckenzie ihr Zimmer dekorierte und die sie verehrt haben musste, vor jener Zeit, als sie ihr Elternhaus verließ, um in Poughkeepsie das College zu besuchen. Kraft hat den Eindruck, das sei eine sehr amerikanische Idee, so eine glückliche Kindheit. Mit einer solchen lässt sich doch, denkt Kraft, in Europa oder zumindest in Deutschland und bestimmt in Österreich niemand beeindrucken. Ganz im Gegenteil, scheint ihm doch ein Übermaß an Unbeschwertheit in jungen Jahren beinahe ein Garant für eine spätere Leichtfüßigkeit, die ihm frivol vorkommt und dem scharfen Nachdenken über die Welt mit Sicherheit nicht förderlich ist.

Aber er weiß, dass die These so zu diffus formuliert ist, wissenschaftlich nicht haltbar. Zumindest fehlen ihm belastbare Zahlen. Das allerdings ist doch sonst auch kein Problem für ihn, wenn er sich in Kollegenkreisen zu sehr am Rand wiederfindet und, um diesen unhaltbaren Zustand zu beenden, eine allzu steile These in den Raum wirft, zu deren Unterfütterung er ad hoc keine Daten liefern kann, die ihn dafür aber zurück ins Zentrum der Diskussion katapultiert; da kann er sich doch immer auf die Theorie verlassen, die er mit heißer Nadel aus seinem schier unerschöpflichen Fundus strickt. Für die Anschlussfähigkeit ein roter Faden vom späten Heidegger, Nietzsche oder Schopenhauer, dann zur Abgrenzung ein paar Randmaschen aus der dichten Unterwolle Huntingtons, aus dem Querfaden heraus ein paar rechte Maschen eines obskuren, vermutlich zu Recht in Vergessenheit geratenen chilenischen Ökonomen aus der Chicagoer Schule, den er in den frühen Achtzigern gelesen hatte und dank seines phänomenalen Gedächtnisses auch nach dreißig

Jahren noch zitieren kann, eine halbe Nadellänge Finkielkraut für die Empörung, eine halbe Nadellänge Hölderlin fürs Gemüt, für die Authentizität ein paar Schläge aus einem eigenen, kürzlich im *Merkur* publizierten Aufsatz, und zur ironischen Imprägnierung, aber auch als vorsorglich offen gehaltener Fluchtweg, lässt er gerne noch ein paar Maschen Karl Kraus fallen. So etwas gelingt ihm in der Regel aus dem Stegreif und immer bestrickend genug, um ihm die Aufmerksamkeit der Runde zu bescheren, die zwar kollektiv mit den Augen rollt, aber doch meistens wenig entgegenzuhalten hat. Aber in dieser Nacht: nichts, sosehr er sich auch bemüht, die Nadeln klappern zu lassen, die Theorie lässt ihn im Stich. Liegt es vielleicht am fehlenden Publikum? Aber da ist er doch sonst auch mühelos in der Lage, sich wachträumend ein solches zu imaginieren, ganz nach Bedarf und Verfassung einen zustimmend nickenden Kreis, aus dem das eine oder andere Paar in Bewunderung geweiteter, vorzugsweise blauer Augen sich auf ihn, den Referierenden, richtet, oder aber das sogenannte Perlen-vor-die-Säue-Szenario: ein Schulter an Schulter stehender Pulk von Kopfschüttlern, die in ihrer ideologischen Verbohrtheit einfach nicht verstehen wollen und ihn gerade deswegen zur Höchstform auflaufen lassen. Nicht aber in dieser Nacht.

Nicht in dieser und auch nicht in den vorhergehenden Nächten, in denen er bereits um zehn Uhr mit bleiernen Gliedern unter die von Ivans Frau handgequiltete Decke kroch und sogleich in einen oberflächlichen, von abstrakten Träumen, die sich in Schleifen und Rückkoppelungen verhedderten, geplagten Schlaf fiel, aus dem er jede Nacht pünktlich um halb eins hochschreckte, um die restlichen Stunden bis zum Morgengrauen in der Gesellschaft der Basketballspieler und der Rotkehlchen zu verbringen, die sich eine Armeslänge entfernt an der Dachschräge in stummem

Begehren nach den unerreichbaren Körben und Beeren reckten.

Krafts feinnervig gespannter nächtlicher Gemütszustand kontrastiert aufs Unerträglichste mit der schweren, totalen Erschöpfung seines altbackenen Leibes. Die Augen geweitet, starrt er ins Halbdunkel, als gäbe es dort etwas zu entdecken, aber er bekommt sie theoretisch nicht zu fassen, die Tapete. Jetzt, in der siebten Nacht, ist er ganz plötzlich nicht einmal mehr sicher, ob es tatsächlich Rotkehlchen sind, also schaltet er die Nachttischlampe an und sucht im Bücherregal, zwischen Van Allsburgs *Polarexpress* und Oates' *Big Mouth & Ugly Girl*, nach der Taschenbuchausgabe von *All About Birds*, die ihm zwei Nächte zuvor aufgefallen war.

Mit dem Buch in der Hand setzt er sich auf die Bettkante, sucht im Index nach dem Rotkehlchen, findet es auf Seite 62, hält das Bild zum genauen Vergleich an die Tapete, ist sich nicht sicher, schaltet zusätzlich das grelle Deckenlicht an; nein, kein Rotkehlchen. Ganz sicher nicht. Wie hat er sich nur so täuschen können? Sieben lange Nächte. Er ruft sich zu mehr Wachsamkeit auf. Der Spannteppich unter seinen nackten Füßen ist ihm plötzlich suspekt, er legt sich lieber wieder hin.

Jetzt aber will er es wissen. Kraft schiebt sich ein Kissen in den Rücken, die gusseiserne Bettstatt drückt dennoch angenehm gegen seine Wirbelsäule, und blättert systematisch das Buch durch. *Purple Finch*, Seite 102. Wieder vergleicht er die Abbildung im Buch mit einem der zahllosen Vögel an der Wand. Ja, zweifellos, *Purple Finch*. Zufrieden stellt er das Buch zurück und löscht, mit dem Schalter neben der Tür, das Deckenlicht.

Auf dem Weg zurück ins Bett drängt sich wieder unangenehm der helle Spannteppich in sein Bewusstsein, aber weil er nun in versöhnlicher Stimmung ist, gewinnt der Ekel nicht die Überhand, stattdessen denkt er an die zarten, kindlich runden Mädchenfüße, die diesen Weg unzählige Male gegangen sein müssen. Dergestalt im Reinen mit sich, der Theorie, der Tapete und dem Spannteppich, legt Kraft sich wieder unter die bunte Decke und schließt die Augen, in der Gewissheit, dass der Schlaf nun gnädig kommen wird, und tatsächlich kriecht die Schwere aus seinem Körper hinter seine Lider und schwappt über den Sehnerv in sein überreiztes Hirn, wie Tran auf die wogende See.

Fast, fast kommt er an im Schlaf. Aber dann: Mädchenfüße. Klar und deutlich und die Deutlichkeit reißt ihm die Augen auf und bringt alles zurück, den Purple Finch, die Walderdbeeren, die Sporttrophäen und die Basketballer. Mädchenfüße, was hat er nur plötzlich mit den Mädchenfüßen? Das ist ihm unangenehm. Da ist er kulturtheoretisch, ästhetisch, literarisch, pornographisch und psychoanalytisch viel zu sehr geschult, als dass ihm nicht sofort klar ist, dass er sich hier in heikle Fahrwasser begibt. Aber so was hat ihn doch noch nie interessiert. An so was will er noch nicht einmal denken, und dennoch bemüht er sich, den eigentlich ihm gänzlich fremden Gedanken so lange wie möglich aufrechtzuerhalten, denn an das, was er eigentlich denken müsste, will er noch weniger denken. Es geht leider, so viel ist klar, um keine verbotene Lust. Es geht nicht um Mckenzies unschuldige, reine Mädchenfüße. Obschon er sich sicher ist, dass Mckenzie, die er nur von den gerahmten Fotografien, die entlang der Treppe aufgehängt sind, kennt, reizende Füße hat und mittlerweile mit Sicherheit eine reizende junge Frau ist, die in der Steuerverwaltung von Ann Arbor ihren Dienst tut. Aber nicht einmal der Gedanke an die Steuerbehörde hilft ihm weiter. Es ist offensichtlich, worauf die Mädchenfüße verweisen, aber an die Zwillinge kann er jetzt nicht denken, denn dann muss er auch an Heike denken, und das kann er nicht, nicht nach den letzten Nächten, nicht in seinem Zustand.

Denken Sie jetzt nicht an Mädchenfüße.

Dabei war das doch ein guter Moment gewesen. Er, Kraft, und die vier Füßchen seiner Töchter. Die Zwillinge hatten die Angewohnheit, simultan ihre Windeln vollzukacken, was Kraft veranlasst hatte, eigenhändig einen breiten Wickeltisch zu bauen, den er allerdings erst in Betrieb nehmen durfte, als ein eigens zu diesem Zweck von Heike einbestellter Schreiner ihr eine ausreichende Tragfähigkeit des Möbels bescheinigt hatte. Über dem Tisch montierte Kraft einen Spiegel, in dem sich die Zwillinge gegenseitig sehen konnten und der ihren Drang, sich immerzu einander zuzuwenden, unterband; stattdessen kommunizierten sie mit aufgerissenen Augen und ausgestreckten Ärmchen über die Bande und blieben brav auf dem Rücken liegen.

Kraft wird sich immer an diesen einen Augenblick erinnern, als er die vier zappelnden Füßchen griff, einen nach dem anderen mit Nivea eincremte und die Zwillinge zum Kichern brachte, indem er ihnen abwechselnd die dicken Bäuche kitzelte. Ich bin doch ein guter Vater, schoss es ihm durch den Kopf, und dieser Gedanke überraschte ihn so, dass er ihn ein ums andere Mal, heftig mit dem Kopf nickend und die Brauen hochreißend, mit kindischer Stimme in Richtung seiner Töchter aussprach, die ihn aus blauen Augen anstrahlten und ungeschickt nach seinem Finger griffen.

Warum eigentlich überraschte Kraft dieser Gedanke so sehr? Weil Kraft bis zu diesem Moment kein einziges Mal das Gefühl hatte, dies sei ein Gedanke, der ihm zustünde, und das spricht nicht unbedingt für ihn, wenn man in Betracht zieht, dass wir es mitnichten mit einem bescheidenen Mann zu tun haben und Kraft zu diesem Zeitpunkt bereits seit zwanzig Jahren Vater war, auch wenn wir der Fairness halber die sechs davon abziehen sollten, in denen er davon gar nichts wissen konnte.

Jedenfalls hatten dieser Gedanke und die Erinnerung daran über die Jahre eine Wandlung vollzogen, denn war in den ersten Lebensjahren der Zwillinge damit stets ein tröstliches Gefühl verbunden, so ist es heute nur noch ein Gefühl der Verunsicherung und in manchen Momenten – so wie eben gerade jetzt, in Mckenzies Zimmer – sogar eines des Versagens. Deswegen will Kraft auf keinen Fall an Mädchenfüße denken, unter gar keinen Umständen. Nicht jetzt, nicht in seiner Verfassung, am liebsten nie wieder.

Wenigstens eines ist gleich geblieben, denkt Kraft, auf die kleinen Vögel blickend, die er Nacht für Nacht irrtümlicherweise für Rotkehlchen gehalten hat: Die Zwillinge, sie bauen immer noch gerne synchron Scheiße. So wie vor drei Wochen, als er von einem Kaufhausdetektiv aus dem H&M in der Fußgängerzone angerufen wurde, er möge doch bitte seine beiden Töchter abholen. Und als er sich unter den mitleidigen Blicken der Verkäuferinnen zu einem kleinen Kabuff durchgefragt hatte, traf er auf zwei aufreizend entspannte Mädchen, die einem jungen Mann mit gegelten Haaren gerade klarmachten, dass sie sowieso nichts zu befürchten hätten, da sie erst mit ihrem vierzehnten Geburtstag, also in zwei Monaten, strafmündig würden. Es war nicht der Ladendiebstahl, der ihn besorgte, auch nicht die beiden identischen, künstlich ausgefransten Hotpants, die sie sich ungeschickt in ihre viel zu großen Kunstlederhandtaschen gesteckt hatten, weil sie sich die 9 Euro 90 sparen wollten, auch wenn es ihn wurmte, dass sie vor einem Jahr begonnen hatten, sich beide haargenau gleich zu kleiden, war dies doch einer der großen Kämpfe, die er mit Heike ausgefochten und auch gewonnen hatte, weil er der Meinung war, sie hätten zwei eigenständige Personen großzuziehen und nicht die Kessler-Zwillinge, aber Heike war zu jung, um zu wissen, wer die Kessler-Zwillinge waren, und führte ins Feld, es gäbe nun mal nichts Süßeres auf der Welt als identisch angezogene blonde Zwillingsmädchen, ein Argument, das er mit dem Hinweis abschmetterte, die Kessler-Zwillinge seien nie verheiratet gewesen, ein Schicksal, an dessen Wiederholung Heike auf keinen Fall schuld sein wollte, und so wurden die beiden von Anfang an unterschiedlich angezogen, wiewohl Heike auf die farbliche Abstimmung immer ein Augenmerk warf, bis eben vor einem Jahr die beiden von einem Tag auf den anderen beschlossen hatten, fortan immerzu das Gleiche anzuziehen.

Das war aber nicht, was ihn besorgte, als er sie mit strengen Blicken und ebensolchen Worten aus dem Hinterzimmer lotste, nachdem er sie gezwungen hatte, sich bei dem Gegelten zu entschuldigen, was sie widerwillig taten, dabei die kajalumrandeten Augen verdrehten und ihm, Kraft, ihrem Vater, erklärten, der junge Mann sei ja wohl kaum der richtige Adressat, handle es sich bei ihm doch gar nicht um den Geschädigten, oder ob er vielleicht glaube, dies sei der berühmte Herr Hennes oder vielleicht doch eher der Herr Mauritz; ganz im Gegenteil, der hier könne ja froh sein, dass sie sich beim Klauen hätten erwischen lassen, gäbe es keine Ladendiebe mehr, würde er bald auf der Straße stehen. Nein, was Kraft besorgte, war der Umstand, dass er sie nicht zerknirscht vorgefunden hatte, kein bisschen kleinlaut, sondern bereits verhandelnd, taktierend und negierend, und später hatten sie es sogar geschafft, die abendliche Standpauke, zu der sich Kraft und Heike zusammengerauft hatten, in ein Schauspiel zu verwandeln.

Sie feilschten um jedes Quäntchen Schuld, eröffneten die unbedeutendsten Nebenschauplätze und legten jedes Wort auf die Goldwaage. Ein Verhalten, das war ihm klar, das sie sich von ihren Eltern abgeschaut hatten, denn dies war das

Prinzip, nach dem Kraft und Heike ihre Ehe führten, nachdem sich die gemeinsame Begeisterung für das Projekt Familie gelegt hatte, ungefähr zu jener Zeit, als Heike wieder anfing zu arbeiten und der Strang, an dem sie gemeinsam zogen, sich aufdröselte in ein Klein-Klein aus Begehrlichkeiten, Eitelkeiten, Wichtigkeiten und gegenseitigem Aufrechnen von Verzicht und Leistung.

Das völlige Fehlen jeglicher Großzügigkeit, das ist der Kern des Übels. Aber woher sie nehmen, denkt Kraft, wo sie wiederfinden, wenn sie nicht in einem selber steckt? Vielleicht, so hofft er, schlummert sie noch in mir, ja, ganz gewiss ist sie nur verschüttet, und es bräuchte bloß ein kleines Zeichen von Heikes Seite, einen kleinen Akt der Großzügigkeit ihm gegenüber, und er selbst wäre wieder zu solcher fähig. Aber warum auf Heike warten? Funktioniert das denn nicht auch in die andere Richtung? Nein, eben nicht. Heike, so muss er befürchten, würde sein Zeichen der Großzügigkeit schamlos ausnutzen, als ihren Sieg und seine Niederlage deuten. Es war längst ein Kampf, und in einem solchen verlor, wer zuerst die Deckung fallen ließ.

Kraft steckt sich je eine der weiß lackierten Stangen der Bettstatt zwischen die Zehen, presst seine erhitzten Sohlen flach an das kühle Eisen und spürt mit einem Gefühl der Enttäuschung, wie das Material sich rasch erwärmt und die angenehme sensorische Diskrepanz zwischen seiner organischen Hitze und der leblosen Kälte, nach der er sich so sehnt, schwindet. Die Sehnsucht danach ist zu schmerzhaft und die Gewissheit der Enttäuschung zu groß, sodass er es heute unterlässt, an den restlichen sechs Stangen des Fußteils sein kurzes Glück zu versuchen. Kraft schlägt die Decke zur Seite, schwingt die Beine über den Matratzenrand, richtet sich auf, knipst die Nachttischlampe an und angelt sich aus seinem Wäschesack die Socken vom Vortag. An Schlaf ist sowieso nicht mehr zu denken, und außerdem hat er eine Aufgabe zu erfüllen. Die Frage nach dem Woher und Wozu des Übels und weshalb trotzdem alles gut sei, harrt einer, nein, seiner Antwort, und das Schöne ist doch, dass damit auch die Lösung ihrer familiären Probleme verbunden ist, was dringend nottut, da sie es ganz offensichtlich, trotz gegenseitiger Beteuerungen, dies sei das Einzige, was zähle, nicht schaffen, die Mädchen herauszuhalten.

In Socken, Boxershorts und T-Shirt setzt er sich auf den lackierten Library-Chair an den kleinen, weißen Schreibtisch, fischt aus dem Rucksack sein Notebook und den dünnen Stapel Papier, den er sich täglich von Ivans Sekretärin frisch ausdrucken lässt, obschon doch selten etwas Neues dazu kommt, und sieht beim Durchblättern der Notizen und ebenso fragmentarischen wie auch vollkommen nutzlosen, weil nicht im Geringsten für den Optimismus argumentierenden Aufzeichnungen seinen Schaffensdrang dahinschwinden. Dumpf brütend sitzt er im Licht der Schreibtischlampe. Vielleicht noch einmal Posers Essay zur Technodizee lesen? Ja, bestimmt, von der Seite muss er das Pferd aufzäumen. Da, bereits auf der ersten Seite, ist doch das Problem, das ganze Übel, in seiner einfachsten Form geschildert, in den Worten des Kirchenvaters Laktanz, zitiert aus dessen Schrift *Vom Zorn Gottes*:

Entweder will Kraft die Übel beseitigen und kann es nicht, oder er kann es und will es nicht, oder er kann es nicht und will es nicht, oder er kann es und will es. Wenn er nun will und nicht kann, so ist er schwach, was auf Kraft nicht zutrifft; wenn er kann und nicht will, dann ist er missgünstig, was ebenfalls Kraft fremd ist. Wenn er nicht will und nicht kann, dann ist er sowohl missgünstig wie auch schwach und dann auch nicht Kraft. Wenn er aber will und kann, was allein sich für Kraft ziemt, woher kommen dann die Übel und warum nimmt er sie nicht weg?

Ja, warum nimmt er sie nicht weg, der Kraft? Weil es ihm an Optimismus fehlt. Wieder fällt er in dumpfes Brüten. Aber dann fließt, nun, da er sitzt, die ganze Schwere aus seinem Körper und macht einer tönernen Leere Platz. Er fühlt sich plötzlich ganz leicht. Jetzt, jetzt könnte er einschlafen, wenn er denn im Sitzen schlafen könnte, denn zurück zu den Finken und Walderdbeeren will er nicht. Also bleibt er sitzen und gleitet in einen tranceartigen Zustand, in dem vier rosige, eingecremte Kinderfüßchen vor seinen schweren Lidern tanzen. Näher wird Kraft dem Schlaf heute nicht mehr kommen.

III.

Siehe, seine Kraft ist in seinen Lenden und sein Vermögen in den Sehnen seines Bauches. Sein Schwanz
streckt sich wie eine Zeder.

Hiob, 40.16

Das Frühstück ist eine Zeremonie. Eine lieb gewonnene Tra-
dition, ein Familienritual, und weshalb, so hatte Ivan bereits
am ersten Morgen gesagt, ein solches aufgeben, nur weil das
Kind aus dem Haus ist? Ivan, muss Kraft feststellen, scheint
immer gut gelaunt in den frühen Morgenstunden, und er
kann sich beim besten Willen nicht erinnern, dass dies auch
für István gegolten hätte. Ivans Frau Barbara sitzt in einem
karierten Flanellpyjama am Frühstückstisch, ein Aufzug, der
Kraft in seiner aufreizenden Reizlosigkeit unangemessen pri-
vat erscheint und eine Intimität schafft, die er kaum aushält,
also konzentriert er sich auf den rasch wachsenden Balken
auf seinem Tablet, der ihm den Ladezustand der neuesten
FAZ-Ausgabe anzeigt, und beginnt, hektisch mit seinem Mit-
telfinger auf den Aufmacher zu klopfen, sodass das Bild des
Bundesfinanzministers ihm, in rascher Folge, förmlich ent-
gegenspringt und wieder zusammenschrumpft, bis er es mit
einem energischen Wischen nach links in den Arbeitsspei-
cher seines Geräts schickt, was für einen Wimpernschlag die
Illusion erzeugt, der Minister fahre in seinem Rollstuhl rück-

wärts von der Bühne des Weltwirtschaftsforums. Ivan drapiert derweil die Baconstreifen, die er zuvor auf einer Lage Backpapier in der Mikrowelle gedörrt hat, kreuzweise auf den Spiegeleiern und stellt seiner Frau den Teller hin, sie wie jeden Morgen mit einem *Sunnyside up* aufmunternd, womit er sich auch heute wieder die Zusicherung verdient, er sei ein Engel. Dann setzt er sich zufrieden an den Tisch, nippt an seiner Tasse aus mexikanischem Steingut und bemerkt, es sei doch nun, da Kraft bei ihnen am Tisch sitze, ein wenig wie früher, und weil Kraft sich ziemlich sicher ist, dass Ivan damit nicht die im Stehen gelöffelten Joghurtfrühstücke in der Grunewaldstraße im Sinn haben kann, lächelt er etwas gequält und kann es sich, trotz einiger Anstrengung, nicht verkneifen, einen kurzen Blick auf Barbaras Füße zu werfen, die sie mit angezogenen Knien auf der Stuhlkante abgestellt hat. Ivan schaut ganz beseelt in die Runde und wischt sich, routiniert mit der Serviette unter den Stahlrahmen seiner Brille greifend, eine Träne aus dem linken Augenwinkel.

Keine Träne der Rührung, nur eine der zahllosen Tränen, die Ivan in regelmäßigen Abständen aus dem getrübten Auge rinnt, seit jenem 11. Juni im Jahre zweiundachtzig, an dem Ruth, «Frieden schaffen ohne Waffen» brüllend, István eine gelbe Gerbera ins Gesicht geschlagen hatte.

Dabei hatte der Tag so gut angefangen, gehörten István und Kraft doch zu den handverlesenen Glücklichen, die der Ankunft der Air Force One auf dem Flugfeld in Tempelhof beiwohnen durften. Eine Auszeichnung, die sie zweifellos deswegen erlangt hatten, weil die Stadtoberen dem dynamischen Präsidenten, der trotz seiner siebzig Jahre beinahe jugendlich wirkte, nicht fälschlicherweise das Bild vermitteln wollten, West-Berlin sei nur noch von älteren Damen bevölkert, deren Biographien geprägt waren von der Trias aus Verführung, Strafe und Heilung; der Verführung durch das braune Versprechen von Reinheit, Größe und Ewigkeit, der auf dem Fuß folgenden Strafe durch die Brutalität der Roten Horden, die viele von ihnen am eigenen Leibe hatten erfahren müssen, und dem anschließenden Heilungsprozess durch die innerliche und äußerliche Anwendung von bunten Produkten, die das Wirtschaftswunder wie Rosinen und Nylonstrümpfe vom Himmel regnen ließ und deren unbegrenzte Verfügbarkeit allein der amerikanische Geist, gepaart mit deutschem Fleiß zu garantieren schien, weshalb sie nur allzu gern bereit waren, dem Geist mit Fleiß zu huldigen und mit kleinen Sternenbannern zu wedeln. Eine Stadt, die gelegentlich an der Last der eigenen Geschichte zu ersticken drohte, von einer Horde Senioren repräsentieren zu lassen, das war den Verantwortlichen klar, würde ein ganz falsches Bild vermitteln. Darum wurde verzweifelt nach Studenten gesucht, die bereit waren, Ronald und Nancy Reagan zuzujubeln, doch die meisten hatten weder Zeit noch Lust, waren sie doch bereits damit beschäftigt, am Nollendorfplatz die Pflastersteine zu lockern, sodass dem Ersuchen Istváns, man möge ihm, als sozusagen direkt Betroffenem, doch bitte die Gelegenheit geben, dem Anführer der freien Welt persönlich seine Dankbarkeit zu zeigen, bereitwillig stattgegeben wurde.

Das hellblaue Flugzeug kam zum Halten, eine Treppe wurde herangefahren, Secret-Service-Mitarbeiter in braunen Anzügen, die István bereits zu Begeisterungsstürmen veranlassten, traten durch die Tür, ein Fotograf mit tantiger Frisur folgte, Marschmusik spielte, Fahnen flatterten im warmen Wind, und dann trat der Repräsentant der Schutzmacht um 9 Uhr 47 auf die Treppe, an der Hand Nancy, in einem weißen Deux Pièce. Reagan winkte kurz, stieg dabei die Treppe hinab, betrat Berliner Boden, salutierte am Fuß der Treppe den anwesenden Führungskräften der amerikanischen Truppen, drückte dem Bürgermeister von Weizsäcker die Hand, schritt das bereitstehende Bataillon GIs ab und schüttelte am Absperrgitter die Hände einiger Berliner, unter ihnen der selige Hemdenwäscher Pánczél und der vielversprechende Student Kraft, die sich nach diesem erhebenden Moment genau so rücksichtslos, wie sie sich zuvor in die erste Reihe vorgearbeitet hatten, durch die Menge zurückarbeiteten, dabei den alten Damen auf die Füße traten und kleine Kinder, die sich an die Hände ihrer Mütter klammerten, von ihren Familien trennten, zu ihren Fahrrädern rannten und im Wiegetritt an der Gedächtniskirche vorbei zum Schloss Charlottenburg rasten, um sich auch dort einen Logenplatz zu sichern.

Kraft litt. Wie immer, wenn er das, was ihm wichtig war, mit zu vielen teilen musste. Fünfundzwanzigtausend Berliner, die der Rede des Präsidenten lauschten und im Chor jubelten. Selbst für die gute Sache war das Kraft zu viel Konformismus. Selbstverständlich war es ein erhebendes Gefühl, auf der richtigen Seite der Geschichte zu stehen, aber musste es dort unbedingt so voll sein? István hingegen war ganz euphorisiert, sang auf dem Heimweg mit amerikanischem Akzent «Börlin bleibt doch Börlin» und verfiel auf die fatale Idee, die für den Frieden demonstrierenden Frauen am Theodor-Heuss-Platz heimzusuchen, um ihnen, ausgestattet mit der autoritativen Kraft der Ersten-Person-Perspektive, ihr verschrobenes Weltbild zurechtzurücken.

Es sei, so gab er sich überzeugt, geradezu seine Pflicht, und Reagans Worte hätten ihm den Mut eines Löwen eingeflößt; dergestalt ausgestattet, sei er bereit, selbst einer Horde übergeschnappter Kommunistenweiber, schutzlos, nur mit seinem Schicksal und seiner intellektuellen Überlegenheit bewaffnet, gegenüberzutreten. Man kann vielleicht von Glück sprechen, dass die Erfindung der sozialen Netzwerke und des mobilen Internets sich an jenem Tag noch nicht einmal erahnen ließ und die beiden Gefährten deswegen nicht die leiseste Ahnung hatten von den dramatischen Geschehnissen auf dem Nollendorfplatz, sonst hätte Kraft István nicht davon abhalten können, sich mit seinem Schicksal und seiner intellektuellen Überlegenheit einem Pflastersteinregen auszusetzen, und es wäre kaum bei einem lädierten Auge geblieben. Der Ort der Frauendemonstration hingegen war den beiden aus der Zeitung bekannt, da es sich dabei um die einzige Demonstration handelte, die von den Behörden nicht fürsorglich und kategorisch untersagt worden war.

Mit wehender Haartolle und mächtigen Schweißflecken unter den Achseln radelte István tatendurstig durch die Ahornallee voran und verkündete dem zögerlichen Kraft über seine Schulter hinweg, er habe vor, die demonstrierenden Damen zu fragen, ob sie sich eigentlich jemals gefragt hätten, ob sie unter jener Regierungsform, für die sie sich so einsetzten, noch tun dürften, was sie gerade täten? Eine Formulierung, mit der Reagan fünf Jahre später, praktisch wortwörtlich, seine zweite Berliner Rede abschließen wird, was den vor dem Fernseher sitzenden István dazu veranlassen wird, in seiner Londoner Küche vom Sofa aufzuspringen und an Kraft gewandt auszurufen, er habe es immer geahnt, aber dies sei doch nun die Bestätigung, dass die Amerikaner ihn, den geflüchteten ungarischen Dissidenten, in seinen Berliner Jahren abgehört und darüber offenbar bis ganz nach oben Bericht erstattet hätten.

Mühelos hatte die Hundertschaft Polizisten die Frauen-Trauer-Demonstration am Theodor-Heuss-Platz im Griff. Gelassen standen sie in lockerer Formation vor fünfhundert meist jungen Frauen, die liebevoll gestaltete Transparente in die Höhe hielten, mit Abbildungen von Tauben mit Ölzweigen in den Schnäbeln, die einiges an künstlerischem Talent verrieten, und dazu «Sonne statt Reagan» skandierten. Es mag sogar sein, dass es den Polizisten etwas fad war, waren sie doch bereits über Funk informiert, dass sich ihre Kollegen an anderen Ecken der Stadt mit ganz anderen Situationen auseinanderzusetzen und mit Sicherheit mehr Gelegenheit hatten, ihre Tapferkeit unter Beweis zu stellen und ihre Knüppel sprechen zu lassen. Vielleicht ließen sie deswegen István, der sie aufgeregt beschwafelte und, mit seinem Amerika-Fähnchen wedelnd, immer wieder auf den großen Reagan-Button wies, den er am Revers trug, durch den Kordon und, mit Kraft im Schlepptau, an das hüfthohe Absperrgitter treten, wo er den Frauen lautstark eine Kostprobe seiner intellektuellen Überlegenheit servierte, die allerdings wenig Eindruck zu machen schien, weshalb er sich unter den amüsierten Blicken der Polizisten auf derbe Beschimpfungen verlegte. Kraft musterte derweil kopfschüttelnd die fehlgeleiteten Frauen und stellte einige Überlegungen zur Rolle der Frau in der Gesellschaft an. István, mit seinem von den präsidialen Worten angefachten Mut, wagte sich bis auf Armeslänge an die friedensbewegten jungen Frauen heran und suchte sich für seine Beleidigungen ausgerechnet jene aus, deren politische und moralische Verirrung Kraft am meisten bedauerte, denn sie strahlte mit ihrem breiten Gesicht, den zu einem Dutt geknoteten Haaren und den großen Brüsten, die sich unter dem lila T-Shirt abzeichneten – ein, wie er fand unmögliches Kleidungsstück, das er mit ihrer politischen Verwirrung entschuldigte –, etwas Mütterliches, Fruchtbares aus. Kraft war begeistert. Gerade, als er sich mit Überlegungen beschäftigte, ob sie sich eventuell seinen Argumenten zugänglich erweisen könnte und von ihm wieder auf den rechten Pfad bringen lassen würde, schien es István mit seinen politisch konnotierten Obszönitäten zu übertreiben, jedenfalls platzte der jungen Frau der Kragen, und sie schlug ihm, «Frieden schaffen ohne Waffen» brüllend, ihre gelbe Gerbera ins Gesicht. Es flossen Tränen, es floss Blut, und es floss leider auch Istváns Glaskörper, der, perforiert von dem Blumendraht, mit der eine umsichtige Floristin die Gerbera stabilisiert hatte, seinen Inhalt auf Istváns Brust verteilte und das Porträt des lachenden Präsidenten besudelte. Kraft schleppte den wie am Spieß brüllenden und ungarische Verwünschungen ausstoßenden István zu einem bereitstehenden Krankenwagen, während die Polizisten die Gelegenheit ergriffen, etwas auf die vorderste Reihe der Frauen einzuknüppeln, und hielt ihm voller Sorge und Mitgefühl die Hand, solange zwei Sanitäter mit Gazeverbänden das Auge am weiteren Auslaufen zu hindern versuchten, um hernach den jungen Mann auf einer Trage festzuschnallen und mit Blaulicht in Richtung Klinikum Steglitz davonzubrausen. Kraft sah der Ambulanz hinterher, als plötzlich Ruth neben ihm stand. Sie war erschüttert, den Tränen nah; was hatte sie nur angestellt? Und Kraft nutzte die Gunst der Stunde, befeuerte ihre Schuldgefühle, indem er ihr ausführlich und plastisch von Istváns spektakulärer Flucht – von der er ja selbst nicht wusste, dass sie bloß Legende war – berichtete und die mannigfaltigen Repressionen schilderte, denen István in seiner Heimat ausgesetzt gewesen sein musste, sodass die angeschlagene Ruth glaubte, sie habe gerade dem heimlichen Kopf der ungarischen Intelligenzija das Augenlicht geraubt. Dankbar nahm sie den Zettel an, auf den ihr Kraft seine Nummer notiert hatte, damit sie ihn abends anrufen konnte, um sich nach dem Befinden des tapferen Dissidenten zu erkundigen.

Als Kraft gegen Abend endlich zu seinem Freund vorgelassen wurde, fand er diesen ziemlich einsilbig unter einem hellblauen Plumeau vor, einen dicken Verband schräg über dem Kopf. Kraft versuchte ihn aufzumuntern, indem er ihm versicherte, er sehe exakt aus wie Moshe Dayan auf jenem Foto, das den General zeigte, wie er am Litani tapfer Stunde um Stunde auf seinen Abtransport wartete, doch er hatte vergessen, dass István den Israeli im letzten Jahr wegen politischer Unzuverlässigkeit von seiner persönlichen Heldenliste gestrichen hatte. Kraft protestierte zwar, war aber dankbar, dass ihn die Krankenschwester bald nach Hause schickte, denn er wollte auf keinen Fall Ruths Anruf verpassen. Und so wartete er ungeduldig neben dem Telefon, auf jenem Sofa sitzend, das István in den ersten Wochen ihrer Freundschaft als Nachtlager gedient hatte, bis Schlüti entnervt aufgegeben hatte, im Treppenhaus Grobheiten brüllend, auszog und damit sein Zimmer dem geflüchteten ungarischen Schachgenie überließ. Ruth rief tatsächlich an und zeigte sich sehr erleichtert, dass Istváns Augenlicht vermutlich erhalten bliebe, und bat Kraft, ihn am nächsten Tag ins Krankenhaus begleiten zu dürfen, um sich persönlich zu entschuldigen.

Kraft erwartete Ruth vor dem Haupteingang des Klinikums. Sie tauchte mit einem Strauß gelber Gerbera auf, was auf einen eigentümlichen Humor deutete; etwas, für das Kraft durchaus empfänglich war. Überhaupt war er sehr begeistert. Wohlwollend bemerkte er ihre breiten Hüften und den üppigen Busen, der ihm schon am Vortag aufgefallen war, über dem sie nun aber eine viel akzeptablere schwarze Bluse trug. Ein Besuch sei leider, so musste er ihr mitteilen, heute nicht möglich, István sei soeben zu einem neuerlichen Eingriff in den OP gebracht worden. Das entsprach, so darf man zu Krafts Verteidigung klarstellen, sogar den Tatsachen. Ruth wirkte, wie Kraft beunruhigt feststellte, weit gefasster als noch am Vortag, weswegen er beschloss, ihr von seiner Vermutung zu berichten, sein Freund habe ein ausgesprochen schwieriges Verhältnis zu Krankenhäusern, jedenfalls weise eine wüste Narbe in der Lendengegend, über die István nur in dunkelsten Andeutungen spreche, auf ein traumatisches Erlebnis hin, was allerdings, doch das konnte Kraft nicht wissen, daran lag, dass István nur ungern davon berichtete, wie er sich beim Hochheben eines Küchenbuffets einen Leistenbruch zugezogen und sich die Operationsnarbe infolge mangelnder Hygiene entzündet hatte. Deshalb wurde István immer ganz einsilbig, wenn er auf den handbreiten rosafarbenen Wulst angesprochen wurde, und raunte etwas vom Schrecken des Sozialismus, womit er die schäbige Ausstattung der Budapester Klinik meinte, bei Kraft aber sofort lebhafte Bilder von düsteren Kellern der Staatssicherheit hervorrief. Bilder, die er nun zur Sicherheit plastisch aufleben ließ, sodass er Ruth bald wieder so weit hatte wie am Vortag und sie sich bereitwillig von ihm in eine Eisdiele einladen ließ.

Was war es, das Kraft so für Ruth einnahm? Nun, zum einen, tatsächlich ihre Mütterlichkeit. Nicht etwa, dass sie Kraft bemutterte, ganz und gar nicht, und überhaupt hätte er sich das kaum gefallen lassen. Nein, sie war, wie er fand, eine mütterliche Erscheinung. Als Mutter schien sie sozusagen eine Idealbesetzung, und da er der Meinung war, die Familie sei unbestreitbar sowohl das Fundament des bürgerlichen Lebens, wie auch die Seele des Staates, beabsichtigte er, in dieser Hinsicht bald das Seinige zu einer soliden Nation beizutragen, und da sich dies nicht ohne tatkräftige Hilfe einer Frau, einer Mutter, bewerkstelligen ließ, war er von Ruth sehr begeistert. Man könnte nun natürlich einwenden, das alles habe vielleicht weniger mit der bürgerlichen Seele des Staates und dafür mehr mit dem schwierigen Charakter von Krafts Mutter zu tun, aber man würde dem jungen Kraft damit unrecht tun, hielt er doch, als er Ruth über den Rand seines Eiskaffees hinweg auf den Busen starrte, vom Wiener Kurpfuscher noch gar nichts, sondern verachtete dessen Schriften sogar regelrecht. Jedenfalls wuchs seine Begeisterung für Ruth ins Euphorische, als sie, etwas zaghaft, schließlich war das in ihren Kreisen keine sehr populäre Ansicht, zugab, sie halte nicht viel von Kinderkrippen, nicht grundsätzlich natürlich, sie seien ein wichtiger Beitrag zur Befreiung der Frau, aber für sie persönlich würde es eben eher nicht in Frage kommen, die Kinder in fremde Obhut zu geben; schlicht zu reizvoll stelle sie sich die Mutterschaft vor. Kraft pflichtete ihr heftig nickend bei, und hätte er sich bereits damals dazu herabgelassen, Cohn-Bendits großen Gesprächsbasar zu lesen, statt auf die skandalisierten Auszüge in der Presse dreißig Jahre später zu warten, hätte er es sich mit Sicherheit nicht nehmen lassen, zu behaupten, in Kinderkrippen würde den Kleinen grundsätzlich von ungewaschenen Sozis mit ihren Grabbelfingern an den Hosenlätzen rumgemacht, und hätte damit einigen einiges erspart. So aber entging Ruth diesem schlagkräftigen Argument, welches sie vermutlich unappetitlich genug gefunden hätte, um ihrem halb gegessenen Bananensplit und Kraft den Rücken zu kehren, stattdessen erzählte sie von ihrem Studium der Bildhauerei, was Krafts Feuer noch mehr entfachte, denn er fand ja künstlerisch tätige Menschen spannend und rechnete sich gleichzeitig vor, dass die Bildhauerei doch eine Beschäftigung sei, die man im Fall einer Mutterschaft gut reduzieren könne, sowohl in Umfang und Gewicht der Arbeiten, wie auch vom zeitlichen Aufwand her. Vollends um Kraft geschehen war es, als Ruth ihm nach längerem Insistieren ihren Familiennamen verriet: Sie war eine Lambsdorff. Kraft geriet ganz aus dem Häuschen, auch wenn sie ihm versicherte, mit dem von ihm so hochverehrten Grafen und Bundeswirtschaftsminister nur sehr weitläufig verwandt zu sein, diesen auch noch nie persönlich getroffen zu haben und auch nicht das geringste Bedürfnis nach einem solchen Treffen verspüre, es sei denn, um ihm eine Gerbera ins Auge zu schlagen.

Kraft war verliebt. Und so kam es, dass er sich jeden dritten Abend unter dem Vorwand, er wolle sich noch für ein paar Stunden der Lektüre eines Werkes des Franziskanerpaters Luca Pacioli zur doppelten Buchführung widmen, welches leider nur als Lesesaalausleihe zur Verfügung stehe, aus der Grunewaldstraße schlich und István auf dem Sofa zurückließ, mit seinem dicken Mullverband über dem linken Auge und seinen *Knight-Rider*-Videokassetten, die er der Bekanntschaft mit einer amerikanischstämmigen Krankenschwester zu verdanken hatte. Es war Verrat, das wusste Kraft, doppelter Verrat. Nicht nur, dass er seinen Freund in diesen schwierigen Tagen belog und alleine ließ, nein, viel schlimmer noch, er traf sich mit dessen Angreiferin, die ganz und gar für seinen erbärmlichen Zustand verantwortlich war – auch wenn Kraft mittlerweile der Meinung war, István trage mit seinen Provokationen eine gewisse Mitschuld an den Ereignissen. Doch davon wollte István nichts wissen, er schwor, sobald er wieder mit beiden Augen zu sehen in der Lage sei, werde er ganz Berlin – und er meine *ganz* Berlin, falls sie sich mittlerweile in den Osten abgesetzt habe – nach diesem sozialistischen Schlägerweib durchsuchen, um sie der Justiz zuzuführen. Kraft widersprach nicht und verabschiedete sich einmal mehr zu einem Rendezvous mit Pater Pacioli. Die Unmöglichkeit eines ausgeglichenen Saldos zwischen moralischem Soll und amourösem Haben zerriss ihn fast. Er liebte seinen tapferen und klugen Mitkämpfer István Pánczél, der so viel

Schweres hatte ertragen müssen, und ebenso liebte er die zukünftige mütterliche Mutter seiner zukünftigen Kinder, seine persönliche Lambsdorff. Es zerriss ihn fast, aber es hinderte ihn nicht daran, die Gelegenheit zu nutzen, als István sein Auge einer neuerlichen Operation auszusetzen hatte, bei der ein bundesrepublikanischer Ophthalmologe in einem aus amerikanischen Hilfsgeldern finanzierten West-Berliner Krankenhaus das linke Auge des Hemdenwäschers Pánczél endgültig ruinierte, die dadurch für zwei Tage frei gewordene Couch zu nutzen, um so lange auf Ruth einzuschwafeln, bis sie sich ihm ergab und sie bei dieser Gelegenheit ihr erstes Kind zeugten.

Wir wissen nun, weshalb sich Kraft so für Ruth begeisterte, aber wir wissen nicht, was Ruth von Kraft wollte. Schwer zu sagen. Sein Aussehen war es nicht, wiewohl Kraft ein gut aussehender junger Mann war und sie nicht alle Tage von gut aussehenden jungen Männern für ihr breites Becken bewundert wurde. Nein, die Komplimente, obschon sie dafür nicht unempfänglich war, waren es auch nicht. Waren es die Gegensätze, die sie anzogen? Die Gegensätze, die vor allem auf politischem und weltanschaulichem Terrain offensichtlich waren? Nein, auch nicht die Gegensätze; diese ließen sie eher in schlaflosen Nächten ein Was-mach-ich-da-nur nach dem anderen in ihr Federbett murmeln. Letzen Endes hatte Ruth eine Schwäche. Nicht für Kraft; auch wenn es so schien. Es war überhaupt keine Schwäche für etwas. Es war eine Schwäche, die sich am besten einfach als Schwäche beschreiben lässt. Eine ganz und gar fundamentale Schwäche. Eine existenzielle Schwäche. Eine Schwäche, die sie gelegentlich überkam, sie niederwarf, über sie hinwegwalzte und sie wehr- und kraftlos liegen ließ, sodass sie jeder Dahergelaufene aufsammeln konnte. Sie wusste bereits, dass sie diese Schwäche hatte, dass sie in ihr war und nur darauf wartete, sich breit zu machen, aber was sie noch nicht wusste, war, dass es etwas mit Männern zu tun hatte, und zwar mit einer bestimmten Sorte Mann; die großen Schwafler waren es, denen sie sich ergab, sang und klanglos, nach kürzester Zeit, so entsetzlich ermüdete sie deren Geschwafel, dass es für sie immer schon zu spät war und sie kaum jemals entkam. Aber das hatte sie, als sie Kraft kennenlernte, noch nicht begriffen, fiel es ihr doch erst wie Schuppen von den Augen, als sie an ihrem vierzigsten Geburtstag in den Hamburger Deichtorhallen zitternd vor Louise Bourgeois' *The Destruction of the Father* stand, aber da hatte sie auch bereits ihren Freud gelesen; etwas vom Ersten, was sie tat, nachdem sie sich von Kraft hatte scheiden lassen.

Dass sie sich Schwaflern hingab, kam also öfters vor, aber dass die Schwafler, so wie Kraft, sogar in der Hingabe schwafelten, war dann doch eher selten und schwächte Ruth derart, dass sie sich für drei Wochen außerstande fühlte, ihr Zimmer zu verlassen, Kraft zu empfangen oder mit ihm zu telefonieren, und auch für das Öffnen seiner täglichen Briefe brachte sie nicht die Energie auf. Kraft setzte sich also, waidwund, ausgestattet mit den schönsten bürgerlichen Familienplänen, die wie Fürze in einer völligen Leere verhallten, neben István, mit dem er seinen Liebeskummer aus naheliegenden Gründen nicht teilen konnte, aufs Sofa und ließ sich von Michael Knight in seichtere, weniger schmerzhafte Gefilde entführen.

Ruth wusste plötzlich, dass sie schwanger war. Sie wusste es, machte zur Sicherheit dennoch einen Test und beorderte Kraft ins *Diener* in der Grolmanstraße, um ihn von seiner Vaterschaft in Kenntnis zu setzen und die weiteren unvermeidlichen Schritte in Richtung Familienleben in Angriff zu nehmen. Kraft, voller Hoffnung, kam eine Viertelstunde zu früh zur Verabredung, und weil er im *Diener* keinen kannte – das war nicht sein Revier –, war er gezwungen, ganze fünfzehn Minuten zu schweigen. Eine Ewigkeit, in der er sich zurechtlegte, womit er Ruth von einer gemeinsamen Zukunft überzeugen wollte, sodass Krafts Hirn und Herz wie ein übervoller Speichersee auf Entlastung warteten und der Damm bereits brach, als Ruth noch dabei war, ihren Regenmantel auszuziehen, um ihn sogleich wieder anzuziehen, denn aus ihrer Schwäche erwuchs für einen kurzen, unerklärlichen Augenblick eine Stärke, und als sie so auf den schwafelnden Kraft hinunterblickte, sah sie plötzlich klar und deutlich die Vorzüge einer Kinderkrippe und rettete sich wortlos in das Sommergewitter hinaus. Kraft trottete nach Hause, setzte sich mit offenem Herzen neben seinen halb blinden Freund aufs Sofa und überredete ihn zu einem weiteren Durchgang *Knight Rider*. Von seiner Vaterschaft sollte er erst sechs Jahre später erfahren.

IV.

Kraft besteht nicht ohne Güte.

Honoré de Balzac

Kraft rudert gerne. Im Einer. Der Gleichschlag liegt ihm nicht. Und weil ihm das schweigende Durchschneiden des Neckarwassers in den frühen Morgenstunden, das zielstrebige, schnelle Dahingleiten, das Gefühl des Fortkommens aus eigenem Antrieb als tägliches Ritual so fehlt, er dieses Fehlen als Ursache seiner denkerischen Krise auszumachen beginnt und die halbe Stunde auf einer der unverrückbar in Reih und Glied stehenden, weiß lackierten Maschinen im Arrillaga Family Sports Center höchstens als klägliches Substitut, vielleicht sogar als Verstärker seiner Krise gelten kann, leiht er sich Ivans alten Ford Bronco und fährt am späten Nachmittag zum Hafen von Redwood City, wo das Ruderhaus der Universität an der seichten Bucht liegt.

Ein Student händigt ihm ein Skiff aus, und während sie gemeinsam das federleichte, kaum hüftbreite Boot zu Wasser lassen, lässt er vorsorglich die Armmuskeln spielen und reckt die breite Brust unter dem kardinalsroten Stanford-Schriftzug, der auf seinem ärmellosen Shirt prangt.

Das Shirt hat Kraft an diesem Morgen im Buchladen auf dem Campus erstanden, weil die Erinnerung an die Nacht in seinem Hinterkopf pochte, mit einer Dringlichkeit, die kein Heulen und Brausen eines Staubsaugers zu übertönen vermochte, bis er auf die Idee verfiel, die Rettung im Konsum zu suchen, eine Strategie, die manchmal funktionierte, denn der Kauf von Dingen verlangt zumindest nach einem rudimentären Minimaloptimismus – weshalb sich die neue kritische Gesamtausgabe von Henry James im Leinenschuber kaufen, wenn man nicht davon ausgeht, dass es wenigstens irgendwie weitergehen wird? Auf diesem Gefühl hoffte er aufbauen zu können; Schritt für Schritt sich mühsam emporhangeln, bis man in einer Höhe anlangte, aus der einem das Nachdenken darüber, weshalb alles, was sei, gut sei, nicht vollkommen lächerlich vorkam. Aber als er mit den dreißig Bänden – sechs in Folien eingeschweißte Leinenschuber – in der Kassenschlange stehend trotz der herunterklimatisierten Luft in Schweiß ausbrach, war es dieser Kauf, der ihm plötzlich lächerlich vorkam. Lächerlich und unsinnig. Er würde allein für das Übergepäck mindestens 80 Dollar bezahlen, ganz zu schweigen davon, dass er für die Bücher auch noch einen neuen Koffer bräuchte, und allein die Vorstellung, dreißig Bände Henry James lesen zu müssen, ließ ihm den Schweiß auf der Stirn wieder erkalten.

Widerwillig trug er die Bücher zurück, im vollen Bewusstsein, dass er sich mit dem Versagen dieses Kaufes den Tag endgültig ruiniert hatte. Dafür nutzte er die Gelegenheit, auf der Etage mit den Stanford-Merchandising-Artikeln nach einem Mitbringsel für die Zwillinge zu suchen. Zwischen den Ständern mit den Schlüsselanhängern, den Regalen mit den Kaffeetassen, den Cardinal-Duschvorhängen und den unzähligen Laufmetern an Sportbekleidung wurde er sich von Minute zu Minute unsicherer, womit er den Mädchen eine Freude bereiten konnte, zumal er sich bei den T-Shirts und Kapuzenpullovern mit der Größe unsicher war und die Körper seiner Töchter mit jedem Kleidungsstück, das er prüfend in die Luft hielt, vor seinem inneren Auge die Gestalt wandelten, sodass er bald nicht einmal mehr in der Lage war zu sagen, ob sie ihm bis zur Brust oder nur bis zum Nabel reichten und ob ihre mageren Schultern die Breite eines Kleiderbügels unter- oder überschritten. Irgendwann griff er zu einer kardinalsroten Baseballmütze und einem Nylonrucksack mit aufgenähtem Universitätslogo – einen Rucksack konnten sie schließlich, wie er wusste, brauchen – und nahm sich auf dem Weg zur Kasse ein ärmelloses Shirt für sich mit. Vor ihm in der Schlange stand eine Studentin in jener fast uniformartigen Kluft, die ihn irgendwie irritierte. Turnschuhe, T-Shirt und Sporthosen – ausgesprochen kurze Sporthosen, wie er zu bemerken nicht umhinkam. Die junge Frau trug ein Modell aus grauem Jersey, das ihre Hinterbacken, auf denen der rote Schriftzug der Universität in großen Lettern prangte, nur knapp bedeckte. Nicht, dass Kraft diesen Aufzug besonders aufregend fand; es empörte ihn auch nicht im Geringsten – sich über knapp bekleidete Studentinnen zu ereifern, das überließ er gerne anderen. Aber irgendwie kam ihm diese Garderobe unangemessen vor, weil für die Geistesarbeit doch von hypertropher Sportlichkeit, auch wenn es hierzulande einen engeren Zusammenhang zwischen Leibesertüchtigung und Studium zu geben schien, war er doch Zeuge geworden, wie Ivan in einem Seminar seinen Studenten versprach, sie könnten damit rechnen, am Ende des Quartals *well trained in late Heidegger* zu sein, ein Adjektiv, welches Kraft weniger mit dem Denker vom Todtnauberg, dafür eher mit Speerwurf und Hürdenlauf in Verbindung brachte. Es war aber nicht in erster Linie die kurze Hose, der seine Aufmerksamkeit galt, es waren die stakseligen Mädchenbeine, diese irgendwie zu schnell gewachsenen und ins Kraut geschossenen Glieder, die aus der kurzen Hose ragten, wie Rehläufe – solche hatten sie auch, seine Mädchen. Kraft drehte sich um, drängte sich mit gemurmelten Entschuldigungen aus der Schlange, hängte Mütze und Rucksack an den nächstbesten Ständer und machte sich auf die Suche nach der kurzen Jerseyhose. Mit einem hellblauen und einem grauen Exemplar ging er in Richtung Kasse zurück, drehte auf halbem Weg um und tauschte die graue gegen eine zweite, identische hellblaue. Dieser Kauf machte Kraft weit zufriedener, als es der Kauf einer Henry-James-Gesamtausgabe je hätte tun können.

Derart ermutigt, setzte er sich im Hoover Tower wieder an seine Arbeit und verfasste einen launigen Abschnitt zu Stendhals Bemerkung, die einzige Entschuldigung für Gott sei, dass es ihn nicht gebe, und leitete danach elegant über zu einigen Gedanken zur Autonomie und Selbstermächtigung des Menschen, die selbstredend im Zentrum einer modernen Theodizee zu stehen habe. Doch bei dem Gedanken, dass im Silicon Valley selbst das Malum des Scheiterns zu einem Bonum umgewandelt wurde, in dem man es als Chance zu begreifen hatte, kam er ins Stolpern, hatte er doch nicht die leiseste Ahnung, wie er das als etwas verkaufen sollte, das Anlass zum Optimismus böte. Rasch sah er seine Schaffenskraft schwinden, also packte er seine Sachen zusammen, lieh sich Ivans Geländewagen und suchte in dem unübersichtlichen Durcheinander aus flachen Zweckbauten, in denen Biotech- und Softwarefirmen residierten, Einkaufszentren, Industrieanlagen und schäbigen Einfamilienhäusern nach dem Bootshaus der Universität, auf dessen Parkplatz er den Wagen abstellte und beim Abschließen erschreckt den Kopf einzog, als ein Kleinflugzeug vom nahen San-Carlos-Flugfeld wie ein träger Hirschkäfer über ihn hinwegbrummte.

Kraft mustert die Bucht oder das, was davon zu sehen ist. Ein schmaler, brackiger Kanal, dahinter erstreckt sich Bair

Island, ein tellerflacher Flecken Marschland in Rot-Braun, von zahllosen mäandernden Kanälen durchzogen und von den Masten einer Hochspannungsleitung punktiert. Sicher, das ist nicht der Neckar, aber von seiner Warte aus kann und will er nichts sehen, was die kommende Prozedur rechtfertigen soll. Trotz Krafts Muskelspielen, mit denen er seine Ruderfertigkeit unter Beweis zu stellen versucht hatte, weigerte sich der Student rundweg, ihn mit Rudern auszustatten. Nein, solche gebe es nur von Herb und nur zusammen mit einer ausführlichen Instruktion in die Tidenverhältnisse der Insel.

Herb trägt einen weißen Ziegenbart und eine jener insektenhaft irisierenden Sonnenbrillen, die selbst einen hageren emeritierten Physiker wie ihn aussehen lassen, als sei ihm jede Gemeinheit zuzutrauen. Kraft begibt sich bereits nach dem ersten *Hey Buddy* in die Defensive und bemüht sich, dem doch recht komplizierten Vortrag über Ebbe und Flut, Strömungsverhältnisse, Durchflussbegrenzer und Fahrrinnen zu folgen, doch in der Defensive ist Kraft nie auf der Höhe seiner Möglichkeiten und neigt dazu, die Deckung tief zu halten, sodass sich Heike und die Zwillinge und irgendwie sogar Ruth und die gelbe Gerbera seines Bewusstseins bemächtigen und Herbs Vortrag, in dem es nun um eine Corkscrew Slough und eine Steinberger Slough geht und um die Frage rechtsherum oder linksherum, was bei diesem Tidestand keinesfalls zu empfehlen, ja, nachgerade lebensgefährlich sei, in den Hintergrund schieben. Kraft nickt beflissen, ja, er habe verstanden, es sei strengstens verboten, sich den Seehunden auf mehr als soundso viel Fuß zu nähern, und überhaupt sei die ganze Insel Naturschutzgebiet und das Betreten bis auf wenige markierte Pfade verboten. Fünfzig Minuten, so schärft ihm Herb ein, hat er, um die Runde zu rudern, danach wird die Sache gefährlich und einige Stellen unpassierbar. Endlich gibt er die Ruder aus der Hand und drängt Kraft einen wasserdichten Beutel für sein Mobiltelefon auf, ohne das er ihn keinesfalls losziehen lässt. Kraft besteigt sein Skiff, und weil ihn das Auftauchen seiner vier Frauen und Herbs gleichzeitiger Vortrag etwas aus dem Gleichgewicht gebracht haben, schwankt das Boot bedrohlich, und Kraft ist sich sicher, dass ihm Herb hinter seinen Insektengläsern skeptische Blicke nachschickt.

Doch bereits nach wenigen Ruderschlägen, bei denen er die Muskeln unter seinem neuen Shirt spürt, kommt das Boot ins Gleiten, und Kraft findet die lang ersehnte Ruhe. Überhaupt, muss er zugeben, hat er die Lokalität unterschätzt. Nach einigen Hundert Metern lässt er die Hafenanlage hinter sich, biegt in elegantem Bogen durch einen betonierten Durchflussbegrenzer in die Corkscrew Slough ein und findet sich ganz unvermittelt auf Augenhöhe mit der Vogelwelt Nordkaliforniens. Im flachen Grasland nisten die Reiher und beäugen ihn mit gereckten Hälsen. Enten in allen Farben paddeln gemächlich hinter ihm her. Ein Raubvogel hat sich auf einem Holzpfahl niedergelassen. Kraft hält inne, legt die Ruder flach aufs Wasser und sucht hinter seinem Rücken nach dem Plastikbeutel mit dem Mobiltelefon, damit er diese ornithologische Vielfalt fotografieren kann, um sie später mit Hilfe von Mckenzies *All About Birds* bestimmen zu können; nicht etwa, dass er sich bislang sehr für Vögel interessiert hätte, aber sein Irrtum mit dem Rotkehlchen hat ihn doch irgendwie erschüttert, und wenigstens wird er so die schlaflosen Stunden, vor denen er sich bereits wieder fürchtet, sinnvoll verwenden. Kraft lässt sich also treiben, während er versucht, die gefiederten Köpfe auf seinem Display näher zu holen, indem er ein ums andere Mal mit Daumen und Zeigefinger eine Geste, die ihm die Zwillinge beigebracht haben, ausführt, als wolle er dem Telefon die Lider auseinanderziehen, um darin nach einer verloren gegangenen Wimper zu suchen. Darüber und weil Kraft die erreichte Vergrößerung nicht genügt und er sich deswegen weit über Bord lehnt, gerät das schmale Boot bedrohlich ins Schwanken, und Kraft muss nach den Rudern greifen, um ein Kentern zu verhindern. Aber es greife einer, der Kraft nun Tölpelhaftigkeit vorwirft, einmal blitzschnell nach zwei Rudern und mache uns dabei vor, wie er gleichzeitig ein Mobiltelefon in den Fingern behält und nicht, so wie unser Kraft, nachdem er das Gleichgewicht wiedererlangt hat, das leise Platschen mühsam mit der Tatsache in Verbindung bringen muss, dass ihm dieses Kunststück nicht gelungen ist. Kraft wartet, bis sein Herz, vom doppelten Schrecken aus dem Takt gebracht, wieder ruhig schlägt, flucht, überhäuft sich mit Vorwürfen, schimpft sich selbst einen Idioten, schlägt sich zur Sicherheit noch dreimal mit dem Handballen kräftig auf die Stirn, gibt das Telefon verloren und legt sich, eine um sein Boot dümpelnde Ente mit einem giftigen Blick bedenkend, wieder in die Riemen, um zügig von diesem Ort der einsamen Schmach wegzukommen.

Die Corkscrew Slough macht ihrem Namen alle Ehre und windet sich in immer engeren Kehren durch die Marschen, als wolle sie Kraft ein ums andere Mal klarmachen, dass sie ganz und gar nicht der Neckar sei. Tatsächlich müht er sich mit dem Streckenverlauf ordentlich ab und hat, weil er dauernd hinter sich blickt, bald einen steifen Hals. Von kontemplativem Dahingleiten kann keine Rede sein. Mit aller Kraft reißt er am linken Ruder, nur, um ein paar Schläge später mit rechts ausgleichen zu müssen, die anfänglich eleganten Kurven weichen einem nervösen Zickzackkurs, und es dauert nicht lange, bis das Skiff mit einem quietschenden Geräusch auf Grund läuft. Kraft ruckelt mit dem Hintern, und es gelingt ihm, unter geschicktem Einsatz der Ruder das Boot aus dem weichen Schlick zu befreien. Dabei fällt ihm auf, wie tief er bereits sitzt, ist er doch kaum mehr in der Lage, über die Landflächen hinauszublicken. Gerade noch die Spitzen der höchsten Bürogebäude sind zu sehen und der Bergkamm dahinter, über den sich die allabendliche Nebelbank ins Silicon Valley wälzt; der Wasserspiegel muss bereits beträchtlich gefallen sein. Fünfzig Minuten, hatte Herb gesagt, aber woher, zum Teufel, soll er wissen, wie lange er schon unterwegs ist, ohne Armbanduhr, die er im Spind gelassen hat, und ohne Mobiltelefon, das er nun doppelt schmerzlich vermisst, angesichts der Seehunde, die plötzlich auf den noch feuchten Sand- und Schlickbänken liegen, in ihrer ganzen prächtigen Wurstigkeit, und dem rudernden Kraft neugierig hinterherglotzen; das wäre ein Fotosujet, mit dem er die Mädchen beeindrucken könnte. Da, keine acht Meter von ihm entfernt, liegt ein ganzer Haufen, Leib an Leib, wie die Bratwürste auf dem Rost. Acht Meter, rechnet Kraft, sind das jetzt mehr oder weniger als 25 Fuß, und hatte Herb überhaupt 25 Fuß gesagt und nicht doch eher 35, aber liegen vielleicht nicht eher zwölf Meter zwischen ihm und den Tieren, und die acht Meter entspringen bereits der Erzählung, die er sich für die Zwillinge im Kopf zurechtgelegt hat? Kraft verheddert sich zwischen Yard, Fuß und metrischem System im Umrechnungsdickicht aus sich verschiebenden Kommastellen und scheitert an diesem Anachronismus der angelsächsischen Welt. *Better safe than sorry*, denkt er sich und verordnet sich so viel Abstand zu den speckigen Leibern, wie die Fahrrinne hergibt.

Das ist aber leichter gesagt als getan, denn diese wird immer schmaler, was dem sinkenden Pegelstand zuzuschreiben ist, und allenthalben ragen nun die Schlickbänke aus dem seichten Wasser, was Kraft mehr als einmal dazu zwingt, einen verschlungenen Weg zu rudern, der ihn viel zu nahe an die Seehunde bringt, was er unbedingt vermeiden will, nachdem er eines der schweren Tiere hat aus dem Wasser kriechen sehen und es erstaunlich behände, seine Schwarte wie den Balg eines Akkordeons in zahlreiche Falten legend, über das Erdreich gekrochen ist und seine dösenden Artgenossen erklommen hat, was zu lautem Protestgeschrei und einem explosiven Gewaltausbruch in dem eben noch friedlichen Haufen geführt hat. Ein Bellen, Heulen und Jaulen erklingt, und Kraft wird der Zähne gewahr, die in den aufgerissenen Mäulern starren, während das Brustfleisch aufeinanderklatscht. Das größte der Tiere, zweifellos ein Männchen, wie Kraft zu wissen glaubt, hat sich offensichtlich durch den impertinenten Neuankömmling sehr gestört gefühlt und, seinen massigen Leib aufrichtend, ein drohendes Gebrüll ausgestoßen, das seine Wirkung weder bei Kraft noch dem angefeindeten Artgenossen verfehlt hat. Kraft legte sich in die Riemen.

Fünfzig Minuten, hört er Herb eindringlich sagen. Fünfzig Minuten sind längst vorbei, das weiß Kraft, aber ob er seit einer Stunde oder zweien unterwegs ist, vermag er nicht mehr zu sagen. Jedenfalls hat sich die Nebelwalze längst ins Tal hinuntergeschoben, und in den Bürotürmen haben die Softwareentwickler und Marketingexperten die Deckenbeleuchtung angedreht, die nun trübe durch den Dunst leuchtet. Kraft hofft vergeblich, der Nebel möge an der Bucht zum Stehen kommen, bald aber kann er die Seehunde erst ausmachen, wenn sie bereits zu riechen sind und, aufgeschreckt durch sein unvermitteltes Auftauchen, ein aufgeregtes Bellen verlauten lassen. Zumindest, so hat Kraft den Eindruck, ist die Fahrrinne wieder etwas tiefer und weniger gewunden. Es scheint ihm sogar, als gehe es nun fast geradeaus, und im selben Moment, in dem er ein leises Brausen und Gurgeln vernimmt, spürt er auch, wie eine Strömung die Bootshülle packt und ihn immer schneller vorwärts trägt. Kraft versucht dagegenzuhalten, stemmt die Ruder ins Wasser, gerät aber gewaltig ins Schlingern und sieht sofort ein, dass jede Gegenwehr zwecklos ist. Er verdreht den Hals und späht angestrengt in den Nebel. Das Wasser um sein Skiff vergnügt sich in kleinen Strudeln und tanzenden Wellen, und plötzlich taucht schemenhaft aus dem Nebel eine Mauer auf, in der Mitte ein breiter Durchbruch, durch den das Wasser in weißer Aufregung schießt. Kraft lässt die Ruder fahren und klammert sich an sein Boot, das hüpft und tanzt und schlingert, aber tapfer hält er das schmale Skiff in der Balance, dann, gerade, als er den Durchflussbegrenzer passiert, schlägt eines der Ruder an die Mauer, das Boot dreht quer, Kraft wirft verzweifelt seinen Leib von einer auf die andere Seite; vergeblich, das Boot kippt. Geistesgegenwärtig reißt er an der Leine zwischen seinen Füßen die Klettverschlüsse der Ruderschuhe auf, die ihn ans Stemmbrett seines Bootes fesseln, und geht über Bord, schlägt sich an einem Stein unter Wasser das Knie auf, das Boot kracht ihm beim Auftauchen in den Nacken, wieder schlägt das kalte Wasser über ihm zusammen, eine Strömung packt ihn, wirbelt ihn kopfüber wie im Schleudergang, zieht ihm die Turnhose von den Beinen, dann berührt er wieder festen Grund, an dem er sich zumindest abstoßen kann, um prustend, spuckend und ganz benommen aufzutauchen und in hektische Schwimmbewegungen zu verfallen. Es gelingt ihm, aus der Strömung zu schwimmen, das Boot gibt er verloren, seine Hose auch, und mit kräftigen Zügen versucht er, sich durch den Nebel an Land zu retten.

Bald hat er Grund unter den Füßen, der ihm aber keinen Halt bietet. Tief sinken seine nackten Zehen in den Schlick, und das Seegras wickelt sich um sein Gemächt und kitzelt seinen Hodensack. Ganz flach legt er sich ins Wasser und schnuppert in die Dämmerung. Keinesfalls will er aus Versehen mitten in einem Rudel dieser Seehunde landen; oder sollte er nicht viel lieber genau das tun, auf seinem Bauch aus dem Wasser robben, erbärmlich heulen wie die flauschigen Robbenbabys mit den vertrauensvollen Augen, kurz bevor ihnen die Keule auf den Kopf saust – wie in jenem Youtube-Video, das ihm die Zwillinge mit Tränen in den Augen vorgespielt haben –, und sich, vom Fett der anderen profitierend, zwischen die warmen Leiber legen? Die Kälte, das hat sich Kraft als gewiefter Manager seiner Katastrophen bereits ausgerechnet, wird bald sein größtes Problem werden. Jetzt bekommt er ein Büschel Gras zu fassen und zieht sich daran hoch. Auf dem Bauch kriecht er an Land, keuchend und schlammverschmiert. Auf Knien späht er in den Nebel. Nein, keine Seehunde in der Nähe… Niemand, der ihn wärmen wird, aber auch niemand, mit dem er sich, Brust an Brust, wird messen müssen.

Kraft richtet sich auf und entledigt sich seines eiskalten, durchnässten Stanford-Shirts. Nackt steht er in der Marsche. Jetzt reckt er die Brust und strafft die Schultern; ist er nicht gerade dem Tod von der Schippe gesprungen? Hat er sich nicht gerade mit eigener Kraft aus der Gefahr befreit? Ist das nicht Grund genug, sich zur vollen Größe aufzurichten? Kraft weiß, dass diese Art des virilen, vulgär körperbetonten Selbstbewusstseins, das er im Normalfall bestenfalls belächeln würde, in diesem Moment von entscheidender Bedeutung ist, aber bei der ersten Böe, die ihm kalt um die breite Brust streicht, spürt er, wie seine Brustwarzen zusammenschnurren und mit ihnen seine Selbstsicherheit. Schlotternd schlingt er die Arme um seinen zusammengesunkenen Leib und gibt sich ganz dem brennenden Schmerz in seinem blutenden Knie hin. Sterben wird er hier, elendiglich erfrieren, nein, noch schlimmer, von Herb wird er gerettet werden, nackt, schlammverkrustet, blutend, hilflos ... Von Herb, diesem körperfettlosen Insekt, diesem Physiker mit seinen Tidenmodellen, seinen Strömungsgeschwindigkeiten, Abständen und Zeitfenstern, für den das alles nur Variablen sind in einer Gleichung, aus der sich alles Überflüssige herauskürzen lässt. Was weiß einer wie Herb schon von den Verstrickungen des Individuums mit der Welt, von der Notwendigkeit des Zufälligen, der Schönheit des Überflüssigen, dem Schmerz, der Demütigung. Für einen wie Herb lässt sich das doch alles aufrechnen, jedes Übel durch ein Gutes. Wem was widerfährt, spielt überhaupt keine Rolle, Hauptsache, am Ende geht die Gleichung auf. Eleganz nennen sie das, diese Zahlenjongleure. Was versteht denn einer wie Herb von Eleganz? Etwa die abstrakte Herrlichkeit des Gesamten! Was aber ist mit seinem, Krafts, konkreten Leiden? Seiner Nacktheit, seinem blutenden Knie? Der Wildheit der Seehunde? Der Schönheit der Reiher? Nein, von Herb, diesem Systemapostel, darf er sich keinesfalls retten lassen. Nicht von diesem Physiker. Kraft muss sich selber retten. Auf eigene Faust wird er seinen Weg durch die Marsche suchen und schwimmend den Kanal zum Bootsanleger durchqueren. Vielleicht wird es ihm, wenn er Glück hat, gelingen, unbemerkt zu seinem Spind im Bootshaus zu kommen, so müsste er Herb nicht ohne Hose entgegentreten; ohne Boot zwar, aber zumindest nicht nackt. Und gerettet hätte er sich selbst.

In seinem Rücken kann Kraft leise das Rauschen und Gluckern des Durchflussbegrenzers vernehmen. Angestrengt starrt er in die Dunkelheit. Eine kühle Brise lässt ihn erschauern, zerreißt aber auch für einen Augenblick den Nebel und gibt den Blick frei auf die zylindrischen Türme des Oracle-Campus, die wie riesenhafte Akkumulatoren pulsierend durch die Dämmerung leuchten. Das ist gut, nun weiß er ungefähr, wo er ist. Leicht links muss er sich halten, bis er zum großen Kanal kommt, und dort nach den Lichtern des Bootshauses Ausschau halten. Zögernd setzt er einen nackten Fuß vor den anderen; er, der nie barfuß geht, und das rächt sich jetzt, denn das harte, salzresistente Gras sticht ihn in seine zarten Sohlen. Wenn er doch nur besser sehen könnte, wohin er tritt, aber es ist nun bereits fast ganz dunkel, und der Nebel legt sich wieder dicht um ihn. Er stößt sich die Zehen an Steinen, Stöcken und Pfählen und tritt unversehens in ein tiefes Loch, knickt um und schreit vor Schmerz. Wenn er sich jetzt die Bänder gerissen hat, ist es aus mit ihm. Dann droht der Tod oder Herb. Vorsichtig setzt er den Fuß mit dem schmerzenden Knöchel auf und macht ein paar zaghafte Schritte. Doch, es geht, er kommt weiter, humpelnd und hinkend zwar, aber er kommt weiter. Allerdings nur ganz langsam, denn das Gelände ist durchsetzt von Schlammlöchern und Tümpeln, und alle paar Meter mäandert ein Wasserlauf durchs Gras. Das Salz brennt in seiner Wunde, und der Wind streift ihm über die nasse Haut, dass es ihn bis in die Knochen schüttelt. Mit einer Hand umfasst er schützend sein schrumpeliges Geschlecht.

Wird sie in der Zeitung von seinem Tod lesen können? Oder von seiner beschämenden Rettung? Letzteres kommt ihm bei Weitem blamabler vor, könnte man doch mit etwas gutem Willen Ersterem auch etwas tragisch Heroisches abgewinnen. Wird der *San Francisco Chronicle* ein Foto von ihm zeigen? NAKED GERMAN SCHOLAR RESCUED FROM BAIR ISLAND! Wird dies das Erste sein, was sie, Johanna, morgen beim Frühstück von ihm zu Gesicht bekommen wird, dreißig Jahre nachdem er sie so wütend gemacht hatte, dass sie für immer nach Kalifornien verschwand?

Im Sumpf und Schlamm, das muss er zugeben, kommt er besser voran, wenn er sich auf alle viere niederlässt, tastend vorwärts kriecht, den aufrechten Gang, für den er so leidenschaftlich plädiert, wenn er den Studenten ins Gewissen redet, vergisst und auch das Denken sein lässt und sich ganz dem Untergrund hingibt; das feuchte Erdreich, das ihm zwischen den Fingern hervorquillt, das harte Gras, das ihm Halt gibt, an das er sich klammern kann, die niedrigen Büsche, denen er ausweichen muss und die seine Rippen zerkratzen, gelegentlich ein Stein, an dem er einen Rest Wärme spürt. Wenn er sich flach auf den Grund legt, kann er dem Wind entkommen. Ab und an hebt er den Kopf, versucht sich zu orientieren. Plötzlich scheint ihm, als werde der Nebel weniger undurchdringlich, er glaubt sogar, einige Lichter ausmachen zu können. Vielleicht ist er nun bereits ganz nah am Kanal, vielleicht ..., ja, ganz bestimmt hat er es bald geschafft, und es keimt neue Hoffnung in ihm auf. Dann zerreißt der Nebel ganz, wird weggeblasen wie ein leichter Vorhang aus Seide und Spitze und enthüllt das Tal auf seiner ganzen Länge. Ein endloses Funkeln und Flimmern, ein Meer aus Licht, das Netz der orangen Natriumdampflampen, die blinkende Befeuerung der Landebahn, tausendfach die gelben Rechtecke der Fenster, die auf- und abblendenden Lichter der Autos, ein Widerschein, der den Himmel erhellt und die Marsche in ein sanftes Licht taucht, und als sei ihm der Nebel wie Watte in den Ohren gesessen, vermag er nun auch die Geräusche zu vernehmen, die von diesem Bienenstock ausgehen, ein Brummen und Brausen aus tausend Motoren und Myriaden von Klimaanlagen, das Rauschen der Arbeit an der digitalen Zukunft. Kraft richtet sich auf zur vollen Größe. Nackt, aber aufrecht steht er im Wind. Da, keine dreihundert Meter vor ihm, liegt ausgebreitet das Zentrum der Welt, der Motor des Fortschritts, der Inkubator der Zukunft, schimmernd, leuchtend, strahlend, und es verschlägt ihm den Atem und ringt ihn nieder. Johanna, Johanna ... womit habe ich dich so wütend gemacht? Kraft sackt in sich zusammen, fällt auf die Knie und schlägt in einer Geste, deren Pathos so gar nicht zu ihm passt, die Hände vors Gesicht, als müsse er sich vor dieser geballten Ladung Zivilisation schützen, die in so hartem Kontrast steht zu seiner erbärmlichen Lage. In dieser selbst geschaffenen Dunkelheit, dieser aus seinen Handflächen gebildeten Höhle, die nach Schlick riecht, nach Gras und Fisch und Meer, gibt er sich ganz einem überwältigenden Gefühl der Schuld hin. Einem ausgesprochen unspezifischen Gefühl der Schuld. Aber er verläuft sich darin wie in einer dunklen, alten Stadt, und es ist ihm, als ob hinter deren Mauern, vor seinen Blicken verborgen, Schlimmes geschieht, und er weiß nicht, ob er schuld ist an all dem Übel oder ob seine Schuld nur darin besteht, das Übel nicht zu verhindern. Aber es soll ihm keiner nachsagen, dass er es nicht versucht hat. Mit aller Geisteskraft rüttelt er an den Türen, doch sie geben keinen Zentimeter nach und er bleibt ausgesperrt, zur Tatenlosigkeit verdammt, und wie aus weiter Ferne hallt es durch die verlassenen Gassen: *Richard, Richard* – mit kalifornischem Akzent.

Kraft verlässt die dunkle Stadt und die modrige Höhle, springt ungeachtet seiner Schmerzen auf die Beine und taumelt vorwärts, dem Rufen entgegen. Jetzt vernimmt er auch das Tuckern eines Außenborders und sieht den Kegel eines Scheinwerfers über die Marsche streichen. Dort, im Kanal, steht Herb am Steuer eines Schlauchbootes und ruft aus Leibeskräften seinen Namen. *Here, here*, brüllt Kraft und sieht Herb beidrehen und mit dem Kunststoffbug des Bootes anlanden. Kraft wankt die letzten Meter und spürt, wie ihn der Lichtkegel erfasst. Wie ein Tier im Scheinwerferlicht bleibt er stehen und lässt die Arme sinken. Herb springt aus dem Boot und geht auf ihn zu. *You've lost your pants, buddy*, sagt er und breitet ihm eine Decke über die Schultern. Kraft weint.

V.

In all den Ländern, die mich das Schicksal hat durch-
wandern lassen, und in all den Schänken, in denen ich
diente, habe ich eine Unzahl an Menschen getroffen,
die ihre Existenz verfluchten, aber nur zwölf, die ihrem
Elend freiwillig ein Ende setzten: drei Neger, vier
Engländer, vier Genfer und ein deutscher Professor
namens Robeck.

Voltaire

Die Scham kommt erst später und auch die Verwunderung
darüber, dass er so schnell und so vollständig eingebrochen
ist und sich auf alle viere hat werfen lassen. Sie kommt erst
am Morgen danach, als er sich, erstaunlich ausgeruht –
zum ersten Mal seit seinem Eintreffen in Kalifornien fühlt
er keine Müdigkeit –, in aller Früh an seinen Tisch im Lesesaal im Hoover Tower setzt und sich erneut dem spötti-
schen Blick des ehemaligen Verteidigungsministers ausgesetzt sieht.

Herb hatte ihn schweigend zum Bootsanleger gefahren und,
nachdem ihm Kraft versichert hatte, dass er wirklich keine
medizinische Betreuung brauche, lange heiß duschen lassen.
Danach saßen sie sich noch eine Weile im Aufenthaltsraum
des Ruderhauses gegenüber. Herb hatte heißen Kakao ge-

macht, und Kraft trank ihn, obwohl er keine Milch mag. Der gute Herb, dessen weißer Bart ihm jetzt, im Lichte der Ereignisse, plötzlich vertraueneinflößend und gütig erschien. Kraft war ihm dankbar, dass er schwieg und ihm keine Standpauke hielt, das hätte er kaum ertragen. Aber nach einer Weile war es Kraft, der das Schweigen nicht mehr aushielt, in ein nervöses Lachen ausbrach und einen halbherzigen Rechtfertigungsversuch unternahm, den er bereits nach einem halben Satz aufgab. Herb nippte an seinem Kakao und sagte: *Shit happens.* Dann hatten sie wieder eine Weile geschwiegen, bis Herb sich räusperte, mit einem *anyway* seine Tasse abstellte und Kraft darüber informierte, dass er ihm leider das Boot und die Ruder in Rechnung stellen müsse, einen Betrag, der Krafts Monatsgehalt knapp überstieg und ihm erneut ein nervöses Lachen abpresste, das er nun seinerseits mit einem *Shit happens* zu relativieren versuchte.

Als er nach Hause kam, waren Ivan und Barbara bei einer Abendveranstaltung der Universität, und Kraft legte sich in Mckenzies Bett, blätterte noch etwas in *All About Birds*, bildete sich ein, einige der Vögel, die er gesehen hatte, wiederzuerkennen, insbesondere jene Ente, die ihn, wie es ihm schien, ausgelacht hatte, als ihm sein Telefon entglitten war, doch bald überkam ihn die Müdigkeit und gnädig ein tiefer, traumloser Schlaf.

Das ungewohnte Gefühl des Ausgeruhtseins versetzte ihn beim Frühstück in die Lage, die Erlebnisse des Vortages bereits als kleines Abenteuer zu schildern, mit ihm selbst in der Hauptrolle, und sein Selbstbewusstsein war wieder derart hergestellt, dass er nicht einmal das Detail mit der verlorenen Hose aussparte und das Bild eines Kämpfers heraufbeschwor, der nackt, aufrecht und mit gereckter Brust mit der erbarmungslosen Natur rang, eine Schilderung, die Barbara in ihrem Flanellpyjama die Hitze ins Gesicht trieb, was Kraft ganz falsch verstand und ihn mit einem albernen, kleinen Stolz erfüllte und dazu bewog, noch etwas erzählerische Kohle nachzulegen.

Sein wiederhergestelltes Gleichgewicht erweist sich allerdings als fragil und den kalten Augen Rumsfelds nicht gewachsen, denn es ist ihm, als suchten sie in seinem Inneren nach jener unbestimmten Schuld, die sich in ihm breitgemacht hatte, als er in den Marschen an Johanna dachte. Und weil ihn das bereits wieder in seinen Grundfesten zu erschüttern droht, bedient er sich, sozusagen die Angriffsenergie seines Gegners nutzend, bei der schamlosen Rhetorik des alten Verteidigungsministers und versucht, jenes Rütteln an den Türen in der Stadt der Schuld als Begegnung mit dem unbekannten Unbekannten abzutun, eine Einordnung, die ihm für einen Moment sehr sinnvoll erscheint, schließlich hat er bis zu jenem Gefühl der Schuld noch nicht einmal gewusst, dass eine solche Empfindung in ihm war, geschweige denn, dass er weiß, weswegen er sich eigentlich schuldig fühlen soll, doch kommt ihm einmal mehr seine akademische Gelehrsamkeit in die Quere, ist er doch wohl vertraut mit den Einwänden Žižeks – eines Denkers, den er für sein Festhalten am Marxismus zutiefst verachtet, ebenso, wie er ihn für das schamlose Ausleben, ja, nachgerade Zelebrieren seiner Ticks und für seine Ehe mit einem in Lacan'scher Psychoanalyse geschulten Unterwäschemodel beneidet. Žižek war der Meinung, dass das Heranziehen des unbekannten Unbekannten meistens auf das Verleugnen des unbekannten Bekannten, also des Freud'schen Unbewussten, verweist, oder wie Lacan es nannte, *des Wissens, das sich selbst nicht weiß*. Dergestalt fällt Kraft also sein eigenes Wissen in den Rücken, sodass ihm nichts anderes übrig bleibt, als das quälende Thema hinter sich zu lassen, indem er sich einem noch quälenderen zuwendet, welches er bislang erfolgreich verdrängt hat – dem finanziellen Schaden, den er mit seinem unvorsichtigen, ja schwachsinnigen Tun verursacht hat.

Hatten wir nicht Krafts finanzielle Situation als einen der Gründe ausgemacht, weswegen er sich so schwertut, ins Schreiben zu kommen? Die existenzielle Notwendigkeit, die Jury zu beeindrucken, die sich aus Krafts familiärer und finanzieller Situation ergibt? Und haben wir dann nicht vollstes Verständnis dafür, dass er bei dem Gedanken, Heike nicht nur mit leeren Händen, sondern mit Schulden für ein versenktes Kohlefaserboot in der Höhe eines Monatsgehalts entgegenzutreten, von einem lähmenden Gefühl der Scham überwältigt wird, welches wenig hilfreich ist bei seinen Bemühungen, dafür zu argumentieren, weshalb alles gut sei?

Geh, gewinne, bring uns das Geld nach Hause, damit wir alle wieder unsere Freiheit haben, hört Kraft Heike sagen, und dabei muss er an ihren Hallux denken.

Nein, dafür müssen wir nun wirklich Verständnis haben, gerade angesichts der schieren Größe der Aufgabe. Unter einem solchen Druck sind schon ganz andere eingeknickt.

Er hält der Beobachtung durch den Verteidigungsminister a. D. nicht länger stand, senkt geschlagen seinen Blick, klappt sein Notebook zu und verlässt mit schleppendem Gang den Lesesaal. Im Foyer der Hoover Institution on War, Revolution and Peace begegnet er zwei nervösen, rot bejackten Aufpassern, die konzentriert den Stimmen aus einem Funkgerät lauschen und ihn erst bemerken, als er an der verschlossenen Tür rüttelt. *Sir*, rufen sie, *Sir*, und er, der sich gerade so gar nicht wie ein *Sir* fühlt, braucht einen Moment, bis er begreift, dass er gemeint ist, *Sir, you can't leave now. We must ask you to stay inside.* Ob er denn den *Crime Alert* nicht gesehen habe, der an alle Stanfordangehörigen sowohl als Text Message wie auch als E-Mail rausgegangen sei? Nein, das hat Kraft nicht, und weil er nicht gerne eingesperrt wird und es grundsätzlich nicht mag, wenn ihm gesagt wird, was er zu tun und zu lassen hat, antwortet er patzig, sein Telefon liege leider auf dem Grund der San Francisco Bay und es sei gut möglich, dass ein impertinenter Haubentaucher den Crime Alert an seiner Statt empfangen habe und nun ganz außer sich sei, außerdem checke er seine Mails grundsätzlich erst nach dem Mittagessen. *Sir*, sagt der eine, *you have to keep your phone with you, anytime. For safety reasons*, sagt der andere. Er sei eben gerade auf dem Weg, ein neues Handy zu erstehen, was aber schlecht möglich sei, wenn man ihn jetzt nicht rauslasse. Das, bekommt er zur Antwort, sei leider nicht möglich, ein Bewaffneter sei auf dem Campus gesichtet worden, und man müsse ihn bitten, im Gebäude und den Fenstern fernzubleiben, bis die Polizei die Situation geklärt habe. Kraft bemerkt den Schlüssel, der innen im Schloss steckt, und als sich die beiden in ihren roten Windjacken wieder ihrem plärrenden Funkgerät zuwenden, nutzt er die Gelegenheit, erreicht mit drei großen Schritten die Tür, greift nach dem Schlüssel, dreht ihn im Schloss, reißt die Tür auf und entkommt unter den aufgeregten Rufen der Aufpasser ins Freie, wirft auf der Treppe noch einen Kontrollblick über die Schulter, sieht aber nur den einen ängstlich durch den Türspalt linsen und die Tür schnell wieder abschließen.

Dieser Akt der Selbstermächtigung weckt in ihm ein Gefühl der Verwegenheit, und gemessenen Schrittes geht er über den menschenleeren Campus. Warum nicht? Von einem Amokläufer auf dem Campus einer amerikanischen Spitzenuniversität erschossen zu werden, das kommt ihm nicht wie der schlechteste Schlusspunkt unter seine Biographie vor, und als er daran denkt, wie schwer sich seine Kollegen dabei tun werden, bei der Konferenz für den Optimismus einzustehen und zu erklären, weshalb alles, was ist, gut sei, nachdem nur Tage zuvor einer der ihren kaltblütig ermordet worden ist, wird er ganz aufgeregt, tritt aus dem Schatten der Gebäude und überquert schlendernd die weite, ovale Rasenfläche vor dem Haupteingang, für jeden Schützen ein ideales Ziel abgebend.

Kraft ist mutterseelenallein. Fort sind die Rad fahrenden Studentinnen, verschwunden die jungen Männer, die, auf der Wiese liegend, ihre nackten Oberkörper zur Schau stellen. In den Gebäuden versteckt haben sich die Rastalockenträger, die sich sonst im Kreis den Hackysack zuspielen, geflüchtet haben sich die Familien, die, den Freshman stolz in der Mitte, für ein Foto vor dem Universitätslogo aus weißen und roten Blumen posieren. In der Ferne rollt langsam ein Geländewagen der Campuspolizei vorbei. Kraft bleibt mitten auf der grünen Wiese stehen und dreht sich einmal um seine eigene Achse, ein Schauer kriecht ihm zwischen die Schulterblätter, und eine leise Rührung überkommt ihn; nichts geschieht. Er geht weiter, überquert den Parkplatz am Rande des Ovals, verweilt im Schatten der hohen Eukalyptusbäume und atmet ihren Duft nach Hustenbonbons ein. Im Skulpturengarten vor dem Cantor Arts Center sitzen die Rodinfiguren verlassen auf ihren Sockeln. Kraft bleibt vor dem Höllentor stehen und versucht, sich unter dem grüblerischen Blick des Denkers in die Betrachtung der Figuren zu versenken, aber er kommt nicht von sich los, findet die Distanz zur eigenen Gegenwart nicht, die die Kontemplation eines solchen Meisterwerks erfordert, und deswegen gelingt es ihm auch nicht, sein Wissen hinter sich zu lassen, das wie ein altertümlicher Katalogkasten auf ihn einstürzt und ihn unter einem Berg Karteikarten begräbt: Höllensturz, Dante, Baudelaire, *Les Fleurs du Mal*, und schon beginnt es, in seinem Schädel zu summen; *Mit einer hoffnung / Dass jetzt mein Tod / ein neues tag-gestirn / Die blumen sprießen lässt in meinem hirn* und *Es ist der Tod der tröstet und belebt / In dem ich einzig Ziel und Hoffen seh,* und weil er schon dabei ist, gibt er sich gleich ganz der Versuchung hin, sich mit Baudelaire zu verbrüdern und den Denker aus seiner Pose zu erlösen. *Die Welt,* so spricht Kraft, *geht ohnedies ihrem Untergang entgegen.* Und als er, den Kraft ganz selbstverständlich als Bruder im Geiste sieht, sich nicht rührt und den bronzenen Schädel nicht von der geballten Faust erhebt, ruft er ihm entgegen: Was ist, hat dir die kalifornische Sonne, die dir tagein, tagaus aufs Haupt brennt, das Hirn gedörrt? Das kann ja für einen Franzosen nicht gesund sein. *Die Mechanik,* fährt er, wieder bei Baudelaire Zuflucht suchend und nicht ganz konsistent – aber es ist ihm gerade wichtig, das loszuwerden – fort, zu dozieren, *wird uns derart amerikanisiert haben, der Fortschritt die Verkümmerung unseres geistigen Teiles so vollkommen gemacht haben, dass auch der blutrünstigste, ruchloseste und widernatürlichste aller Träume der Utopisten harmlos erscheinen wird im Vergleich zu solchen positiven Ergebnissen.* Die Bronze aber, das kann uns ja nicht erstaunen, bleibt stumm und starr, zuckt nicht einmal zusammen, als ganz in der Nähe ein Schuss fällt. Kraft hingegen fährt der Schrecken in die Glieder, und in Erwartung der Kugel, die sich zwischen seine Schulterblätter bohren, seine Brust aufreißen, sein Fleisch auf den Rodin verteilen und sein Blut ins Purgatorium spritzen wird, schließt er die Augen; nichts geschieht.

Über die verlassene Querry Road geht er in Richtung Shopping Center und kommt sich dabei vor wie ein Reh im Fadenkreuz, aber weil ihm dieses Bild nicht gefällt, korrigiert er sich und versucht, sich vorzustellen, er sei ein Hirsch, mannshoch, dem der zottelige Bast in Fetzen vom Geweih hängt. Er glaubt sogar, das Gewicht seines mächtigen Zwölfenders zu spüren; schwer trägt er daran, wie er an seinen verspannten Nackenmuskeln bemerkt. Diese allerdings sind, wie auch das Brennen im Knie, ein Überbleibsel seines gestrigen Abenteuers, und weil er deswegen wieder an seine Demütigung, seinen unerklärlichen Zusammenbruch, seine Hilflosigkeit und an die achttausend Dollar für das Boot und an Heike denken muss, die zu Hause auf sein Preisgeld wartet, ersehnt er sich den Blattschuss und horcht auf den erlösenden Knall. Andererseits, so rechnet er sich aus, wird er, wenn alles gut geht, den Schuss gar nicht mehr hören. Kraft versteht zwar nichts von Ballistik, aber er ist sich doch sicher, dass die Kugel schneller sein wird als der Schall und dass er, wenn ihn dieser erreicht, hoffentlich bereits tot ist. Überlegungen dieser Art anstellend, gelangt er zum Shopping Center, um etwas enttäuscht festzustellen, dass dort reger Betrieb herrscht und der Alarm demnach für diese Gegend nicht gilt oder bereits Entwarnung gegeben wurde. Allerdings, so muss er zugeben, wäre es für seine Biographie kein besonders würdiger Schlusspunkt, zwischen Victorias Secret und einem Dunkin' Donuts zu verbluten, zumindest wesentlich unpassender als der Tod auf einem Universitätscampus.

Kraft betritt den Apple-Store, eine gläserne Halle mit einem schwebenden Dach aus hauchdünnem Edelstahl, in der zwei lange Reihen Refektoriumstische stehen. Ausgebreitet liegen die matt schimmernden Geräte auf den Tischen, bearbeitet von zahllosen Fingern, die fettige Spuren auf den Bildschirmen hinterlassen haben. Kraft sucht den Tisch mit den iPhones und beugt sich, die Hände hinter dem Rücken verschränkt, über die Geräte; anfassen will er sie lieber nicht, hat er doch vor Kurzem im Magazin der Deutschen Bahn einen Artikel gelesen, in dem sehr anschaulich das mikrobiologische Leben auf Touchscreens geschildert wurde. Durchfall statt Kopfschuss, das ist keine Option. Ein junger Mann im königsblauen T-Shirt mit einem angebissenen Apfel auf der

Brust bietet ihm seine Hilfe und offenbar auch seine Freundschaft an, jedenfalls besteht er, nachdem er sich als Brad vorgestellt hat, darauf, nun seinerseits Krafts Vornamen zu erfahren. Kraft zeigt mit pochendem Herzen auf das teuerste Modell, und auf Brads Frage, welche Farbe es denn sein soll, antwortet er mit einem Schulterzucken. *Take the silver one, Dick*, rät Brad, *that's the classic*. Kraft ist einverstanden, obwohl es ihm widerstrebt, dass von einem Telefon als von einem Klassiker gesprochen wird.

Sein Verhältnis zum digitalen Fortschritt – einige sprechen ja sogar von einer digitalen Revolution, ein Begriff, den er ablehnt, denn bei einer Revolution fließt in der Regel Blut und Menschen verlieren den Kopf, was man ja von dem, was sich hier zuträgt, glücklicherweise noch nicht behaupten kann, abgesehen von all den Unglücklichen, die beim Starren auf ihr Smartphone unter die Trambahn geraten oder bei Foxconn vom Dach springen –, Krafts Verhältnis zum digitalen Fortschritt also ist ambivalent. Das ist zumindest der Begriff, den er selbst benutzen würde, würde ihn jemand auf die offensichtlichen Widersprüche in seinem Verhalten hinweisen, was allerdings zu seinem eigenen Erstaunen nie geschieht. Nach außen stellt er gerne eine schnöde Verachtung für die digitale Welt zur Schau und betont bei jeder Gelegenheit, wie diese im Formalen gründelt, immer raffiniertere Verbreitungs- und Erscheinungsformen auf den Markt wirft, dabei eine Menge Schlick aufwirbelt und dadurch – für jene, die sich leichter als einer wie Kraft blenden lassen – verschleiert, dass die inhaltlichen Fragen von dieser ach so gewaltigen Revolution nahezu unberührt bleiben. Weder für das Verfassen der *Odyssee* noch von Eschenbachs *Parzival* oder gar Hölderlins *Hyperion*, argumentiert Kraft gerne, habe es einen Computer gebraucht, wohingegen das digitale Zeitalter und seine Gerätschaften den Beweis noch schuldig geblieben seien, dass trotz oder aus ihnen ein vergleichbares Meisterwerk das Licht der Geistesgeschichte erblicken könne. Kurz: Er ist jederzeit bereit, allen Erscheinungsformen des Digitalen eine Oberflächlichkeit zu unterstellen, die er in scharfem Kontrast zu den Tiefen des aufgeklärten Geistes sieht.

Andererseits ist er ein begeisterter Early Adopter. Während er seine beiden Doktorarbeiten noch mit Hilfe einer Kugelkopfschreibmaschine zu Papier gebracht hatte, die er, in eine Wolldecke eingewickelt, auf dem Rücksitz seines Ford Fiesta zwischen Berlin und Basel herumkutschiert hatte, verwaltete er die dreitausendfünfhundert Fußnoten seiner Habilitationsschrift bereits mit einem Macintosh Plus, für dessen Erwerb er eigens einen Kleinkredit aufgenommen hatte. Auch war er der Erste, der an der Universität mit einem Mobiltelefon durch die Gänge stolzierte, und es verschaffte ihm eine diebische Freude, wenn es, zum Missfallen seiner Kollegen, die damit den Untergang des Abendlandes einläuten hörten, mitten in einer Fakultätssitzung klingelte.

Kraft sieht es als eine Art Bürgerpflicht, mit dem Erwerb elektronischer Geräte die Volkswirtschaft zu stützen, und allen Zweiflern hält er entgegen, wo die Gesellschaft denn sonst mit all den jungen Männern südländischer Herkunft hin soll, die Dank des Siegeszuges des Mobiltelefons jeden Morgen mit sauber ausrasierten Bärten in den trostlosesten Fußgängerzonen motiviert und aufgeräumt ihren dürftig entlohnten Dienst in den Filialen der Mobilfunkanbieter antreten.

Im hinteren Raum, einer Kathedrale mit Glasdach, wird seine Kreditkarte durchs Lesegerät gezogen, was bei Kraft erneutes Herzklopfen auslöst, und Brad, sichtlich enttäuscht, dass diese kurze Freundschaft bereits zu enden hat, wünscht ihm viel *Fun* mit seinem Einkauf.

Nachdem sich Kraft in der Mall mit einer neuen SIM-Karte eingedeckt hat, setzt er sich bei Starbucks in den Schatten unter einen grünen Schirm, loggt sich in das kostenlose WLAN ein und tippt seine Zugangsdaten in das eben erworbene Telefon. Sogleich trifft eine ganze Reihe neuer E-Mails ein, von seiner Sekretärin in Tübingen, von einigen Studenten, von Heike, die wissen will, ob er das Heizöl schon bestellt hat, billiger werde es nicht mehr, und die jüngsten drei, die die Betreffzeile *SUPDS/Crime-alert* tragen. Die erste wurde um 9:15 Uhr gesendet und warnt vor einem Bewaffneten auf dem Campus. Es sei dringend geraten, sich nicht im Freien aufzuhalten und sich von den Fenstern fernzuhalten. Die zweite Nachricht weiß Genaueres zu berichten: *At approximately 9:45 a. m., behind Cantor Arts Center, a male fired one shot into his head in what appears to be a suicide attempt. There is no threat to the Stanford community at this time.* Eine dritte, vor zwanzig Minuten gesendet, gibt endgültig Entwarnung, verkündet, dass der Mann in keinerlei Verbindung zur Universität gestanden habe, und endet mit einer langen Liste von Telefonnummern, an die man sich vertrauensvoll wenden könne, wolle man seinem eigenen Suizid oder dem eines Kommilitonen zuvorkommen.

Kraft trinkt aus und macht sich auf den Rückweg, aber als der Turm mit all den Büchern über den Krieg, die Revolution und den Frieden vor ihm auftaucht, in dessen Erdgeschoss Kraft den Schreibtisch weiß, der auf ihn wartet, setzt er sich ins kurz geschnittene Gras. Jetzt, da sich die Gelegenheit zerschlagen hat, erschossen zu werden, und in Anbetracht der Tatsache, dass er heute Abend von Tobias Erkner, dem großzügigen Spender der sich in weiter Ferne befindlichen Million, zum Abendessen eingeladen ist, braucht er dringend eine geistig-moralische Wende.

Eine geistig-moralische Wende, wie er und István sie – wie die beiden sich gegenseitig versicherten – angemahnt hatten, lange bevor sie aus Oggersheim ausgerufen und der Bundesrepublik verordnet wurde, die sie aber über *Knight Rider* ganz vergessen hatten. Den ganzen Sommer über hielten sie Schmerz, Hass, Liebeskummer und Selbstmitleid fest im Griff und nebeneinander in die Polster ihres Sofas gedrückt, wo sie sich von Michael Knight die Seelen massieren und die Hirne aufweichen ließen. Man darf ihre völlig unkritische Leidenschaft für ein sprechendes Auto und dessen schmalzlockigen Fahrer, die gemeinsam gegen das Böse kämpfen, getrost dem Umstand zurechnen, dass diese Begeisterung in jenen schweren Stunden und Wochen – ja, man muss leider sogar zugeben, Monaten – das Einzige war, das sie teilen konnten, denn das Selbstmitleid ist im Allgemeinen eine schwer zu teilende Sache, und den Schmerz im Auge verspürte nur István, genauso wie den Hass auf die hinterhältige Gerbera-Schlägerin, der in ihm aufkochte, wenn der Schmerz sich meldete, das trübe Auge tränte und den Verband durchnässte. Nein, diesen Hass konnte Kraft nicht teilen, obwohl er sich von seinem Freund regelmäßig dazu aufgerufen fühlte, aber schließlich konzentrierten sich Istváns Hass und Krafts Liebeskummer auf dasselbe Subjekt, die breithüftige, ungemein mutterschaftsgeeignete, friedensbewegte Bildhauereistudentin und Augenlichträuberin Ruth Lambsdorff. Das aber durfte sein ungarischer Freund auf keinen Fall erfahren, und so litt Kraft schweigend und István leise jammernd, in seltenen Momenten laut fluchend und magyarische Verwünschungen ausstoßend, um sich danach erschöpft dem Stumpfsinn hinzugeben.

VI.

Das Vertrauen des klassischen Liberalismus, die Ziele einer liberalen Gesellschaft aus dem Selbstlauf einer privaten Wirtschaft zu erreichen, ist nach den geschichtlichen Erfahrungen nur in Grenzen gerechtfertigt. Es besteht kein selbstverständlicher Einklang zwischen persönlichem Vorteil und allgemeinem Wohl. [...] Die Tendenzen zur Akkumulation des privaten Kapitals, wie sie in der Verzinsung des Geldes, aber auch in der Wertsteigerung des Bodens sichtbar werden, sind einem über Gewinnstreben und Marktnachfrage gesteuerten Wirtschaftssystem ebenso eigentümlich wie die Tendenzen zur Konzentration des privaten Eigentums an den Produktionsmitteln. Sie sind die Kehrseite der durch eben diese Mechanismen gesicherten Leistungsfähigkeit eines solchen Wirtschaftssystems.

Dem freien Selbstlauf überlassen müssen eben diese negativen Tendenzen, bei aller ungebrochenen Leistungsfähigkeit, dessen Menschlichkeit am Ende zerstören: durch permanente Überprivilegierung der Besitzenden gegenüber den Besitzlosen, der Reichen gegenüber den Armen, der Produzenten gegenüber den Konsumenten, des Faktors Kapital gegenüber dem Faktor Arbeit.

Aus den Freiburger Thesen der F.D.P.; 1971

Es war ausgerechnet der weit entfernte Onkel des Objekts ihres Hasses und ihrer Liebe, der die beiden Wunden leckenden Marktradikalen aus ihrer Lethargie riss, jener Otto Graf Lambsdorff, Wirtschaftsminister der sozial-liberalen Koalition, der am 9. September im Herbst '82 sein Konzept für eine Überwindung der Wachstumsschwäche und zur Bekämpfung der Arbeitslosigkeit präsentierte. Ein Papier, das trotz seines technokratischen Namens in den beiden die wärmsten Gefühle auslöste und ihre Herzen in Aufregung versetzte.

Noch am selben Tag konnte Kraft, dank seiner Verbindungen in die Freie Demokratische Partei, eine Kopie des Dokuments besorgen, und zur Feier des Tages besuchten sie gemeinsam den Friseursalon ihrer Wahl, wo sie sich vom Inhaber, einem spindeldürren alten Recken mit zittrigen Händen, der sein Handwerk in der Wehrmacht erlernt hatte, unter Zuhilfenahme einer Bakelit-Tondeuse, deren Motor beim Einschalten ein lautes Klacken von sich gab, welches Kraft wie kein anderes Geräusch auf dieser Welt mit Solidität und Zuverlässigkeit in Verbindung brachte, die Nacken ausrasieren und die Seiten kürzen ließen. Dabei diskutierten sie angeregt die blaublütigen Vorschläge zum Sozialabbau, lasen sich mit vor Begeisterung brechenden Stimmen gegenseitig die schärfsten Passagen vor und zeigten sich lauthals überzeugt, nun breche auch in der Bundesrepublik die Stunde Thatchers und Reagans an, sodass dem alten Friseur die Haarschneidemaschine noch heftiger in den Händen zu zittern begann, entnahm er doch dem für ihn mehr oder weniger unverständlichen Gespräch, eine angelsächsische Invasion seines Heimatlandes stehe kurz bevor.

Am nächsten Morgen konnten sie es kaum erwarten, die Universität aufzusuchen, nachdem sie das Studium in den letzten Monaten arg vernachlässigt hatten. Frisch rasiert und gekämmt, banden sie sich gestreifte Krawatten um, zupften sich gegenseitig die Fusseln vom Revers, polierten ihre Schuhe, und István ließ es sich nicht nehmen, einen neuen Kopfverband anzulegen, der, wie ihm der assistierende Kraft versicherte, mit seinem frischen Gelbton nur um eine Nuance von der offiziellen liberalen Parteifarbe abwich. Derart ausgestattet, zogen sie triumphierend in der Universität ein, und selbst das Graffiti FRAUENWUT, das jemand während ihrer Abwesenheit mit dickem Pinsel auf die rostige Fassade geschmiert hatte, entlockte István nichts als ein verächtliches Schnauben und ein kurzes Zupfen an seinem Verband.

Bereits vor den Gebäuden begegneten sie aufgebrachten Studentengruppen, die in heller Aufregung diskutierten und den Rauch ihrer Selbstgedrehten in die Herbstluft bliesen, als spuckten sie angewidert aus. Das Wort vom Verrat machte die Runde, vom kapitalistischen Kahlschlag war die Rede, von einer Kriegserklärung an den Sozialstaat, aber Kraft und Pánczél taten sich erstaunlich schwer, in die Diskussionen einzusteigen. Sie hatten sich vorgestellt, man werde sich auf sie stürzen, waren sie doch an der Universität als glühende Verfechter einer ultraliberalen Wirtschafts- und Gesellschaftspolitik nach angelsächsischem Vorbild wohlbekannt, als Vertreter genau jenes Weltbildes, das aus jeder Zeile des gräflichen Papiers troff, und sie hatten sich gefreut auf diese Angriffe, denn bislang hatte man sich schlicht geweigert, sie wirklich ernst zu nehmen, zu abseitig und verschroben wirkten ihre Thesen auf ihre Kommilitonen. Aber nun würden sie endlich in der Lage sein, diesen Naivlingen ihre intellektuelle Brillanz und ihre weltanschauliche Überlegenheit um die ungewaschenen Ohren zu schlagen.

Kraft und Pánczél unterlagen aber in dieser Hinsicht einem doppelten Irrtum, zum einen gab es statistisch keinen messbaren Zusammenhang zwischen der Sauberkeit von Ohrmuscheln und der Verortung im politischen Spektrum – und gerade István hätte sich in jenen Tagen eines solchen Urteils besser enthalten, war er doch seit dem 11. Juni aufgrund seiner Augenverletzung zur Katzenwäsche verurteilt, und sein linkes Ohr, das von dem gelben Verband bedeckt war, war über einen entsprechenden Verdacht keineswegs erhaben –, zum anderen hatte niemand rechte Lust, sich ihre intellektuelle Brillanz um die Ohren schlagen zu lassen, zu tief saß der Schock über den Verrat der Liberalen, als dass man bereits zum Disput aufgelegt gewesen wäre. Sicher, die Sympathien für die Regierung Schmidts hielten sich unter den Studenten sehr in Grenzen, und man ging mit Nachdruck und zu Hunderttausenden gegen den Nato-Doppelbeschluss, der sowohl eine Stationierung von neuen amerikanischen Atomraketen als auch bilaterale Rüstungskontrollen vorsah, auf die Straße. Aber nach vierzehn Jahren sozial-liberaler Koalition hatten sich die meisten damit abgefunden, dass eine solche unter den gegebenen Umständen noch das kleinste Übel sei, und sie hatten sich irgendwie daran gewöhnt, dass die Sozialdemokraten in den Liberalen einen einigermaßen verlässlichen Partner hatten. Man wusste wohl, dass einige Kräfte in der F.D.P. mit einem scharf wirtschaftsliberalen Kurs liebäugelten, aber man hatte sich immer noch mit der Hoffnung getragen, es setze sich doch jener Geist durch, von dem sich die deutschen Liberalen leiten ließen, seit sie Ende der Sechzigerjahre ihre Freiburger Thesen verabschiedet hatten, die die Partei auf einen sozialstaatlichen Kurs einschworen und sogar eine Reform des Kapitalismus hin zu mehr staatlich gelenkter Verteilungsgerechtigkeit forderten. Und nun das: Verrat! In dieser Situation war Solidarität mit den Sozialdemokraten sozusagen Pflicht, und die Empörung machte sich gewaltig Luft. Da darf man sich nicht wundern, dass keiner Lust hatte, sich mit den beiden feixenden Laffen auch noch eine elaborierte Diskussion über die volkswirtschaftlichen Feinheiten des Vorzuges einer angebotsorientierten gegenüber einer nachfrageorientierten Wirtschaftspolitik zu liefern. Das mag aber auch daran gelegen haben, dass die beiden ihre Argumente bei der Hand hatten, wohlformuliert und mit einer beängstigenden Menge an Zahlen, Statistiken und Modellen unterfüttert, die sie wie angeschärfte Fußnoten hinterherschickten. Ihr theoretisches Arsenal war furchterregend, und die soziale Kälte, die die von ihnen vorgeführten Waffen ausstrahlten, ließ in ihren Kommilitonen eine Ahnung aufkommen, dass nun andere Zeiten anbrachen, in denen man solch brillante, nur leider sozial inkompetente Sonderlinge ernst nehmen müsse, aber für den Moment drehte man ihnen lieber den Rücken zu und ereiferte sich unter Gesinnungsgenossen. Kraft und István waren zwar etwas enttäuscht, dass ihr Einzug nicht ganz so triumphal und kontrovers verlief, wie sie sich das ausgemalt hatten, doch auch sie spürten, dass ihre Zeit nun bald kommen sollte.

Die Situation spitzte sich schon wenige Tage darauf zu, als Helmut Schmidt das Konzept seines Wirtschaftsministers als Scheidungspapier brandmarkte und daraufhin der F.D.P.-Außenminister Genscher seinen und auch gleich den Rücktritt der anderen drei liberalen Kabinettsmitglieder, darunter Graf Lambsdorff, bekannt gab. Damit war die Koalition zerbrochen, und die Liberalen wechselten in Bonn mit wehenden Fahnen und unter begeistertem Jubel aus der Grunewaldstraße ins Lager der Opposition. Kohl sah die Chance für seine geistig-moralische Wende, die selbstredend nur unter seiner Kanzlerschaft stattfinden konnte, gekommen und beantragte die Abstimmung über ein konstruktives Misstrauensvotum gegen den amtierenden Kanzler.

Kraft und István warfen sich am Vorabend des großen Tages in Schale und enterten erwartungsfroh und in aufgekratzter Stimmung am Bahnhof Zoo den Zug nach Köln. Als die Bahn in Griebnitzsee hielt und die Transportpolizei und das Zugbegleitungskommando Transit der Deutschen Demokratischen Republik zustiegen, wurde der Hemdenwäscher Pánczél allerdings zusehends stiller. Einsilbig starrte er mit dem rechten Auge aus dem Fenster auf den vorbeiziehenden real existierenden Sozialismus. In der Brusttasche seines Jacketts brannte ein dunkelgrüner Reisepass mit dem goldenen Adler der Bundesrepublik, ausgestellt auf einen gewissen Gustl Knüttel, geboren in Neugablonz, Konditor im Kranzler und dank der böhmischen Herkunft seiner Familie mit osteuropäisch anmutenden Gesichtszügen ausgestattet, die seine Verlobte jedes Mal, wenn István Pánczél in der Mensa der Freien Universität sein Tablett zu ihrer Kasse schob, dazu bewog, vor Freude in die kleinen Hände zu klatschen und begeistert auszurufen, wie er, István, dem Gustl doch aus dem Gesicht geschnitten sei. Es war Kraft, der, nachdem ihnen klar geworden war, dass das Flugzeug aus Budgetgründen keine Option war und sie mit der Bahn das Territorium des Arbeiter- und Bauernstaates zu durchqueren hatten, wobei István die Verhaftung durch die Volkspolizei und die Auslieferung an den sozialistischen Bruderstaat der Ungarischen Volksrepublik drohte, auf die Idee verfiel, István solle sich die Ähnlichkeit mit jenem Gustl Knüttel zunutze machen und mit dessen Pass den Transit wagen. Der Konditor wurde von seiner Verlobten zur Überlassung seines Passes überredet, die, als Gegenleistung für die Unterstützung dieses konspirativen Unternehmens, die *Knight-Rider*-Kassetten geliehen bekam und über diese derart glücklich war, dass sie sich bereit erklärte, Istváns Deckhaare mit dem selben Minipli auszustatten, mit dem sie auch den böhmischen Schädel ihres Gustls zu frisieren pflegte, sodass der gekräuselte István tatsächlich kaum mehr vom Konditor zu unterscheiden war, bis natürlich auf das trübe Auge, das aber ganz offensichtlich neueren Datums war und deswegen auf dem Passfoto noch nicht abgebildet zu sein brauchte. Es war sogar ausgerechnet Istváns Auge, das ihn problemlos durch die Passkontrolle brachte, denn der Uniformierte, von der Verletzung unangenehm berührt, hatte keine Lust, lange in das triste Gesicht des Jünglings zu starren, und gab sich deswegen mit der ungefähren Ähnlichkeit zwischen dem Passfoto des Konditors Knüttel und dem Hemdenwäscher Pánczél zufrieden und reichte den falschen Pass wortlos zurück.

Das Gefährlichste war geschafft, aber die Angst blieb, und immer, wenn der Zug seine Fahrt verlangsamte, wechselte Istváns Gesichtsfarbe von Elfenbein zu Aschgrau, den Kopf gegen das Polster gepresst, wiederholte er ein ums andere Mal: «Er wird doch nicht anhalten, er wird doch nicht anhalten…» Am Grenzübergang Marienborn kam der Zug zum Stehen, und aus Pánczéls Auge quollen Träne um Träne, die an seinem zitternden Kinn hängen blieben.

Erst in Helmstedt wich seine Anspannung, und bis Köln traktierte er seinen Reisegenossen mit einem elaborierten Referat über die spieltheoretischen Grundlagen des Gleichgewichts des Schreckens, das er nur unterbrach, um die architektonische Qualität der vorbeiziehenden Ortschaften und das Modebewusstsein der Menschen auf den Bahnsteigen, an denen ihr Zug hielt, zu loben.

Am Morgen des ersten Oktobers verließen sie in aller Früh die Jugendherberge in Bonn und gingen zu Fuß zum Rhein, an dessen Ufer das Bundeshaus mit dem Plenarsaal lag, um auf der Besucherempore ihre Plätze einzunehmen und geduldig auf das Eintreffen der Parlamentarier zu warten. Das Gefühl,

Zeuge eines wichtigen historischen Ereignisses zu werden, verstärkte sich, als ganz in ihrer Nähe Hannelore Kohl mit ihren beiden Söhnen Platz nahm.

Krafts Zweifel, ob er sich bei der kommenden Auseinandersetzung auf der richtigen Seite befand, meldeten sich bereits, als der Bundeskanzler in einem dunklen Dreiteiler mit einer schmalen silberblauen Krawatte, das dichte graue Haar zur Seite gekämmt, in ungemein staatsmännischer Gelassenheit, ja, Kraft fand, dass sogar vom geräuschvollen Abhusten des Kettenrauchers etwas Staatsmännisches ausging, als Erster ans Rednerpult trat und es bereits im ersten Satz fertigbrachte, ganz nonchalant von sich in der dritten Person zu sprechen und damit den geplanten Kanzlersturz von Anfang an wie einen von einem beleibten Riesen angezettelten Zwergenaufstand erscheinen zu lassen. Dieser Mann, das wusste Kraft genau, hatte das Format eines großen Staatenlenkers, und, wovon für Kraft eine noch größere Faszination ausging, er trug eine Lockerheit zur Schau, die es, so kam es ihm vor, in diesem Land überhaupt noch nie gegeben hatte. Mit allen Großen dieser Welt sprach Schmidt auf Augenhöhe; neben Carter saß er breit lachend, Dynamik und Entschlusskraft ausstrahlend, neben Giscard d'Estaing stehend wirkte er wie ein besonnener Intellektueller und verströmte Esprit und Charme, und Honecker degradierte er durch seine bloße Anwesenheit zu einem kleinen Mann unter einer viel zu großen Pelzmütze. Kurz: Kraft bedauerte es sehr, dass sie nicht in derselben Mannschaft spielten.

Seine Zweifel wurden auch nicht durch den Auftritt Rainer Barzels ausgeräumt, der für die Opposition das Misstrauensvotum zu begründen hatte und keineswegs mit weniger Selbstvertrauen als sein Vorredner auftrat, dabei aber weder elegant noch souverän wirkte, sondern wie ein überheblicher Schulhoftyrann, der vom Oberstudienrat die Pausenaufsicht übertragen bekommen hat. Der Kanzler saß derweil hinter der Regierungsbank in seinen Sessel geflegelt, pfiff sich seelenruhig eine Ladung Schnupftabak nach der anderen in die Nasenlöcher und schaffte es, dabei auszusehen, als schlürfe er Austern. Sicherlich, in ihrer Überheblichkeit nahmen sich die beiden Männer nichts, aber während Barzels Überheblichkeit etwas Rohes anhaftete, wirkte Schmidt, als stünde ihm die seine zu.

Kraft warf einen prüfenden Seitenblick auf seinen Freund, ob der sich wohl mit ähnlichen Zweifeln plagte, dieser aber war völlig trunken vom Hochamt der parlamentarischen Demokratie und soff Barzel die Worte von den Lippen, als sei es zu Freiheit transsubstantierter Messwein.

Erst der nächste Redner erlöste Kraft. Es war ihm ein Leichtes, den Fraktionsvorsitzenden der Sozialdemokraten, Wehner, als Greis abzutun, als Dinosaurier, als Verkörperung genau jenes sozialromantischen Gewerkschaftsklüngels, der Krafts Meinung nach für die zwei Millionen Arbeitslosen im Land verantwortlich war, als einen, der noch immer so tat, als habe ein Großteil der arbeitenden Bevölkerung abends Maschinenöl an den Händen oder Kohlenstaub im Gesicht, und das Schlimmste war, dass er zu glauben schien, das sei auch für alle Zukunft der Fall, während doch, wie Kraft sich sicher war, die Deutschen längst auf dem unumkehrbaren Weg zu einer Dienstleistungsgesellschaft waren – nein, da musste er sich gleich selber korrigieren, da er ja von Thatcher gelernt hatte, *that there is no such thing as a society*, also eher auf dem Weg zu einer Dienstleistungs ... ja, was denn eigentlich ... einer losen Ansammlung von Dienstleistungsindividuen, die sich aus freien Stücken zu Familienverbänden zusammenschlossen? So ganz klar war das Kraft noch nicht, wie man unter Vermeidung des Gesellschaftsbegriffes dieses Ding nennen sollte, in dem sie lebten. Aber Wehners weitere Ausführungen rissen ihn aus seinen Überlegungen zu den Schwierigkeiten eines korrekten thatcheristischen Vokabulars, als der Greis, Altherrenspucke über sein Manuskript versprühend, befand, der Herr Graf Lambsdorff versündige sich an der jungen Generation. Kraft hörte neben sich István nach Luft schnappen und sich selbst, noch bevor er wusste, was er tat, ein «Was wissen Sie denn schon von der jungen Generation?» in den aufbrandenden Applaus der Sozialdemokraten rufen; laut genug, dass der Herr Bundestagspräsident mit erhobenen Brauen seinen Blick streng auf die Besucherempore hob und vorsorglich nach der Glocke griff. Kraft zog den Kopf ein und nuschelte «ist doch wahr»; wirklich, dieser alte Mann hatte die Zeichen der Zeit nicht erkannt; außerdem trug er einen breiten Lappen von Krawatte um den Hals, der ihm über die Brust hing wie der Esslatz eines Kleinkindes.

Wenigstens in dieser Hinsicht konnte der folgende Redner bei ihm punkten, Mischnicks Krawatte fand Krafts Billigung, auch wenn dem Fraktionsführer der Liberalen die Lockerheit und Eleganz eines Helmut Schmidt gänzlich abging. Und es machte die Sache auch nicht besser, dass er seine Rede damit begann, zu betonen, welch schwere Stunde dies für Deutschland sei und welch schwere Stunde auch für dieses Parlament, und zu guter Letzt, welch schwere Stunde für ihn selbst. Papperlapapp, murmelte Kraft, was sollte an dieser Stunde schon schwer sein; eine Chance für diese Nation am Abgrund, das war diese Stunde. Hinweggefegt werden musste nun der alte sozialdemokratische Mief, gekappt die Steuern, geschrumpft der Staat, dereguliert die Banken, privatisiert die Bahn, die Post, das Telefon, der Strom; hinweg mit Keynes, her mit Friedman und von Hayek, befreit werden musste das Individuum aus dem Würgegriff des Staates, konsolidiert werden musste der Staatshaushalt, liberalisiert das Arbeitsrecht, reduziert das Mutterschaftsgeld, das BAföG und das Wohngeld, oder am besten gleich ganz abgeschafft. Freiheit, Freiheit, summte es in Kraft.

Aber dieser Mischnick war viel zu zögerlich, zu weich, zu bedächtig, auch wenn, das musste Kraft zugeben, das Wohlformulierte dieser Rede und nicht jeden Zweifel Beiseitewischende, das Abwägende, durchaus seinen Reiz besaß, und aus einer intellektuellen Position würde er es dem Gepolter eines Barzel sogar vorziehen, aber Kraft war nach Bonn gereist, um Zeuge eines Endkampfes und eines vernichtenden Sieges zu werden, und so applaudierte er energisch, als sich Mischnick doch noch dazu überwand, die Stimme zu heben, um einen Ausstieg aus der Anspruchsmentalität zu fordern, und dabei jedes einzelne Wort mit einer stechenden Bewegung seines ausgestreckten Zeigefingers auf das Rednerpult unterstrich, als wolle er eine ganze Sippschaft Käfer zerquetschen.

Als danach der Altkanzler Willy Brandt in seiner Funktion als Vorsitzender der Sozialdemokraten ans Rednerpult trat, stand István auf und verkündete, die Wirkung seiner Worte nach links und rechts prüfend, er sei nicht gewillt, diesem Kniefaller zuzuhören, der sich vor den Kommunisten in den Staub geworfen habe, nein, er, der unter diesem System gelitten habe, brauche sich das nicht anzutun, das könne man von ihm nicht verlangen, und schritt, eine Miene der Verachtung zur Schau stellend, in Richtung Ausgang. Kraft versank mit roten Ohren in seinem Polster und ließ seinen Gefährten ziehen. Die Bewertung von Brandts Warschauer Kniefall war einer der wenigen Punkte, über die sie bislang keine Einigkeit erreicht hatten. Kraft hatte lebhafte Erinnerungen daran, wie er als Zwölfjähriger vor dem Fernseher gesessen hatte und jenen Mann, der nun vorne am Rednerpult stand, in einem dunklen Mantel hatte auf die Knie sinken und mit gefalteten Händen eine halbe Minute verharren sehen, und dabei hatte der Junge das starke Empfinden gehabt, diese Demutsgeste habe etwas mit seinem Vater zu tun, der als SS-Hauptsturmführer einer Einsatzgruppe bereits im Sommer einundvierzig am Westufer des Peipussees in sowjetische Gefangenschaft geraten war und über vierzehn Jahre in einer Gefangenenkolonie in Archangelsk verbrachte hatte, bevor man ihn schlussendlich im Herbst fünfundfünfzig als einen der Letzten entließ und ihn das Rote Kreuz irrtümlicherweise nach München statt nach Hamburg brachte, was er zur Gelegenheit nahm, die vierzehn verlorenen Jahre nachzuholen, wozu er, obwohl er in jeder Hinsicht ein beeindruckendes Tempo vorlegte, volle zwei Jahre benötigte, bevor er sich dann doch entschloss, einmal bei seiner Gattin in Hamburg vorbeizuschauen, die er in seinem ersten Fronturlaub als junges Fräulein geheiratet hatte und nun als kinderloses altes Mädchen antraf, das all die Jahre in einer Mansardenwohnung auf ihn gewartet hatte, was ihn nicht daran hinderte, mit ihr einen Sohn zu zeugen und drei Tage später für immer zu verschwinden. Richard Kraft, der von seinem Vater nicht mehr als den Vornamen, die grauen Augen und das gelockte Haar mit auf den Weg bekommen hatte und mangels historischer Bildung die Geste des Kanzlers nicht richtig einzuordnen wusste, erlag angesichts des knienden Mannes dem Irrtum, dieser entschuldige sich bei ihm für die Abwesenheit des Vaters, aber weil er ein ebenso wissbegieriges wie auch einsames Kind war, wollte er es doch genauer wissen und kaufte sich von seinem Ersparten den *Spiegel*, auf dem der kniende Kanzler abgebildet war. Ein Reporter, der Zeuge der Szene in Warschau geworden war, berichtete in ergriffenen Worten: *Dann kniet er da also nicht um seinetwillen*. Der Junge fühlte sich irgendwie bestätigt. Das hatte er gespürt, dass der Kanzler nicht für sich selber kniete, nein, er kniete für den Vater. Aber dann, als er weiterlas, verstand er doch nicht, worum es ging.

Dann kniet er, der das nicht nötig hat, da für alle, die es nötig haben,
aber nicht da knien – weil sie es nicht wagen oder nicht können oder
nicht wagen können. Dann bekennt er sich zu einer Schuld, an der
er selber nicht zu tragen hat, und bittet um eine Vergebung, derer er
selber nicht bedarf. Dann kniet er da für Deutschland. Von welcher
Schuld war hier die Rede? Und weshalb war dieser Kanzler
nicht Teil dieses Deutschlands, das sich schuldig gemacht
hatte, und hatte demnach das Knien eigentlich gar nicht
nötig? Und was war mit dem Vater? Hatte der das Knien
nötig und tat es nicht, weswegen es der Kanzler tun musste?
Kraft hatte niemanden, der ihm hätte Antworten geben können, aber er wusste, wo es Antworten gab, und besorgte sie
sich in der städtischen Bibliothek, was sich als schwieriges
Unterfangen erwies, da es die deutsche Historikerzunft bis
dahin versäumt hatte, sich dem Thema der Schuld mit der
gebotenen Systematik zu widmen. Antworten fand Kraft in
den Romanen von Seghers, Grass und Becker, in den Gedich-
ten Celans und den Erzählungen Bachmanns.

Der Kanzler, so lernte Kraft, war tatsächlich für den Vater
auf die Knie gesunken, und er war auch für ihn, den Sohn,
auf die Knie gesunken, denn die Schuld des Vaters und die
Schuld des ganzen Landes war von solch einer Tiefe, dass sie
von den Vätern auf die Söhne durchschlug wie eine Erbkrank-
heit. Es war also dieser ältere Herr, der da vorne sprach, dessen Demutsgeste Kraft politisiert und sein Interesse an der
Geschichte und Literatur geweckt hatte.

Brandt sprach lange, sehr lange, und Kraft war, trotz der
Bedeutung, die dieser Mann für ihn hatte, kurz davor, seinem Freund ins Foyer zu folgen. Dann aber gewann die
Debatte an Fahrt, ja, es kam sogar zu veritablen Turbulenzen
im Saal, nachdem der kürzlich geschasste Ex-Minister Baum
gesprochen hatte, für dessen Rede István wieder an seinen
Platz zurückgekehrt war und dem er, ohne zu zögern, als der

nun einfache Abgeordnete dem amtierenden Kanzler sein Vertrauen aussprach, das Recht aberkannte, sich einen Liberalen zu nennen, verkenne er doch vollkommen den wahren liberalen Geist und sei im Grunde genommen nicht befugt, das heilige Wort der Freiheit im fauligen Mund zu führen; ein Urteil, dem Kraft sich, froh, die Harmonie zwischen ihnen wiederherstellen zu können, bereitwillig anschloss.

Dann bescheinigte die Abgeordnete Frau Doktor Hamm-Brücher, eine hochgewachsene, elegante Gestalt im strengen schwarz-weiß gestreiften Kostüm mit weißer Schluppenbluse und hochgestecktem schlohweißen Haar, dem Putschversuch ihrer eigenen Partei das Odium des verletzten demokratischen Anstandes, eine Äußerung, die István verächtlich als weinerliches Geschwätz abtat, zudem erinnere sie ihn an seine Großmutter, welche ihn wiederum an seine Mutter erinnere, und damit sei ja eigentlich alles gesagt. Kraft verstand nicht ganz, was damit nun genau gesagt war, aber er wünschte sich insgeheim, Frau Doktor Hamm-Brücher erinnere auch ihn an seine Mutter, was sie leider ganz und gar nicht tat, denn Josephine Kraft wusste vermutlich nicht einmal, was sie sich unter einem Odium vorzustellen habe, geschweige denn, dass sie sich jemals für den demokratischen Anstand interessiert oder ein elegantes Kostüm besessen hätte.

Der auf diese elegante Erscheinung folgende CDU-Generalsekretär geißelte ihre Worte als Anschlag auf die Verfassung und löste damit einen mittleren Tumult aus. Jedenfalls verfehlte die Provokation ihre Wirkung nicht, und Kraft kam noch ein letztes Mal in den Genuss eines Auftrittes von Kanzler Schmidt, der dabei erneut seine Staatsmännlichkeit unter Beweis stellte und, als man ihm aus dem Saal ins Wort fiel, rief, noch habe er das Recht, hier zu reden. István glotzte selig auf das Schauspiel. Kraft fühlte ein Unbehagen, aber er verdrängte es und versuchte, sich mit seinem Freund zu freuen, doch als sich zu guter Letzt auch noch der Kanzler in spe hinter das Rednerpult bemühte und die Schwerfälligkeit seiner Erscheinung, seines Denkens und seiner Sprache durch dynamisches Auf- und Abfedern zu verbergen versuchte, war ihm plötzlich, als habe er sich an rustikaler Kost überessen, und noch viel schlimmer, als ob nun vielleicht für lange Zeit nur noch deftig Mastiges auf den Tisch kommen werde.

Auf der Heimfahrt hatte der ungarische Student Pánczél Raketenträume. Ihm träumte von Pershings und Cruise Missiles, die auf seine alte Heimat gerichtet waren. Nun, nachdem die zaghafte, von den Naivlingen der Friedensbewegung unterwanderte SPD in die Opposition verbannt war und die Freiheitlichen dem frischgebackenen christdemokratischen Kanzler Beine machen konnten, war es nur noch eine Frage der Zeit, bis die Amerikaner die neu entwickelte Pershing II und die Cruise Missiles in der Bundesrepublik stationieren konnten. István hatte sich aufs Ausführlichste mit der Technologie der neuen Waffen befasst und war zu der Überzeugung gelangt, damit sei ein neues Kapitel im Buch der atomaren Strategien aufgeschlagen, war doch infolgedessen der Weltenbrand eine Option, die er aus bestimmten spieltheoretischen Erwägungen zumindest als interessant beschrieb, nur noch eine von zwei Möglichkeiten, da man mit den viel präziseren neuen Waffen nun auch zu einer Art chirurgischer atomarer Operation schreiten konnte, bei der man das Geschwür des kommunistischen Kaders sozusagen aus dem gesunden Volkskörper herausschnitt; eine Option, die er sich sogleich an einem beispielhaften Szenario ausmalte, in dessen Zentrum das Széchenyi-Heilbad in Budapest stand, genauer noch, dessen Außenbecken, umrahmt von seiner schwülstigen neubarocken Architektur. In Istváns Tagträumerei war das zentrale Becken gefüllt mit den feisten Leibern der sozialistischen Kader, die ihre kurzen Schwänze in das schwefelhaltige Wasser tunkten und sich dabei gegenseitig auf die haarigen Schultern klopften. Nun ließ er eine dieser famosen neuen Raketen anfliegen, ausgerüstet mit einem atomaren Sprengkopf, gestartet in Bayern, knapp über den Baumwipfeln, an Salzburg vorbei, Österreich in rasendem Marsch durchquerend, unter dem Radar hindurch die ungarische Grenze passierend und zielgenau über dem zentralen Außenbecken des Széchenyi-Heilbads detonierend. Wasserstoffbombe; saubere Sache, die Architektur, die er so bewundert, bleibt bestehen, aber das Wasser im himmelblauen Becken kocht auf, die eben noch feixenden Parteikader sitzen schreiend in der brodelnden Brühe, ihre Häute schwimmen bereits in Fetzen auf der aufgepeitschten Wasseroberfläche, eine gigantische Dampfwolke erhebt sich über dem Bad und treibt langsam davon. Zurück bleibt ein leeres Becken, an dessen Grund, reglos, gekochten Krebsen gleich, die roten Leiber der infamen Brut liegen, während sich außerhalb der Badeanstalt bereits das Volk heroisch zu erheben beginnt. Es war dieses Szenario, das er sich immer und immer wieder, angereichert mit neuen Details, vor seinem geistigen Auge abspielte, welches ihm durch die neuerliche Passkontrolle und das Durchqueren der Zone half und, trotz der vor dem Fenster vorbeiziehenden sozialistischen Trostlosigkeit, ein seliges Lächeln auf sein Gesicht zauberte.

Kraft ließ ihn träumen, war er doch selbst seit dem Verlassen des Bundeshauses recht einsilbig. Nach über fünfstündiger Debatte war es endlich zur Abstimmung gekommen, und Kraft hatte etwas erschöpft die Zuschauerempore verlassen und draußen geraucht, während István jedem Einzelnen der 495 Abgeordneten dabei zusah, wie er nach vorne trat und seinen Stimmzettel in die Urne warf. Um kurz nach drei hatte der Bundestagspräsident das Resultat der Auszählung bekannt gegeben und hernach das Wort an den Abgeordneten Kohl gerichtet, ob er gewillt sei, die Wahl zum Bundeskanzler anzunehmen. Herr Präsident, ich nehme die Wahl an, hatte dieser, zur vollen Größe aufgerichtet, geantwortet, während Schmidt versteinert zwischen seinen Fraktionskollegen gesessen hatte, sich dann aber doch erhob und seinem Kontrahenten gratulierte. Es war aber nicht diese Geste, die Kraft am meisten beeindruckte, es war das, was er bei einem kurzen Seitenblick auf die Familie Kohl zu Gesicht bekommen hatte. Hannelore hatte nicht geklatscht, sie hatte nicht gelächelt, sie hatte nur unverwandt auf den massigen Rücken ihres Ehegatten gestarrt, der nun Kanzler der Republik war. Die Söhne, junge Männer in blauen Anzügen, hatten reglos neben ihr gesessen. Der eine hatte sich auf die Lippen gebissen, der andere hatte leise, ungläubig den Kopf geschüttelt und den jugendlichen Mund unter dem flaumigen Schnäuzer für einen kurzen Moment zu einem ironischen, bitteren Lächeln verzogen.

Kraft hätte nur zu gerne gewusst, welches Wissen den jungen Mann zu dieser Reaktion bewogen hatte. Es war ihm, als er in die herbstliche Magdeburger Börde blickte und sich das Gesicht des jungen Mannes in Erinnerung rief, als habe dieser zu sich selbst gesprochen: «Auch das noch», und an die Adresse der Abgeordneten gerichtet: «Ihr werdet schon noch sehen, was ihr davon habt.» Kraft hatte die Befürchtung, die gesamte Familie Kohl habe dem Patriarchen im Augenblick seines größten Triumphes die charakterliche Eignung für das eben erreichte Amt abgesprochen.

Seine Bedenken erwiesen sich bald als nicht ganz unbegründet. Die versprochene geistig-moralische Wende fand nicht statt. Im Großen und Ganzen führte die Regierung Kohl das

Programm Helmut Schmidts weiter, allerdings ohne dessen Eleganz. Das gräfliche Papier, welches unsere beiden jungen Freigeister so begeistert hatte, verschwand in der Schublade und wurde erst zwanzig Jahre später, ausgerechnet von einer sozialdemokratischen Regierung, wieder ausgegraben. Die Liberalen blieben, was sie auch in der alten Koalition gewesen waren, Juniorpartner. Weder Reaganomics noch Thatcherismus hielten in der Bundesrepublik Einzug. Der Nato-Doppelbeschluss wurde zwar umgesetzt und István bekam seine Raketen, aber die Stationierung ebendieser bescherte der Friedensbewegung einen ungeahnten Zulauf und führte zum Aufstieg einer neuen Partei, die den beiden in jeder Hinsicht suspekt und frivol erschien. Letzten Endes erwies sich allerdings nicht Kohls Charakter als das wahre Problem, es war vielmehr dessen fehlender Intellekt, der den beiden bald die größten Qualen verursachte und sie sich auf die Sprachregelung einigen ließ, seine Wahl sei ein Betriebsunfall der Demokratie, der bald korrigiert werden würde; eine Fehleinschätzung, wie sich in den kommenden sechzehn Jahren erweisen sollte.

Aber zumindest, so viel ist sicher, vollzog sich die Wende auf dem Sofa in der Grunewaldstraße. Die *Knight-Rider*-Kassetten blieben bei Gustl Knüttels Verlobter, das Bügelbrett fand rege Verwendung, ebenso der Schuhputzkasten, und die beiden Freunde schmissen sich mit Elan und Appetit in ihr Studium.

Krafts von Ruth geschlagene Wunden schlossen sich, und er war im Frühjahr bereits wieder so weit hergestellt, dass er in der Kantine eines Basler Pharmaunternehmens, das sein Auditorium einem von der Mont Pelerin Society finanzierten Seminar für den liberalen Nachwuchs Europas, zu dem er und István geladen waren, zur Verfügung gestellt hatte, in

amourösen Absichten auf eine Biologie-Doktorandin aus Lör-
rach einschwafelte, die in einem Labor ebenjenes Pharmaunternehmens an der Genetik der Hefen forschte; auch wenn
Kraft mit leiser Wehmut feststellen musste, dass ihre Hüften
längst keine Lambsdorff'schen Qualitäten aufwiesen.

VII.

Kraft steht auf, klopft sich das Gras vom Hosenboden und schleicht schweren Herzens zurück zum Turm. Im Foyer mogelt er sich hinter dem Rücken eines Rotbejackten in den Lesesaal und hört schon von Weitem den Staubsauger der dicken Mexikanerin; es ist ihm, als sauge sie ihm den letzten Rest Lebenskraft aus dem Leib, und er muss an Heike denken, die aus Angst vor Keimen – zumindest eines, das sie noch teilen – eine Hühnerbrust aus dem Umschlagpapier des Fleischers wickelt und in einem eigens zu diesem Zweck angeschafften Apparat vakuumiert; mit einem ratternden Geräusch saugt das Gerät die Luft aus dem Plastikbeutel, dicht legt sich die Folie um das Fleisch, und Kraft spürt, wie es ihm eng wird um die eigene Brust.

Rasch räumt er seine Sachen zusammen und flieht aus der Kühle des Lesesaals ins Freie, wo alles wieder seinen gewohnten Gang geht. Die Latinos, die auf Knien in den Blumenbeeten das Unkraut zupfen, die Professoren, die in schwarzen Reebok Classics, sandfarbenen Chinos und weiten, karierten Buttondownhemden zu ihren Vorlesungen und Seminaren eilen und dazu ein Heer von nackten Waden, dick und dünn, behaart und seidig glänzend, muskulös und magersüchtig,

Männerbeine und Frauenbeine, alle in Shorts und die meisten in die Pedale tretend; eine verabscheuungswürdige Beinparade, wie Kraft findet, zumal die meisten zu allem Überfluss auch noch ihre nackten Füße in Flipflops präsentieren, wo doch nur die allerwenigsten Füße eine solche Zurschaustellung verdienen. Was Füße betrifft, ist Kraft streng und wählerisch. Eigentlich, so ist er der Meinung, gehören sie, ob männlich oder weiblich, in sowohl solidem, wie auch elegantem und in jedem Fall gepflegtem Schuhwerk den Blicken der Mitmenschen entzogen, es sei denn, es handle sich um Babyfüße, da ist er bereit, eine Ausnahme zu machen, oder aber man befindet sich mit der Besitzerin der Füße in einer Interaktion sexueller Natur, dann, ja dann vermag sich Kraft, aber nur in den seltenen Momenten, in denen er sich ganz und gar gehen lassen kann, seltsamerweise sehr für Füße zu begeistern und mit stiller Leidenschaft und beachtlicher Ausdauer an ihnen zu lecken und zu saugen, und selbst an Heikes Hallux knabberte er, in besseren Zeiten, gelegentlich mit einer Mischung aus Zärtlichkeit und ungezähmter Fleischeslust. Doch an beides, Mädchenfüße und Heikes Hallux, will er jetzt nicht denken, also stellt er sich vor, wie einer jener übermütig radelnden Studenten mit seinem ganz und gar ungeeigneten Schuhwerk von den Pedalen rutscht und mit den Zehen in die glitzernden Speichen gerät. Dabei verliert er die Kontrolle über seine Vorstellungskraft und imaginiert sich ein wahres Blutbad, denn er lässt den unglücklichen Studenten mit halb abgetrennten Zehen auch noch stürzen und sich dabei die blitzend weißen Zähne ausschlagen, worauf es zu einer gewaltigen Massenkarambolage kommt, bei der Dutzende von Rädern ineinander krachen und die jungen Leiber unter Geschrei auf das heiße Pflaster stürzen, sich die makellosen Knie blutig schlagen, die strammen Schenkel aufschürfen und sich, da sind sie ganz selber schuld, in ihren blöden Badeschlappen fürchterlich die Knöchel vertreten, sodass Kraft glaubt, sogar die reißenden Bänder schnappen hören zu können.

Es darf uns also nicht verwundern, dass er kurz darauf mit flauem Magen etwas ratlos vor dem Angebot im *Arbuckle Dining Pavilion* steht, die gegrillten Putenschenkel und die Burritos links liegen lässt, auch beim Sushi zögert und sich schließlich zaghaft am Salatbuffet bedient. Mit ein paar Blättern Eisbergsalat an Thousand Island Dressing, gekrönt mit vier Streifen blasser Hähnchenbrust und einer Dose Diet Coke, sucht er im Hof des Knight Management Centers, das, wie ihm Ivan erklärt hat, großzügigerweise von Phil Knight, seines Zeichens Gründer der Sportartikelfirma Nike und ehemaliger Absolvent der Stanford Business School, mit mehreren Hundert Millionen Dollar bedacht worden ist, nach einem freien Tisch, und weil er keinen finden kann, fragt er zwei junge Herren, ob er sich dazusetzen darf. Sie haben nichts dagegen und lassen sich von Kraft nicht in ihrem Gespräch stören. Während er lustlos in seinem Salat stochert, die Hähnchenbrust an den Tellerrand schiebt und auf seinem neuen Gadget rumwischt, kommt er nicht umhin, die laute Unterhaltung mitzuhören, und bald schon beschäftigt er sich nur noch pro forma mit seinem Telefon und lauscht dem Gespräch.

Es sei ein gutes Jahr gewesen, sagt der eine, ein großartiges Jahr, ein fantastisches Jahr. Sein Kiefer ist kantig, von der Größe einer Nachttischschublade, und es glänzt darin eine verschwenderische Anzahl Zähne. *I am doing well, I am doing well*, wiederholt er ein ums andere Mal. Und sein Gesprächspartner, ein Lockenkopf im hellblauen Businesshemd, antwortet: *Good for you, bro, good for you, you deserve it*. Kraft kommt es so vor, als meine er es ernst und freue sich tatsächlich für sein Gegenüber. Der breite Kiefer strahlt aus seinem rosa Polokragen mit der kalifornischen Sonne um die Wette, aber dann plötzlich verdüstert sich das glatt rasierte Gesicht. Es plage ihn aber doch, so beklagt er, dass er nach wie vor nicht in der Lage sei, seinen Erfolg präzise zu messen. Auch hier scheint sein Freund ganz einverstanden und setzt eine Miene tiefster Unzufriedenheit auf. In der Tat, dies sei ausgesprochen unbefriedigend und ein Problem, das auch ihn nächtens beschäftige. Kraft kann dem Fortgang des Gesprächs entnehmen, dass sich dieses schwerwiegende Problem dereinst ganz von selbst lösen werde, wenn man in die Phase des Geldverdienens eintrete, denn dann lägen die entscheidenden Parameter auf der Hand und ein direkter Vergleich werde ausgesprochen simpel. Aber in dieser Phase, in der sie sich gegenwärtig befänden, sei es quälend, dass einem kein Maßstab für den eigenen Erfolg zur Verfügung stände. Es würde sich, so sinniert der Lockenkopf und klappt dabei ein Stück Pizza zusammen, vielleicht lohnen, dafür eine App zu entwickeln; darüber müsse man mal nachdenken. Für einen Moment hat Kraft Mühe, dem Gespräch zu folgen. Es geht um einen Algorithmus, der zu entwickeln wäre, um Implementierung, Resilienzen und Parameter, um Input und Output, um Skalen und die Reduktion von Komplexität, aber Kraft glaubt verstehen zu können, dass sich das Gespräch immer noch um die präzise Messung ihres Erfolges dreht. Irgendwie verblüfft ihn das; selbstverständlich hat er sich, als er im Alter dieser beiden jungen Männer war, auch viele Gedanken gemacht über seinen Erfolg, und wie er wohl im Vergleich zu diesem oder jenem einzuschätzen sei, aber es war ihm schnell klar geworden, dass dies eine niemals zu klärende Frage war, denn der Erfolg kam nie ohne sein Spiegelbild daher. Es gibt immer den Erfolg, den einem die anderen zumessen, und jenen, den man sich selber zurechnet, und je angestrengter man versucht, beide zur Deckung zu bringen, desto offensichtlicher wird es, dass man keine Ahnung hat, für wie erfolgreich einen die anderen halten; das kann man schlicht nie wissen, weil man immer mit Lüge, Niedertracht und Neid rechnen muss, und genau deswegen bleibt einem nichts anderes übrig, als sich auf sein eigenes Gefühl zu verlassen, und dieses pendelt, das hatte Kraft schon als Pubertierender begreifen müssen, stets zwischen Selbsthass und Größenwahn. Wie die beiden Schwachköpfe doch tatsächlich glauben können, dieser fundamentalen Aporie ließe sich mit einer App zu Leibe rücken. Verblendete, denkt Kraft, quantitativ Verblendete.

Beide seufzen sie nun ob der Größe der Aufgabe und schütteln die Köpfe auf ihren breiten Hälsen. Zumindest, so beeilt sich der mit den vielen Zähnen zu sagen, als ob er es nicht aushält, zu lange, auch nur gedanklich, im Misserfolg zu verharren, habe er in den letzten zwei Monaten seine Produktivität erhöht, und deutet dabei auf eine Art überdimensionale Schnabeltasse, in der eine unappetitliche, grau-beige, sämige Flüssigkeit schwappt. 9261 Minuten, sagt er nach einem prüfenden Blick auf sein Telefon, habe er dank Soylent bereits eingespart. Eine Mitteilung, die den Lockenkopf dazu veranlasst, sein Pizzastück, von dem er gerade abbeißen wollte, auf den Teller zurückzulegen und durch die Zähne zu pfeifen; 9261 Minuten, das seien 154,35 Stunden, beziehungsweise 6,43 Tage, *impressive* sei das, *very impressive*. Kraft findet vor allem beeindruckend, wie der junge Mann das so schnell ausgerechnet hat. Zahlentrottel, denkt er, Idiot, Autist. Der Vielzahnige setzt mit ernster Miene seine schnabeltassige Feldflasche an, nimmt einen tiefen Zug, lässt ihn einen Moment mit vollen Backen durch die Mundhöhle gluckern, bevor er geräuschvoll schluckt. Kraft starrt ihm auf den auffallend großen Adamsapfel, der einen Sprung tut, denkt dabei an Katzen und Mäuse, mit einem schwachen Gefühl der

Überlegenheit, weil er glaubt, dass die beiden Rechenknechte diese subtile literarische Anspielung sicher nicht verstehen würden.

6,43 Tage in einer Flasche, das weckt dann doch seine Neugierde. Wie hatten sie das Gebräu genannt: Soylent? Das Wort weckt eine schwache Erinnerung in ihm. Unauffällig googelt er danach, während er zuhört, wie sich der Lockenkopf für das Stück Pizza auf seinem Teller rechtfertigt. Es sei in erster Linie der Geschmack von geschmolzenem Käse, auf den er nicht verzichten könne, vielleicht liege es an seinen italienischen Wurzeln, Essen sei doch in seiner Familie immer sehr im Zentrum gestanden, und er könne sich durchaus vorstellen, dass es ihm, wäre er, so wie sein Gesprächspartner, irischer Abstammung, leichterfallen würde, auf Soylent umzusteigen. Das will der andere dann doch nicht auf sich sitzen lassen und bekräftigt, auch er verzichte nicht ganz auf *recreational food*, einmal die Woche gehe er essen, meistens in einem sozialen Zusammenhang. *Recreational food*? Kraft schlackern die Ohren.

Hier, jetzt hat er es gefunden. Soylent ist offenbar der Name für ein flüssiges Nahrungsmittelsubstitut, nicht einer dieser grauenhaften Diätdrinks, die Ruth für eine Weile trank, nachdem sie ihr zweites Kind abgestillt hatte und ihr Unglück irrtümlicherweise an ihrer Figur festzumachen versuchte, nein, Soylent ist als dauerhafter Ersatz für normales Essen gedacht, als die cleverere Alternative zu den normalen *rotting ingredients*, wie der Erfinder der grau-beigen Schlurze herkömmliches Essen bezeichnet. Essen, so liest Kraft auf dem Bildschirm seines Telefons, sei generell eine überschätzte und ungemein mühsame und unökonomische Tätigkeit, das Einkaufen im Supermarkt eine Plage und die Zubereitung herkömmlicher Mahlzeiten eine zeitraubende, ineffiziente Verschwendung von Ressourcen. Deswegen, so verkündet der Erfinder, habe er beschlossen, sein Leben der Aufgabe zu widmen, Essen empirisch nachzubilden. Kraft schaudert. Das also ist die Zukunft. Nein, viel schlimmer noch, die Gegenwart: Man nehme eine menschliche Tätigkeit – in diesem Fall das Essen –, befreie sie von allen kulturellen Bedeutungen, von allen historischen Bezügen, von allem emotionalen Ballast, bis man den nackten, vermessbaren Kern vor sich hat. Diese Brühe in der Schnabeltasse ist der quantifizierbare Überrest einer über Jahrtausende gewachsenen, reichhaltigen, prägenden kulturellen Tätigkeit, aufgelöst in eine Reihe von Messwerten: Soundso viel Gramm Proteine, soundso viel Gramm Fett, nullkommanulldrei Gramm von diesem Vitamin, eineinhalb Jota von jenem Spurenelement, etceteraetcetera ... Am meisten beunruhigt ihn aber die Einsicht, dass hinter diesem Prozess der Quantifizierung der Wunsch nach einer Ökonomisierung durch Rationalisierung steckt. Nichts anderes also als die Maximierung des Produkts durch die Minimierung der Kosten, in diesem Fall durch das Einsparen von Zeit. Und dies, das weiß Kraft genau, ist nichts anderes als die kapitalistische Grundoperation. Weshalb also geht für Kraft von dieser Flasche ein solcher Schrecken aus? Sollte sie ihm nicht vielmehr als Fanal für die Durchsetzungskraft seiner eigenen Glaubenssätze gelten?

Wieder einmal ertappt er sich dabei, wie er zurückschreckt, wenn er auf eine konkrete, lebensweltliche Praxis stößt, die unleugbar ein Resultat dessen ist, was er ein Leben lang theoretisch durchdacht und argumentativ verteidigt hat; das passiert ihm in letzter Zeit immer häufiger. Zu allem Überfluss muss er zugeben, dass der Kerl ihm gegenüber, obwohl er sich seit zwei Monaten von dieser Brühe ernährt, geradezu unverschämt gesund aussieht, wie er so breitbeinig dasitzt, mit seinem kräftigen Kiefer, und ganz ungezwungen, als sei es eine Selbstverständlichkeit, in die kalifornische Hitze furzt.

Plötzlich kann er sich wieder erinnern, wo er den Namen schon einmal gehört hat. *Soylent Green*, das war der Titel einer Science-Fiction-Dystopie aus den Siebzigern; eine übervölkerte Welt, Nahrungsmittelknappheit, die Bevölkerung wird von der Regierung mittels eines Proteinkekses mit dem Namen *Soylent Green* am Leben erhalten und mittendrin Charlton Heston, der einem düsteren Geheimnis auf der Spur ist. Kraft kann sich an die Schlussszene erinnern, wie der sterbende Heston auf einer Bahre abtransportiert wird und mit einem letzten Aufbäumen schreit: *Soylent Green is made out of people!* Ist diese Namensgebung nur Ausdruck eines etwas seltsamen Humors, oder, so mutmaßt Kraft, scheint dem Erfinder die Idee, Nahrungsmittel aus Verstorbenen herzustellen, vielleicht gar nicht so abwegig, sondern vielmehr ausgesprochen ökonomisch? Eine Möglichkeit, die man zumindest in Betracht ziehen muss, lässt sich doch auch der Tod dem Prozess der Quantifizierung unterziehen, indem man alles Kulturelle, Historische und Emotionale herunterschält und den messbaren, leiblichen Kern freilegt. Was bleibt, ist der Brennwert des menschlichen Körpers. Kraft erinnert sich an eine Studie mit dem wunderbaren Titel *The Limited Nutritional Value of Cannibalism*, die er mal in einer alten Ausgabe des *American Anthropologist* entdeckt hatte. Die Autoren kamen zu dem Schluss, ein kunstfertig geschlachteter Mensch von 60 Kilo liefere knapp die notwendige Tagesration Proteine für sechzig gleich schwere Männer. *One man, in other words, serves 60 skimpily.*

Excuse me, sagen die beiden jungen Männer im Chor und drehen sich ihm mit fragenden Gesichtern zu. Kraft muss einsehen, dass er den letzten Satz wohl laut ausgesprochen hat, und während ihm das Blut in den Kopf schießt, beginnt er, sich zu entschuldigen, er habe nur laut nachgedacht, ein Bankett, das Geburtstagsessen für einen Kollegen, welches er zu organisieren habe, und er habe sich gerade gefragt, wie viele Kellner er wohl anheuern müsse. Die beiden wenden sich ihm jetzt richtig zu, und Kraft entnimmt ihren Mienen und ihrer Haltung, dass sie sein Problem erstaunlicherweise tatsächlich interessiert und sie gerne bereit sind, es gemeinsam zu diskutieren. *Sit down dinner or flying buffet?*, will der Liebhaber von geschmolzenem Käse wissen. *Never mind*, sagt Kraft, da er fürchtet, der andere schlage ihm gleich vor, den Geburtstagsgästen kleine Schnabeltassen mit Soylent vorzusetzen, und er keine Lust hat, in eine kulturkritische Diskussion über ein Geburtstagsessen verwickelt zu werden, in der er vermutlich den Begriff *recreational food* würde verwenden müssen, von dem er fürchtet, er werde ihm wie Pilze im Munde vermodern und für Tage einen schalen Geschmack in seinem Rachen hinterlassen; ein Risiko, das sich keinesfalls einzugehen lohnt, zumal er sich den Gegenstand der Diskussion, aus der Not heraus, gerade eben erst ausgedacht hat.

Doch so leicht kommt er nicht davon, und deswegen stürzt er sich in die Offensive und will von den beiden wissen, ob sie Studenten der Stanford Business School seien. Bereitwillig geben sie zu Krafts Erleichterung Auskunft. Absolventen seien sie, mittlerweile aber mit ihren Start-ups in einem mit der Universität assoziierten Inkubator untergekommen, ein unglaublich inspirierender Ort, an dem Stanfords klügste Köpfe und waghalsigste Entrepreneurs zusammenfinden und mit den wichtigsten Investoren und den weltbesten Mentoren in Kontakt gebracht werden. *A lot of disruptive energy* sei dort zu finden; eine Aussage, die Kraft irritiert, und ebenso irritiert ihn seine eigene Irritation, denn er ist ja nicht von gestern und weiß natürlich um die hiesige Begeisterung für den Begriff der Disruption, hat von ihm sowohl in unzähligen Zeitungsartikeln und Fachbeiträgen gelesen, wie ihn auch in angeregten Seminarrunden theoretisch durchdrungen und ihm so, durch das nahtlose Einsetzen in sein Gedankengebäude, die scharfen Kanten gebrochen, aber jetzt, da er ihm so unverhohlen mit Begeisterung und offensichtlicher Zustimmung ausgesprochen begegnet, klingt er dann doch wie eine Drohung.

Leidenschaftlich beginnt der Lockenkopf, von seinem Start-up zu berichten, das gerade die erste Finanzierungsrunde erfolgreich hinter sich gebracht habe und dessen App mit dem Namen Famethrower sich bereits im fortgeschrittenen Beta-Stadium befinde. Es handle sich dabei, *basically*, um einen Reichweiten-Akzelerator für Live-Video-Stream-Dienste, wie Periscope, Meerkat oder Facebook-Live. Kraft muss leider gestehen, dass er diese Dienste nicht kennt und auch keine wirkliche Vorstellung von einem Live-Video-Stream hat. Nur zu gerne klären sie ihn auf, und der mit dem breiten Kiefer zeigt ihm zur Illustration eine App auf seinem iPhone mit der Darstellung einer Weltkarte, auf der rote und blaue Punkte auszumachen sind. Kraft soll nun Auskunft geben, woher er kommt, und der junge Mann zoomt zielsicher Süddeutschland an, findet auf Anhieb, ohne die Suchfunktion zu benutzen, Tübingen, das er zu Krafts Erstaunen als *the Town of Hölderlin* bezeichnet, und sein Kollege ergänzt, dass der Dichter ebendort mit Hegel und Schelling studiert und gelebt habe, und nicht zu vergessen, wirft der andere ein, habe Friedrich Miescher dort 1869 in Eiterzellen die Nukleinsäure entdeckt. Kraft ist nun etwas eingeschüchtert und gibt sich deswegen ausgesprochen interessiert. Gerade nicht so viel los in Tübingen, sagt der eine bedauernd und drückt auf einen von drei roten Punkten am Neckar. Nach ein paar Sekunden Ladezeit erscheint auf dem Bildschirm eine intime Szene. Zwei Mädchen, Kraft schätzt sie auf dreizehn oder vierzehn, sitzen auf einem Bett. Hingebungsvoll und zärtlich bürstet die eine die vollen dunklen Locken ihrer Freundin, die ihrerseits offensichtlich ihr Telefon vor sich hält und sich und ihre Freundin filmt. Die Mädchen sind ganz bei sich, plaudern ungezwungen im Slang junger, osteuropäischer Migrantinnen über eine Mitschülerin. Die Übertragungsqualität ist beeindruckend, Kraft fällt auf, wie abgeblättert der rote Nagellack an der Hand ist, die die Bürste immer und immer wieder durch das glänzende Haar führt. Hinter ihnen, an der Wand dieses Tübinger Mädchenzimmers, prangt der monumentale Hintern Nicki Minajs, ein Anblick, den Kraft nur zu gut kennt, muss er doch jedes Mal, wenn er das Zimmer der Zwillinge betritt, erleben, wie von den gigantischen Backen eine hypnotische Kraft ausgeht, die fast an den stechenden Blick Rumsfelds heranreicht. Selbst seinen Töchtern war es aufgefallen, dass er Mühe hatte, den Blick abzuwenden, und sie hatten die Gelegenheit ergriffen, ihn in Verlegenheit zu stürzen.

Birnenspalier, hatte er gemurmelt und war aus dem Zimmer geflohen. Birnenspalier, immerzu muss er beim Anblick des rosa Bändels, der knapp unterhalb des Steißes im wuchernden Fleisch verschwindet, an das Birnenspalier im Garten seines Großvaters denken, das sich an straff gespannten Drähten an der Hauswand emporrankte. Nur ein einziges Mal hatten sie seinen Großvater im Alten Land besucht, er und seine Mutter, und während sie sich mit ihrem Vater unterhielt, einem Mann, an dessen Gesicht sich Kraft nicht erinnern kann, wurde er nach draußen geschickt, in den schattigen Garten, wo er in seinem dünnen Anorak fror und sich in den einzigen Flecken Sonne stellte, mit dem Gesicht zur Wand, die Wärme auf seinem mageren Rücken genießend. Direkt vor seinem Gesicht hatte sich die Natur dem Zähmungsversuch durch den Stahldraht widersetzt; in einem dicken, zweigeteilten Knoten hatte sich das knorrige Birnen-holz den Draht einverleibt. Ein einzelner Tropfen Harz glänzte in dem fest verschlossenen Spalt. Straff gespannt verschwand der Draht in dieser Wucherung, ganz so wie der rosa String zwischen Nicki Minajs fleischigen Hinterbacken, in denen der dehnbare Kunstfaserbändel – Kraft war sich sicher, dass er dehnbar war, denn im Geiste hatte er prüfend daran gezupft – auf alle Zeiten eingewachsen schien. Auf der Heimfahrt war seine Mutter ungewohnt froh gewesen, fast mädchenhaft und zu Albernheiten aufgelegt. In Hamburg erstand sie ihm bei Kaufhof eine wärmere Jacke, und bei Nordsee aßen sie panier-ten Kabeljau mit Remoulade.

Birnenspalier. Birnenspalier. Kraft lässt den Begriff wie ein beruhigendes Mantra in seinem Geist zirkulieren, damit er den breiten Kiefer nicht mit seinen Fäusten traktiert, zur Strafe, dass er ihn so mir nichts, dir nichts mitten in diese intime Szene geschleppt hat, in dieses Kinderzimmer, zehn-tausend Kilometer entfernt, in dem weder er noch die beiden jungen Männer etwas verloren haben. Ist das live?, fragt er entgeistert. Ja, absolut, es geschehe jetzt, in diesem Augen-blick, am anderen Ende der Welt. Können sie uns sehen?, will Kraft wissen. Nein, das nicht, aber wir können ihnen schrei-ben, und mit affenartiger Geschwindigkeit tippt er *Hi Girrrls, what's up? Like your hiar! Hair!!!;)!!!* in sein Telefon. Kraft hört, wie es einen Sekundenbruchteil später im Mädchen-zimmer in Tübingen leise *pling* macht, und sieht, wie das eine Mädchen seinen Blick in die Kamera hebt und den eben in Kalifornien getippten Satz echot, die Lippen aufwirft und einen Kuss in seine Richtung sendet. Der Liebhaber von ge-schmolzenem Käse reagiert, indem er ein paarmal hektisch auf den Bildschirm tippt und damit einen Reigen bunter Herzchen erzeugt, die wie Seifenblasen über den Bildschirm tanzen.

Und das, so fragt Kraft fassungslos, ist also Ihre Erfindung? Nein, nein, leider nicht, bedauert der junge Mann, Periscope sei die Entwicklung zweier Kommilitonen, die die App für einige Dutzend Millionen an Twitter verkauft hätten. Es gäbe eine Handvoll ähnlicher Dienste, seine App aber, Famethrower, sei eher eine Plattform, die all diese Dienste zusammenführe und das eine große Problem löse, das allen gemein sei. Sehen Sie, sagt er, unsere beiden Tübinger Mädchen haben nur fünf Zuschauer, trotz der glänzenden Locken. *Isn't that unfair?* Dabei sei doch Reichweite alles, zumindest aus der Perspektive des Senders. Für die Zuschauer hingegen sei es essenziell, die relevanten Inhalte aus den Zehntausenden von Livestreams herauszufiltern, die in jedem Moment weltweit ins Netz geschickt würden. Und seine App befriedige beide Bedürfnisse. Ein komplexer Algorithmus, sozusagen das Herzstück seines Start-ups, generiere einen Relevanzwert, indem es eine Vielzahl an Parametern auswerte. Eine Gesichtserkennungssoftware, mit Zugriff auf alle großen Bilddatenbanken, sozialen Netzwerke und Kurznachrichtendienste, erkenne im Bruchteil einer Sekunde, wer im Livestream zu sehen sei. Stünde man also zufälligerweise vor Justin Bieber bei Starbucks in der Schlange und streame sich dabei, mit Bieber im Hintergrund, so stiege der Relevanzwert sprunghaft an, da Bieber einer der prominentesten und aktivsten Nutzer sozialer Netzwerke und Kurznachrichtendienste sei, und die Nutzer von Famethrower bekämen diesen Stream als besonders sehenswert empfohlen. Allerdings sei die Software auch in der Lage, 2127 unterschiedliche menschliche und tierische Tätigkeiten zu unterscheiden und mehrere Millionen Landmarks zu erkennen. Es spiele also nicht nur eine Rolle, wer etwas tue, sondern auch wo und was. Würde Justin Bieber in der Schlange zum Beispiel Anzeichen von Trunkenheit zu erkennen geben, würde dies die

Software als relevanter einstufen als ein simples Anstehen für Kaffee. *Bieber throwing up*, ergänzt sein Freund, *would be a real boost in terms of relevance*. Kraft hat gute Lust, mit den beiden über den Begriff der Relevanz zu streiten, aber er hält sich zurück und lauscht weiter den begeisterten Ausführungen.

Haarebürsten finde sich ungefähr in der Mitte der Relevanzskala, gegenseitiges Haarebürsten sogar etwas darüber, das läge daran, dass Studien gezeigt hätten, dass es sich beim Haarebürsten für eine erstaunliche Anzahl Männer um einen Fetisch handle. Die Software, so wird ihm in raunendem Ton verkündet, sei lernfähig. KI, wirft der andere ein, als verleihe dieses Kürzel allem, auf das es angewendet wird, den Nimbus einer strahlenden Zukunft. Selbständig durchforsche die Software das Netz nach den neuesten Nachrichten, den wichtigsten Hashtags und den zumeist verwendeten Suchbegriffen, so sei sie in der Lage, die Relevanz von Personen, Tätigkeiten und Orten immer wieder neu zu bewerten. Zudem lerne sie auch aus dem Nutzerverhalten, denn der Zuschauer könne mit einem schnellen Doppeltippen auf den Bildschirm Fame Stars verleihen, die den Broadcast im Ranking noch höher beförderten, oder aber, bei Nichtgefallen, sogenannte Wrinkles, die, wenn genügend Zuschauer solche abfeuern, das Bild des Livestreams alt und knittrig aussehen und in der Wertung fallen ließen. Noch sei die App im Entwicklungsstadium, aber eine Beta-Version funktioniere bereits recht zufriedenstellend. Leider sei sie noch nicht in der Lage, echte Menschen von zweidimensionalen Abbildungen zu unterscheiden, sodass der Stream der beiden Tübinger Mädchen ganz an die Spitze der Charts gelänge, da die Software das Geschehen als gegenseitiges Haarebürsten minderjähriger Mädchen, kombiniert mit einem Facesitting durch Nicki Minaj, interpretieren würde. Dies seien aber die üblichen Kinderkrankheiten, die man in den nächsten Wochen noch ausmerzen werde. Ob er nicht vielleicht Interesse habe, als Beta-Tester zu wirken? Und noch bevor Kraft abwehren kann, wird er aufgefordert, mit seinem eigenen Telefon einen QR-Code auf dem Bildschirm des Jünglings zu fotografieren. Kraft, dem plötzlich der Schädel schmerzt, tut, wie ihm geheißen, drückt auch brav auf *accept* und sieht dabei zu, wie sich die Beta-Version von Famethrower zusammen mit einem halben Dutzend Live-Stream-Apps auf seinem neuen iPhone installiert.

Auf dem Heimweg, inmitten dieser jungen Menschen, schämt er sich für das Blutbad, das er zuvor imaginiert hat, so zart, so verletzlich erscheinen ihm plötzlich diese makellosen Körper; und so unendlich behütenswert. Er will sie alle vor allem bewahren. Mit den Händen eine schützende Schale bilden, in der er sie, wie aus dem Nest gefallene Rotkehlchen oder seinetwegen auch Purpurgimpel, in Sicherheit trägt. Woher dieser plötzliche Anfall von Zärtlichkeit? Wir tun ihm sicherlich nicht unrecht, wenn wir annehmen, dass seine Sorge eigentlich nicht den radelnden Stanford-Studentinnen und Studenten gilt, sondern vielmehr seinen Töchtern in Tübingen, deren Verletzlichkeit ihm soeben auf eine ebenso konkrete wie auch diffuse Weise demonstriert worden ist, aber weil er weiß, oder besser, sich zu wissen weigert, dass die Sorge um seine Töchter nur eine billige Regung seines Gemüts ist, solange er hier um diesen Preis kämpft, der ihn seiner väterlichen Pflichten entledigen soll – und dies auch noch durch die vulgäre Kraft des Monetären –, widmet er seine Sorge lieber diesen ihm völlig fremden Teenagern.

Denken Sie jetzt nicht an Mädchenfüße!

Aber lieber Kraft, möchte man ihm zurufen, siehst du denn nicht, dass genau hier sich ein Zipfel des rettenden Gedankens zeigt, an dem du nur zu ziehen brauchst? Wer soll es dir denn übel nehmen, wenn du in der Sorge um deine Töchter den Grund erkennst, weshalb es dir nicht gelingen will, die Frage nach dem Übel in gewohnt brillanter Manier zu beantworten. Du willst im Grunde genommen diesen Preis gar nicht gewinnen, weil es falsch wäre. So ist es doch, nicht wahr? Komm, Kraft, dies ist dein Strohhalm; greife danach!

Nein, so leicht zieht sich Kraft nicht selbst über den Tisch. Weil er weiß, dass es so einfach nicht ist. Nie ist es einfach, nie, und nichts!, dringt es wie ein ferner Ruf zu ihm. Das hatte er früh erfahren müssen. Zum Beispiel, als von der heiteren Unbeschwertheit seiner Mutter am Tag nach dem Besuch beim Großvater nichts mehr übrig war und sie mit ihm einen Streit vom Zaun brach, über eine Nichtigkeit, vielleicht seine Schuhe, die er in der schmalen Diele hatte liegen lassen. So lange drangsalierte sie den kleinen Richard, bis er zu weinen begann, und noch länger, bis er tobte ob der Ungerechtigkeit, die ihm widerfuhr, und als er zu toben begann, nahm sie die neue Jacke und brachte sie zur Strafe zurück in den Kaufhof. Ja, da schwante ihm ein erstes Mal, dass die Dinge nie einfach waren. Nichts und nie! Und dass er mit dieser Einschätzung richtig zu liegen schien, bestätigte sich mit jeder gelesenen Zeile, als er in der Stadtbibliothek zu ergründen versuchte, weshalb da einer für seinen Vater kniete, der eigentlich gar nicht zu knien brauchte.

Deswegen erstaunte es ihn nicht, dass sich auch die Sache mit der Freiheit als schwierig herausstellte. Kraft und Pánczél argumentierten unter Aufbietung ihrer vereinten intellektuellen Kräfte für die Freiheit und stießen bei ihren Kommilitonen doch nur auf Unverständnis, was ganz einfach daran lag, dass sich alle schon sehr frei fühlten; außer Kraft und István, die in ihrem Furor recht unfrei wirkten. Allerdings, das war recht offensichtlich, befanden sie sich mit ihrem Kampf in einer schwierigen Lage – in West-Berlin ... an der

Freien Universität ... zu Beginn der Achtziger. Sie waren wie die Eisschrankverkäufer in Grönland.

Weshalb also, da er doch, anders als István, der diese Zusammenhänge nicht zu sehen schien, verstanden hatte, entspannte er sich nicht einfach und genoss die Freiheit? Weil das nicht mehr ging. Er war ein Sehender, er hatte die Natur der Dinge in ihrer unauflöslichen Komplexität geschaut, aber sein Schauen war nicht von jener Art, welches ihm erlaubt hätte, sich in das priesterliche Gewand der Seelenfrieden versprechenden Reinheit und Eindeutigkeit zu kleiden, ganz im Gegenteil, er hatte begriffen, dass es außerhalb der Geschichte nichts gab, dass nichts und vor allem niemand eine unveränderliche Natur besaß. Er wusste, dass nichts einfach war, nie. Er war für alle Zeiten verloren.

Das konnte er doch nicht einfach negieren. Das würde bedeuten, sein Wissen vorsätzlich aufzugeben, und dies war ihm ein so ganz und gar unmöglicher Akt, dass er nur von Neuem ins Elend führen musste, denn das Wissen war unter diesen Umständen das Einzige, was ihm geblieben war. Er wusste längst, dass es für ihn kein Entrinnen gab, aber er hatte früh eine Taktik entwickelt – solange man über die Dinge sprach, hatte man noch eine Chance. Solange man mit dem Beschreiben zu Gange war, solange man seine Gedanken noch entwickelte, solange man noch Argumente dafür und dawider ins Feld führte, solange man am Deduzieren blieb und sich nicht darum kümmern musste, dass die Prämissen bei näherer Betrachtung doch nicht so klar waren, so lange waren die Dinge noch nicht fertig, noch nicht zu ihrem unvermeidlichen, letztlich immer unerklärlichen und unerträglich widersprüchlichen und vagen Ende gekommen. Deswegen redete Kraft, deswegen argumentierte er unablässig, widersprach immer und suchte nach einer noch präziseren Beschreibung; deswegen war der junge Kraft – und, wir müssen es eingestehen, manchmal auch der alte – ein Schwafler. Solange man redete, blieben die Dinge einfach – weshalb nur schien das keiner zu begreifen, außer ihm selbst?

Es war jener Exzeptionalismus, der dazu beitrug, dass sich zwischen Kraft und Pánczél in den Monaten nach dem Bonner Kanzlersturz, als sich auch noch die Enttäuschung über die verpuffte Wende einzustellen begann, eine gewisse Entfremdung bemerkbar machte. Es war einfach nicht mehr die ganz große, bedingungslose Liebe, die damals Schlüti, als fünftes Rad am Wagen, schier in den Wahnsinn und zu guter Letzt aus der Grunewaldstraße getrieben hatte. Nach wie vor standen sie Seite an Seite in ihrem gemeinsamen Kampf für Freiheit und gegen den starken Staat, für atomare Abschreckung, niedrige Steuern, Eigenverantwortung, Investitionsanreize und Privatisierungen, aber sie erlegten sich eine Arbeitsteilung auf.

István spezialisierte sich auf sicherheitspolitische Fragen und strategische Studien, insbesondere nuklearer Art, also auf jenen Wissenschaftszweig, den er selbst, dramatisch mit dem gesunden Auge rollend, als *Strangelovian Sciences* bezeichnete, ein kleiner ironischer Scherz, wie er fand, ohne zu bemerken, dass er damit seine Kommilitonen, für die er ja kein Unbekannter war, schier aus dem Gleichgewicht ihres Schreckens brachte.

István wurde also zu einem Vertreter jener seltsamen Spezies, die sich selbst, zur Abgrenzung gegenüber den tumben Generälen, denen spasmisch der Zeigefinger über dem Roten Knopf zuckte, als Verteidigungsintellektuelle bezeichneten, und unterstellte damit sein Denken ganz der Rationalität des Kalten Krieges, die sich in einigen wesentlichen Merkmalen von allen Rationalitäten unterschied, denen sich die Menschheit bis dato verpflichtet hatte, nämlich in erster Linie darin, dass es nun ausgesprochen vernünftig war, jederzeit mit der vollständigen und endgültigen Vernichtung der Menschheit zu rechnen, sozusagen mit dem ultimum malum, und deswegen auch die Rede von der ultima ratio auf eine erschreckende Art und Weise alltäglich wurde, sodass sich die Experten auf diesem Gebiet, zu denen István nun gehörte, immer wieder ins Bewusstsein rufen mussten, dass es einen fundamentalen, ja nachgerade transzendenten Unterschied gab zwischen jener ultima ratio der Könige, die Kardinal Richelieu im Dreißigjährigen Krieg als Inschrift auf die Kanonenrohre hatte gießen lassen, und der Verfügungsgewalt einer Handvoll Staats- und Parteichefs über ihre atomaren Arsenale. Aber da dieses ultimative Übel, das durch die Entscheidung eines einzelnen Menschen über die gesamte Spezies gebracht werden konnte, nun einmal da war und ausgerechnet mit Hilfe der Naturwissenschaften das Licht der Welt erblickt hatte, gab man sich überzeugt, es lasse sich mit den Erkenntnismethoden ebenjener Naturwissenschaften auch unter Kontrolle halten, weshalb man sich bemühte, das strategische Denken formal und unabhängig von Person und Kontext zu halten, sich also auf Algorithmen zu verlassen, die wie ein Set von strengen Regeln wirkten und auf eine notwendige Lösung hinausliefen; kulturelle und historische Bezüge mit all ihren Absonderlichkeiten wurden dabei möglichst außen vor gelassen, und die größten Optimisten unter den Verteidigungsintellektuellen hofften, die Regeln ließen sich mechanisch anwenden und damit die Entscheidungen den Computern überlassen.

So also war István überzeugt, dass es diese Rationalität war, die den Sieg über die Vernunft davontragen und damit den Frieden garantieren würde, und er traktierte seine Mitstudenten und vorzugsweise Mitstudentinnen mit der Penetranz eines Propheten mit seinem ihm reichlich und ausgesprochen detailliert zur Verfügung stehenden Wissen, stellte spieltheoretische Überlegungen an, schwadronierte von Erst- und Zweitschlagskapazitäten, von Nash-Gleichgewicht und nuklearer Triade, wog dabei Megatonnen gegen Megatote auf und sprach leichterhand Unsagbares aus, bis der Gegenseite als letztes rettendes Argument nur noch ein gebrülltes *Petting statt Pershing* übrig blieb, ein Argument, das István in der Regel damit konterte, dass er nicht ganz verstehe, was denn eigentlich gegen *Petting UND Pershing* spreche, und abgesehen davon sei er im Bett eine wahre Langstreckenrakete und bei Bedarf gerne bereit, dies unter Beweis zu stellen. Kraft, der mehrmals Zeuge solcher Szenen wurde, fürchtete jedes Mal um Istváns zweites Auge.

Er selbst widmete sich ganz der Rede über die angebotsorientierte Wirtschaftspolitik und erklärte jedem, der es hören wollte – oder auch nicht –, wie das scharfe Besteck der Investitionsanreize – Deregulierungen, Privatisierungen und Steuersenkungen – am besten zu handhaben sei. Eine angelsächsische Rosskur, direkt aus Margaret Thatchers Handtasche, die sich eine Nation selbstredend nur leisten konnte, wenn man die Staatsquote tief hielt und also den Sozialstaat mit der großen Sense beschnitt. Laissez-faire, Laissez-faire ... beliebte Kraft weltmännisch zu sagen und kam sich dabei recht rebellisch vor. Im Grunde seines Herzens, so sagte er sich, war er ja ein Anarchist, ein Punk, aber hygienischer und mit besserem Geschmack und guten Manieren ... Blödsinn, das wusste er selbst; so einfach war es nicht, nichts, und zudem machte ihm die Reputation, ein kaltes Herz unter seiner makellos gebügelten Hemdbrust zu tragen, die er sich seiner Ansichten wegen eingehandelt hatte, zu schaffen, fand er es nun doch mittlerweile nicht mehr so attraktiv, unter den vielversprechenden Studenten aufgrund seiner Verschrobenheit als der Vielversprechendste zu gelten, weil er inzwischen begriffen hatte, dass ihn das nur für eine ganz kleine Gruppe von Frauen, die ihm dann aber selbst zu verschroben waren, attraktiv erscheinen ließ, und dahingehend hatte er seit der Zurückweisung durch Ruth Lambsdorff eine eitle Gefallsucht entwickelt, die ihn nun dazu veranlasste, ohne Unterlass, Reagans blutjungen Budgetdirektor als Gewährsmann nennend, von der Trickle-Down-Theorie zu schwärmen, die ja im Grunde genommen synonym zur angebotsorientierten Wirtschaftspolitik zu verstehen sei und doch beweise, dass der Wohlstand, wenn er denn mit der Gießkanne reichlich über den Leistungsträgern ausgeschüttet werde, eben auch zu den weniger Begüterten durchsickere und so im Endeffekt dafür sorge, dass es allen besser gehe, womit zugleich auch bewiesen sei, dass der Vorwurf der Kaltherzigkeit den Marktliberalismus ganz zu Unrecht treffe, zeige dies doch, dass es sich dabei im Kern eigentlich um ein zutiefst soziales Projekt handle. Seit den Tagen Adam Smiths sei dieser famose Mechanismus bekannt, und es falle ihm schwer zu begreifen, warum so viele nicht verstehen wollten, trotz der physikalisch-schlichten Schönheit der Metapher und ihrer alltäglichen Anschaulichkeit, die sich doch jeden Morgen von Neuem unter Beweis stelle, wenn sich das Wasser aus der Brause, vom Haupthaar hinunter, dem Körper entlang seinen Weg suche und sich reichlich um die Zehen sammle. Vielleicht hätte Kraft die scheinbare Begriffsstutzigkeit seiner Gesprächspartner besser verstanden, hätte er sich dazu herabgelassen, das Werk des linksliberalen, nachfrageorientierten Ökonomen J. K. Galbraith zu lesen, der zu erzählen wusste, dass zu seiner Jugendzeit die Theorie des Trickle Down als Pferdescheiße-Theorie bekannt war: Stopfe man genug Hafer in ein Pferd, so falle hinten irgendwann auch etwas aufs Pflaster, an dem sich die Spatzen gütlich tun könnten. Aber so etwas las Kraft nicht, und deswegen sang er in den höchsten Tönen sein Lied vom Wohlstand, der aus dem siebten Himmel der freien Märkte wie ein warmer tropischer Regen auf alle niedergehen werde, dass er alsbald an der Freien Universität unter dem Spottnamen *der Regenmacher* bekannt war, was wiederum, wir werden es verstehen, seiner Gefallsucht zuwiderlief; es war nicht einfach ... nichts ... nein, das war es nicht.

VIII.

Eine Aufarbeitung von weiteren Ergosterinmutter-
laugen zur Darstellung neuen Ausgangsmaterials war
im Gange, als die Arbeit in dem zuletzt geschilderten
Stande – infolge Materialverlusts durch totalen Flie-
gerschaden – unterbrochen werden musste.

Hildegard Hamm-Brücher

Auch mit Johanna nicht, jener Biologie-Doktorandin, die er
in der Kantine des Basler Pharmaunternehmens ansprach,
mit den Worten »Und die Liebe höret nimmer auf«, ihr
dabei verschwörerisch wissend auf den Teller grinste, auf
dem inmitten eines Reisringes gebratene Bananenscheiben,
Stücke von der Dosenananas und geschnetzelte Putenbrust
in einer leuchtend gelben Tunke schwammen, und damit in
der jungen Frau, wenig erstaunlich, eine größere Irritation
auslöste, die Kraft aus dem Weg zu räumen beträchtliche
Energie und einen schier endlosen Wortschwall abnötigte,
denn sie wusste jenen romantischen Schwur nicht als Motto
von Horváths Oktoberfeststück *Kasimir und Karoline* einzuordnen, genauso wenig wie er, Kraft, wusste, dass jenes
Gericht, das ihm von der Kantinenköchin, mit einem
landestypisch kratzenden K, als Riz Kasimir angepriesen
wurde, eigentlich Riz Casimir hieß, und deswegen – aber
vermutlich nicht nur deswegen – gab es für ihn furchtbar

viel zu erklären, und ihr erstes Gespräch gestaltete sich entsprechend konfus.

Auch mit ihr war es also nicht einfach. Nicht, weil ihr erster Wortwechsel schwierig war. Kraft hatte Glück, Johannas Irritationen waren nie von langer Dauer, dafür hatte sie keine Zeit, und wir können davon ausgehen, dass sie am Ende ihrer Begegnung den seltsamen Beginn ihres Gespräches bereits wieder vergessen hatte, obwohl sich dieses erste Rencontre nur so lange hinzog, wie sie, unter Zuhilfenahme eines Löffels, den sie in der Faust hielt, als habe sie eben erst gestern das Essen mit den Händen aufgegeben, dazu brauchte, um das Reisgericht in ihren mageren Leib zu schaufeln. Es tue ihr leid, sagte sie, den Mund mit dem Handrücken abwischend, sie müsse zurück zu ihren Hefen, aber er dürfe um viertel nach neun vor dem Laborgebäude B auf sie warten.

Kraft, der keine Vorstellung davon hatte, was passieren sollte, nachdem sie sich zur vereinbarten Zeit am vereinbarten Orte treffen würden, und sich gerade mangels einer klaren Vorstellung so allerlei Möglichkeiten ausmalte, stand eine Viertelstunde zu früh in der Abenddämmerung vor dem Laborgebäude B und hatte also reichlich Zeit, darüber zu sinnieren, welcher Teil ihrer kurzen mittäglichen Unterhaltung Johanna dazu bewogen haben mochte, ihn wiedersehen zu wollen; ein Rätsel, dessen Lösung er nie auch nur annähernd nahekommen sollte.

Pünktlich um viertel nach neun tauchte Johanna auf der Treppe auf, in einem weißen Laborkittel, der ihr um die schmalen Schultern schlotterte. Ein Aufzug, der Kraft ratlos ließ, passte er doch zu keinem der Szenarien, die er sich vorgestellt hatte, aber Johanna dachte auch nicht daran, mit ihm irgendwohin zu gehen; sie wollte bloß mit Kraft genau hier vor der Tür einige Zigaretten rauchen, um sich dann wieder ihren Hefestämmen zu widmen. Und genauso wurde es auch gemacht. Kraft versuchte nicht einmal, sie zu überreden, den Kittel an den Nagel zu hängen und die Schlauchpilze in ihren Petrischalen für ein paar Stunden sich selbst, das hieße: ihrer unermüdlichen asexuellen Fortpflanzung und der Umwandlung von Zucker in Alkohol, zu überlassen, um selbst ganz Ähnliches zu unternehmen, was bedeuten würde, gemeinsam Alkohol in Zucker und Leichtsinn umzuwandeln, um sich hernach der sexuellen Fortpflanzung zu widmen. Nein, es wurde getan, was sich Johanna vorgenommen hatte, und damit zeigte sich ein erstes Mal ein Verhalten, das sich bald zum prägenden Muster ihrer Beziehung ausformen sollte.

Kraft rauchte zwei Zigaretten, während Johanna drei rauchte, dabei standen sie sich mehr oder weniger schweigend gegenüber, denn sie hatte die Angewohnheit, wie ein kalabrischer Pflastersteinleger zu rauchen, die Zigarette in den linken Mundwinkel geklemmt, was ihr erlaubte, ihre immerzu kalten Hände aneinander zu reiben, aber auch die Konversation erheblich erschwerte. Kraft war kurz versucht, eine Bemerkung über jene meteorologische Singularität zu machen, die für das ungewöhnlich frostige Wetter verantwortlich war und über deren Bezeichnung als Schafskälte er vor Kurzem eine ausgesprochen geistreiche Glosse in der *Zeit* gelesen hatte, aber er hatte das Gefühl, Johanna interessiere sich nicht für Glossen, also blickte er stattdessen schweigend auf den immer länger werdenden Aschewurm an der Spitze ihrer Kippe, der sich allmählich nach unten krümmte und irgendwann, von Johanna ganz unbemerkt, abknickte, ohne den Labormantel zu beschmutzen, direkt auf ihre Segeltuchschuhe fiel und ihm dabei erneut den offensichtlichen Mangel ihres Körpers an Mütterlichkeit ins Bewusstsein rief. Einen schmerzhaften Moment stellte er sich Ruth vor, wie sie sich, obwohl er sie nie hatte rauchen sehen, mit energischer

Bewegung Zigarettenasche vom üppigen Busen wischen würde. Johanna trat ihre letzte Zigarette aus, ging drei Schritte auf Kraft zu und, während er den leisen Geruch nach einer frisch geöffneten Flasche Sekt, der von ihrem kurz geschnittenen Haar ausging, wahrnahm, spürte er bereits ihre kalten Hände im Nacken, die ihn hinunterzogen, während sie sich auf die Zehenspitzen stellte.

Es war aber nicht die Erinnerung an jenen Kuss, der ihn einigermaßen verwirrt und mit einer lang anhaltenden Erektion zurückgelassen hatte, die ihn letzten Endes dazu bewog, zwei Wochen später die lange Zugfahrt von Berlin nach Basel auf sich zu nehmen und damit der Einladung zu folgen, die Johanna, nachdem sie sich die Lippen abgeleckt hatte, aussprach, bevor sie wieder im Laborgebäude B verschwand. Er möge doch am übernächsten Wochenende wieder kommen, hatte sie, über ihre Schulter hinweg, gesagt, da werde sie eine Versuchsreihe abgeschlossen und mehr Zeit haben.

Kraft verbrachte in den folgenden Tagen viele Stunden auf dem Sofa in der Grunewaldstraße, um sich ihr Angebot durch den Kopf gehen zu lassen. Was ihn so lange darüber nachdenken ließ, war nicht etwa der Umstand, dass sie ganz und gar nichts Mütterliches ausstrahlte; sicher, sie war keine Ruth Lambsdorff, aber ihr entschiedenes Auftreten, das in einem reizvollen Kontrast zu ihrem fragilen Körper, den wie mit der Küchenschere geschnittenen Haaren und ihren zarten, bubenhaften Gesichtszügen stand, weckte zumindest sein Interesse, und István, den er zurate zog, war, nachdem er sich von Kraft hatte versichern lassen, dass sie keinesfalls Kommunistin war und politisch eher uninteressiert schien, sowieso der Meinung, es gebe da gar nichts zu überlegen, lasse der Kuss doch nur einen Schluss zu, dass nämlich ein Wochenende mit ihr ein befriedigendes Erlebnis verspreche, für das sich der Preis für die Fahrkarte allemal lohne. Aber

Kraft war sich dennoch lange nicht sicher, ob er fahren sollte, weil er sich überhaupt nicht vorstellen konnte, was sie von ihm wollte, was sie in ihm sah. Und das, das war doch für Kraft eine bemerkenswerte Frage, die er sich da stellte. Eine ganz neue Frage, eine Frage neuer Art. Nie hatte er sich – im Gegensatz zu uns – gefragt, was denn eine Ruth von ihm wollte oder was sie in ihm sah, zu sehr war er mit dem beschäftigt, was er wollte.

Es wäre uns nun ein Leichtes, anzunehmen, Kraft habe also aus dem Debakel mit Ruth etwas gelernt und sei ganz offensichtlich ein besserer Mensch oder zumindest ein besserer Mann geworden, aber so einfach ist es eben nicht, und Kraft – oder wenigstens dem Kraft jener Tage – gerecht zu werden, heißt eben einzugestehen, dass es so einfach nicht ist – nichts und nie –, auch wenn man damit ein Narrativ – hier jenes vom jungen Mann, der seine Lektion in Bescheidenheit gelernt hat und in Zukunft achtsamer über den Tellerrand seiner eigenen Befindlichkeit hinausblicken will – verwirft und ihn damit keineswegs ins schmeichelhafteste Licht rückt. Wir müssen deswegen also auch die Möglichkeit in Betracht ziehen, dass es ihm bei seinen Bemühungen, herauszufinden, was es war, das Johanna von ihm wollte, nicht etwa darum ging, etwas über Johanna herauszufinden, sondern vielmehr etwas über sich selbst; eine sehr naheliegende Alternative, wenn wir in Betracht ziehen, dass Kraft zu jener Zeit bereit war, die Kontingenz mit einer für ihn bislang nie da gewesenen Inbrunst zu umarmen und sein Bedürfnis nach Sicherheit und Klarheit in die tiefsten Tiefen des Unbewussten zu verbannen, weswegen es selbstverständlich umso ungestümer und offensichtlicher ins Bewusstsein trat, nur, um von ihm, Kraft, neuerlich verleugnet und verdrängt und in eine sich selbst verstärkende Rückkopplungsschleife geschickt zu werden. Es war also ein zutiefst verunsicherter, ja geradezu verwirrter, ein suchender Kraft, der am übernächsten Samstag Morgen, in aller Früh die lange Reise nach Basel auf sich nahm, um am Sonntag Mittag, noch verunsicherter und verwirrter, die Reise wieder in die andere Richtung anzutreten.

Eine Antwort hatte er nicht gefunden, dafür hatte sich zumindest Istváns Prognose als richtig erwiesen; der Kuss war ein Versprechen, welches Johanna ohne zu zögern einlöste, und zwar ungefähr so, wie sie aß; gierig, schlingend, unersättlich, den Löffel griff sie sozusagen mit der ganzen Faust, Flecken auf Textilien nahm sie in Kauf, und sie pfiff an Tisch und Bett aufs Erfreulichste auf gute Manieren. Trotzdem war Kraft, und dies ist doch ein deutliches Zeichen für eine fundamentale Verwirrung, als er Sonntag nachts am Bahnhof Zoo ankam, nicht sicher, ob sich der Fahrpreis wirklich gelohnt hatte, war er doch der Antwort, nach der er so dringend suchte, kein bisschen näher gekommen.

Fürs Erste erlösten ihn herannahende Prüfungen vom Grübeln. Montag Morgen setzte er sich in den Lesesaal der Universitätsbibliothek und begann zu lernen. Nachmittags gegen fünfzehn Uhr überkam ihn der Hunger, und er biss verbotenerweise und heimlich von einer Hefeteigschnecke ab, die er in den Lesesaal geschmuggelt hatte, tat dabei, als suche er etwas unter dem Tisch, und steckte dort seine Nase tief in die Tüte mit der Backware, deren Geruch einen Nachhall an die Nacht mit Johanna zum Klingen brachte, der wiederum eine plötzliche Sehnsucht nach Mütterlichkeit und ein ebenso plötzlich sich meldendes triebhaftes Verlangen in ihm erweckte, weswegen er im Handapparat des Lesesaales, mit schweißnassen Fingern, in der Loseblattsammlung der Munzinger Archive nach der Biographie Hildegard Hamm-Brüchers suchte und, in einem Akt der Verzweiflung und der Verdrängung seiner Prinzipien, sofort bereit war, es als Zeichen zu sehen, als er ebendort zu lesen bekam, dass jene elegante Erscheinung, die ihn im letzten Herbst mit ihrer Verwendung des Wortes «Odium» so beeindruckt hatte, mit einer Untersuchung an den Hefemutterlaugen der technischen Ergosterin-Gewinnung promoviert worden war. Johanna, die Hefeforscherin, sollte es sein, beschloss er, und es gelang ihm, sich mit einer Ernsthaftigkeit in diese Liebe hineinzudenken, dass er von ihr ganz erfüllt war, als er, zwei Wochen darauf, erneut vor dem Laborgebäude B auf Johanna wartete und sie ihr mit rasendem Herzen gestehen konnte, diese Liebe. Johanna fasste ihn mit ihren kalten Händen beruhigend bei den heißen Ohren und sagte, aber sicher, Richard, wir lieben uns, und hielt damit das Thema für die nächsten Jahre ihrerseits für erledigt.

Obwohl sich die Hefen auf diesem Umweg als Liebesstifter erwiesen, so stellten sie doch im Großen und Ganzen ein nicht unbeträchtliches Problem dar. Zum einen ließen sie Johanna wenig Zeit für ein Privatleben, und Kraft konkurrierte immer mit ihnen um Johannas knappe Zeit, die sie aber, da konnte er sich gar nicht beklagen, zuverlässig ihm und eigentlich nur ihm widmete, und wenn sie beisammen waren, so war sie ganz und gar bei der Sache. Kraft hatte allerdings gelegentlich den Verdacht, sie schiebe den Pflegeaufwand und die Bedürftigkeit ihrer Hefestämme vor, und es wäre eigentlich ehrlicher, wenn sie einfach zugeben würde, dass sie für ihre Arbeit ein Interesse aufbrachte, welches sie für ihn aufzubringen nicht in der Lage schien. Eine Reise nach Berlin lag jedenfalls selten drin, und so war es in der Regel Kraft, der so oft wie nur irgendwie möglich die lange Reise auf sich nahm, was sowohl sein knappes Budget, das nur aus dem Stipendium der Friedrich-Naumann-Stiftung bestand, stark belastete als auch zu einer weiteren Entfremdung von István führte.

Zum anderen pflegte Johanna zu ihren Hefen eine ganz und gar unkomplizierte Beziehung, die geprägt war von einem unbeirrten, naturwissenschaftlichen Pragmatismus und getragen wurde von klaren Fragen, die sie an ihre Einzeller richtete, und ebenso klaren Antworten, die sie von ihnen erhielt. Sie bewege sich, beschied ihr ein wissenschaftstheoretisch mit allen Wassern gewaschener Kraft, innerhalb der engen Grenzen eines Paradigmas und sei also in dieser normalwissenschaftlichen Phase, in die auch die Genetik mittlerweile eingetreten sei, mit dem Lösen von Rätseln beschäftigt; eine Beschreibung ihrer Tätigkeit, die Johanna, zu seiner Enttäuschung, denn sie war als Provokation gedacht, ungerührt zur Kenntnis nahm. Kraft neidete ihr, dass sie sich in ihrem Denkkollektiv und dessen Denkstil so behaglich und widerspruchslos eingerichtet hatte und einfach ihre Arbeit tat, methodisch und theoretisch einwandfrei, mit Leidenschaft, aber dabei von erkenntnistheoretischen Zweifeln völlig unberührt. Ihre Sicherheit, im Kontrast zu seiner gegenwärtigen Unsicherheit, verunsicherte ihn noch mehr, und so war es eine Art Trotzreaktion, dass er sich nach seinem Magister in Volkswirtschaft, den er erwartungsgemäß mit Auszeichnung abschloss, und trotz eines attraktiven Promotionsangebots eines seiner Professoren ganz seinen Nebenfächern zuwandte, von denen es mit Germanistik, Philosophie, Politologie, Soziologie und Geschichte genug gab, und damit die Chance ausschlug, sich in den Schoß einer Disziplin zu begeben, die zumindest von sich selbst behauptete, eigentlich eine exakte Wissenschaft zu sein; eine Behauptung, die ihr Kraft sowieso nie abgenommen hatte, auch wenn sein öffentliches Insistieren auf gewisse Theorien anderes vermuten ließ. Zumindest aber, das sollten wir bedenken, hätte ihm doch eine glänzende Karriere in der Wirtschaft offengestanden. Vielleicht erst eine schmerzlose

Promotion und dann, mit dem Doktor vor dem Namen, der Eintritt in die mittlere Führungsebene einer großen Bank oder Versicherungsgesellschaft und hernach eine raketenhafte Karriere an die Spitze dieses Unternehmens; allein, das Problem war, dass sich Kraft für Geld zu wenig interessierte, noch nie interessiert hatte, stattdessen entschied er sich für eine ambitionierte Doppelpromotion in Germanistik und Philosophie.

Der Fuchs, so hatte er bei Isaiah Berlin gelesen, der damit ein Fragment des Archilochos zitierte, sei einer, der viele Dinge wisse, der Igel aber nur eine große Sache, und Kraft fand so viel Trost in diesem Essay, dass er den Unterschied zwischen dem Wissen des Fuchses und dem Wissen des Igels zum Thema seiner philosophischen Dissertation an der Freien Universität machte. Bereits in den ersten Sätzen jenes Essays fand er sich wieder, im skeptischen Denken des großen Ideengeschichtlers, der praktischerweise auch noch von Margaret Thatcher geschätzt wurde, denn Berlin war der Meinung, dieser dunkle Satz des Archilochos mit dem Igel und dem Fuchs lasse sich zwar einfach so verstehen, dass der Fuchs trotz seiner Schlauheit vor der einzigen Waffe des Igels, die, so fand zumindest Kraft, abstoßenderweise auch noch eine runde Sache war, kapitulieren musste, sie lasse sich aber, weil – auch dies Krafts eigene Interpretation – die Dinge nie einfach waren, auch ganz anders lesen, nämlich dergestalt, dass sich der denkende Teil der Menschheit grob in zwei Klassen einteilen ließe, eben in die der Igel und die der Füchse, wobei die Igel ihr gesamtes Denken einem einzigen ordnenden, universalen Prinzip unterstellten und sich damit einem System verschrieben, welches allein allem, was sie seien und sagten, Bedeutung verliehe, während die Füchse unter den Denkern sich weigerten, ihr Denken einem System zu unterwerfen und stattdessen frei flottierend das Wesen einer großen Vielfalt von Erlebnissen und Gegenständen um ihrer selbst willen ergriffen und es sich versagten, auf ein widerspruchsloses, unabänderliches und vollständiges Ganzes zu hoffen. Eine tiefe Kluft sei zwischen diesen beiden Arten von Menschen auszumachen, las Kraft bei Berlin, und er pflichtete ihm mit heißem Herzen bei; oh ja, und er, Kraft, war unverkennbar ein Fuchs, und es würde seine Aufgabe sein, so war er überzeugt, Berlin, diesem intellektuellen Fidibus, mit ernsthafter Wissenschaftlichkeit Schützenhilfe zu leisten, was hieße, diese Kluft historisch herauszuarbeiten und epistemologisch wasserdicht zu begründen, doch dieses Unterfangen gestaltete sich schwieriger als gedacht, wie sich in den kommenden Jahren herausstellte, denn Isaiah Berlin bedurfte eigentlich seiner Unterstützung nicht, und zudem gebärdete sich Kraft bei seinem Unterfangen, wie er selbst ein ums andere Mal zusehends frustriert und verzweifelt feststellen musste, wie der Oberigel, indem er das unsystematische Denken der Füchse mit System beweisen wollte, und dabei half es auch nicht, dass er im Grunde genommen eine versteckte Agenda verfolgte, denn es ging ihm ja beileibe nicht nur darum, unvoreingenommen den Unterschied zwischen Igeln und Füchsen herauszuarbeiten, sondern vor allem darum, Letztere als irgendwie hellsichtiger, was das wahre Sein der Dinge betraf, zu qualifizieren; auch dies an sich schon eine ziemliche Igelei.

Derartige Schwierigkeiten blieben ihm mit seiner germanistischen Dissertation, die er, um einen guten Grund zu haben, mehr Zeit in Johannas Nähe zu verbringen, gleichzeitig an der Universität Basel in Angriff nahm, erspart. Die Untersuchung zur Poetik Ernst Jüngers brachte er, vielleicht etwas brav, aber nach allen Regeln der Kunst, ohne größere Schmerzen hinter sich, bis auf jenen einen Moment, an dem sie Anlass zu einer ersten schwerwiegenden Verstimmung zwischen Johanna und ihm wurde, als er ihr im Bett mit getragener Stimme aus den *Marmorklippen* vorlas, sie in Lachen ausbrach und partout nicht glauben wollte, dass das ernst gemeint sei.

Trotz solcher gelegentlicher Irritationen und obwohl Kraft nie herausfinden sollte, was Johanna an ihm fand, hielten sie es vier Jahre miteinander aus. In guten Momenten fand er Sicherheit bei Johanna. In schlechten verunsicherte sie ihn zusätzlich.

Und dann, so denkt Kraft, als er die ersten Lichter der Stadt vor sich auftauchen sieht, dann habe ich sie so wütend gemacht, dass sie für immer nach San Francisco verschwand.

IX.

Der Mann machte sehr viel Wind. ... O nein! wenn es
noch Wind gewesen wäre, es war aber mehr ein wehen-
des Vakuum.

Georg Christoph Lichtenberg

Kraft spürt kühl und hart das Sicherheitsglas an seiner
Schläfe. Wenn er die Augen schließt, versickert die endlose
Kette roter Rücklichter im Dunkeln seines Schädels. Still ist
es in Ivans Wagen. Sie haben kaum gesprochen, seit sie in
Stanford losgefahren sind. Stockend, schleichend, unterbro-
chen von quälenden Minuten des totalen Stillstandes bewe-
gen sie sich in ihrer Zelle aus Blech, Glas und abgewetztem
Leder durch das leuchtende Tal.

Ivan trommelt leise mit den Fingern aufs Lenkrad.

Keine vierundzwanzig Stunden ist es her, seit Kraft, nackt,
die feuchte Erde des Marschlandes unter seinen Füßen, beim
Anblick dieser Lichter, überwältigt von einer diffusen Schuld,
zusammengebrochen ist.

Kraft hat es in den zehn Tagen, die er jetzt schon im Silicon Valley ist, gut vermeiden können, San Francisco zu besuchen, hat er doch im Lesesaal eine Aufgabe zu erfüllen, die
mit jedem Tag der Tatenlosigkeit dringlicher wird, und einen
Besuch in der Stadt im Nebel ... nein, nein, dafür hat er keine
Zeit. Aber heute kann er es nicht mehr vermeiden. Tobias

Erkner hat geladen und mit seiner Million gewinkt, sodass sich Ivan und Kraft gegen Abend in den Geländewagen gesetzt und in den Strom der heimkehrenden Programmierer, Techies und Entrepreneurs eingereiht haben.

Es ist ein Schweigen zwischen ihnen. Seit jenem ersten Abend, als sie bei Schokoladenkuchen und Rotwein zusammengesessen sind, haben sie kaum mehr Zeit zu zweit verbracht, und die Nähe jener Tage, als sie gemeinsam dem Führer der freien Welt bei dessen erstem Berlin-Besuch zugejubelt hatten, hat sich keineswegs wieder eingestellt, und ein Unbehagen macht sich in dieser Lücke breit. Kraft wirft einen Seitenblick auf seinen Freund. Sicher, sie sind nicht mehr Mitte zwanzig, und diese Art der Freundschaft, das weiß Kraft, ist für Männer in ihrem Alter keine Option mehr; nur wer noch nicht allzu viel Beschämendes erlebt hat, kann in der Vorstellung leben, einen Freund zu haben, mit dem man alles teilen kann, sei eine schöne Sache. Aber immerhin, so erinnert sich Kraft, war es István, der ihn, nach Johannas Verschwinden, aus seinem Zustand der Verwirrung und Selbstauflösung erlöst hatte, und wenn er, Kraft, einer wäre, der großzügig den Anteil anderer an der eigenen Biographie anerkennen könnte, dann wäre das jetzt der richtige Moment, sich einzugestehen, dass kein anderer Mensch je einen vergleichbaren Einfluss auf sein Leben gehabt hat wie der Hemdenwäscher Pánczél. Aber Kraft ist kein großzügiger Mensch, nie gewesen. Nicht etwa aus Hartherzigkeit. Nein, weil er sich selbst als jemanden sieht – immer schon gesehen hat –, der anderen nicht viel zu geben hat. Und deshalb überkommt ihn jetzt doch eine starke Rührung, und er muss sich schnell wegdrehen und wieder aus dem Fenster starren. Würden wir jetzt auf der Rückbank sitzen, könnten wir Zeuge werden, wie sie sich beide gleichzeitig eine Träne aus dem Augenwinkel wischen; der eine routiniert, der andere verstohlen.

Kraft hatte sich, nachdem Johanna, zwei riesenhafte, schwere Koffer in den Händen, die Tür hinter sich ins Schloss geworfen hatte – was sie natürlich, so müssen wir vermuten, nur in seiner Erinnerung getan hat, denn er soll uns mal vormachen, wie eine so zierliche Frau wie Johanna mit zwei Koffern in den Händen eine Tür hinter sich zuschmettert –, zu István nach London gerettet, wo dieser dabei war, sich, mit einem Stipendium eines steinreichen, nach Amerika ausgewanderten Ungarn, der ein Faible für osteuropäische Dissidenten hatte, an der London School of Economics and Political Science einen Namen als Nuklearstratege zu machen. Kraft traf in einem Zustand der fortgeschrittenen Zerrüttung in London ein und bezog das Sofa in Istváns Küche. Vier Jahre der Unsicherheit hatten ihn zermürbt, vier Jahre, in denen er sich Johanna unterlegen fühlte, Jahre, in denen er nie herausgefunden hatte, was sie eigentlich in ihm sah und von ihm wollte, in denen er ihr die Naturwissenschaft neidete, vier Jahre, in denen ihm der Boden unter den Füßen geschwankt hatte, in denen all seine schmucken Gedankengebäude, kaum hatte er sie errichtet, an allen Ecken und Enden bereits Anzeichen von Baufälligkeit aufzuweisen begannen und der hübsche Putz in großen Brocken herunterbrach. Kraft, wie er da auf Istváns Sofa lag, war der Überlebende eines Erdbebens.

Vier Jahre lang hatte er versucht, zu beweisen, dass es die Füchse waren, die die Welt auf angemessene Weise kontemplierten, wurde dabei immer mehr zum Igel und kämpfte derart dagegen an, dass er sich am eigenen Stachelkleid wund scheuerte. Und was ihn am meisten verunsicherte, war, dass das niemandem außer ihm aufzufallen schien. Er hatte vor sich selbst versagt, seine Doktorarbeit war eine einzige Flickschusterei, ein System als Traggerüst, dem er selbst misstraute und das er deswegen in alle Richtungen abspannte

und mit einer Vielzahl aufgelöteter Verstärkungen und zweck-
frei gesetzter Nieten versah, auch, um ihm den Anschein eines
Systems, das ihm so zuwider war, zu nehmen; darüber hatte
er die stupenden Kenntnisse der einschlägigen Literatur ge-
kleistert und in einem letzten Kraftakt den Glanzlack seiner
Rhetorik appliziert, die offenbar als solche eloquent genug
war, dass man an der Freien Universität bereit war, ihn für
seine Arbeit zu loben und sogar mit einer Auszeichnung zu
versehen. Du Igel, dachte Kraft, als ihm der Dekan vor fest-
lich gekleidetem Publikum seine Urkunde überreichte. Er
nahm sie an, mit einer kleinen angedeuteten Verbeugung,
und ließ sich mit ihr und einem resignierten Lächeln in den
Kreis der Erinaceidaen aufnehmen. Obwohl er das dreißigste
Lebensjahr noch nicht erreicht hatte, war Kraft des Kämpfens
müde. Sei's drum, dann würde er halt ein Igel sein. Das Da-
sein als Fuchs hatte ihn ermüdet. Nichts war einfach, nie, und
darüber hatte er sich den Mund fusselig geredet und das Hirn
wund gedacht. Er sehnte sich nach festem Grund, danach,
nur noch eine Sache wissen zu müssen, auf der alles gründete, auf die sich alles andere beziehen ließ.

Derart geschlagen und von Johanna verlassen, vergrub
Kraft sein Gesicht im nach ranzigem Fett riechenden, brau-
nen Polster von Istváns Sofa und hoffte auf einen tröstenden
Schlaf.

Aber es kam anders. István ließ ihn nicht schlafen. Sein
ungarischer Freund war voller Energie, selig hatte er sich im
gelobten Land von Margaret Thatcher eingerichtet, lebte
seinen Traum vom, wie er es nannte, real existierenden Liberalismus, brannte für seine Studien und strahlte einen Optimismus aus, dem Kraft sich nicht entziehen konnte. Die
Kapitulation seines Freundes ließ István nicht gelten. Sicher,
nichts war einfach, nie, und die Igel irrten sich, aber gelegentlich, so redete István Kraft ins Gewissen, komme es da-

rauf nicht an, weil man schlicht und einfach einen politischen Punkt machen müsse. Wenn es darum gehe, die Freiheit zu verteidigen, dann sei der Zweifel fehl am Platz und es
brauche ein *hier steh ich nun und kann nicht anders*. Und als er
sah, dass sein Freund noch nicht ganz überzeugt war und
sich noch immer nach einem ewig währenden Schlaf sehnte,
setzte er ihm auseinander, dass die wahren Füchse, und solche seien sie beide doch zweifellos, eben unter all den vielen
Dingen, die sie wüssten, auch die eine Sache wüssten, die der
Igel wisse, nur nicht, wie es sich anfühle, ein Igel zu sein.
Trotzdem könne man sich ja, wenn es darauf ankomme, wie
ein Igel verhalten. Der Welt den Rücken zukehren und die
rhetorischen Stacheln aufstellen.

Ein Fuchs mit Stacheln? Ein Stachelschwein?, fragte Kraft
zweifelnd. Aber je länger er darüber nachdachte, desto besser
gefiel ihm die Idee. Stachelschwein, ja, vielleicht war das die
Lösung, man konnte sich vor der Kontingenz ins Faktenwissen retten, wenn das nicht reichte, blieb einem immer
noch das Reden, und wenn einem der Zweifel an den eigenen
Worten zu sehr plagte, dann war Notwehr angesagt und man
zog sich auf einen festen Standpunkt zurück, von dem aus
sich ignorieren ließ, dass nichts einfach war. Kraft schöpfte
neue Hoffnung, und brüderlich, wie damals in der Grunewaldstraße, setzten sie sich nebeneinander aufs Sofa und
schalteten den Fernseher ein. Man schrieb den zwölften Juni
neunzehnhundertsiebenundachtzig, und Reagan besuchte
zum zweiten Mal Berlin. Diesmal hatte man die Redner-
tribüne vors Brandenburger Tor gestellt. Der Präsident sah
erstaunlicherweise immer noch fast so frisch aus wie in
jenem Sommer vor fünf Jahren. Rechts von ihm saß nur leider
nicht mehr der elegante Schmidt, sondern der massige Kohl,
bei dessen Anblick István schnaubte, denn der Bundeskanzler hatte es sich mit ihm mittlerweile endgültig verdorben,

seit er hatte verlauten lassen, er fürchte die britische Premierministerin wie der Teufel das Weihwasser – *He better should, he better should*, war Istváns Kommentar. Kraft lauschte gelöst der Ansprache, froh, dass er diesmal nicht in einer Menge Fähnchenschwenker stehen musste. Und als Reagan zum Ende seiner Rede die Demonstranten, die sich auch diesmal in großer Zahl auf den Straßen Berlins befanden, direkt ansprach, sprang István erregt auf und bezichtigte Reagan des Plagiats. Kraft war seinem Freund dankbar und in versöhnlicher Stimmung, weshalb er es unterließ, zu antworten, er könne sich nicht erinnern, dass ihnen in der Ahornallee ein radelnder Agent mit fliegendem Trenchcoat gefolgt sei, und stattdessen István nickend beipflichtete, worüber sich dieser sehr freute.

Ivan trommelt wieder leise aufs Lenkrad. Kraft schaut angestrengt aus dem Beifahrerfenster. Ganz so nah wie auf Istváns braunem Londoner Sofa sind sie sich nie wieder gekommen. Gerne würde er die Erinnerung an diesen Moment mit seinem Freund teilen, aber er traut sich nicht. Es ist seine Erinnerung, nicht Ivans, und dieser sieht zudem gerade so aus, als sei er ganz woanders.

Kraft war nach ein paar Tagen aus London abgereist. Zurück in Berlin, hatte er sich, angesteckt von Istváns Optimismus, in seine Arbeit gestürzt; eine Habilitationsschrift über das Erhabene, die er derart mit historischen Details und einer Überfülle an Faktenwissen ausstaffierte, dass sie ihm auf drei Bände anschwoll und ihrem Verfasser, alleine durch ihr schieres Gewicht, die stupend vorgeführte akademische Virtuosität und die dreieinhalbtausend Fußnoten, einen sicheren Platz in der deutschen Geisteslandschaft sicherte, sodass es nur noch eine Frage der Zeit war, bis den Herrn PD Dr. Dr. Kraft der Ruf auf eine renommierte Professur ereilen sollte.

Ivan verlässt den Highway, und sie fahren durch ein Wohnviertel, eine schnurgerade, steile Straße hinauf und über die Kuppe, von der man weit über die Stadt auf die Bucht sieht, und dann wieder hinunter, an kleinen Holzhäusern vorbei. Kraft ist noch nie in San Francisco gewesen, aber es ist einer jener Orte, dessen popkulturelle Präsenz eine solche Anzahl sedimentierter Bilder und literarischer Reminiszenzen in seiner Erinnerung hinterlassen hat, dass die widersprüchlichsten Empfindungen von Rückkehr an einen wohlbekannten Ort und gleichzeitigem Betreten von Neuland sich überlagern und zusammen mit dem Wissen, dass Johanna irgendwo in diesen Hügeln lebt, in ihm einen fernen Nachhall jener Verwirrung aus den Jahren mit ihr zum Klingen bringt. Eine Verwirrung, deren Beginn er mit den ironisch verzogenen Mundwinkeln unter dem schütteren blonden Schnurrbart des Kanzlersohnes zusammenbringt, und deren Ende mit Reagans zweitem Besuch in Berlin und die er längst hinter sich gebracht zu haben glaubte; ausgesperrt aus seinem Leben durch ein solides Gedankengebäude, mit Zinnen aus Überzeugungen und einem breiten Wassergraben, randvoll mit Wissen, und nur ganz selten noch dringt, wie aus weiter Ferne, ein beunruhigender Ruf über die Brustwehr: So einfach ist das nicht, Kraft, nie und nichts. Aber meistens leise genug, dass Kraft es gelingt, ihn zu ignorieren.

Erkner wartet an der Ecke Valencia und 21st am Straßenrand auf sie, in Begleitung einer jungen Frau, die ihnen als Gwen Ives vorgestellt wird und die sie mit weit aufgerissenen Augen anstrahlt, als habe sie ihr ganzes Leben auf diese Begegnung gewartet. Kraft, von so viel Warmherzigkeit überrumpelt, reißt seinerseits die Augen auf, versucht, ein paar Zähne zu zeigen, und sieht irritiert dabei zu, wie ihr Ivan die Autoschlüssel in die Hand drückt und achtlos den Rücken kehrt. Gwens Anwesenheit ist offenbar nur dem Zweck geschuldet, ihnen die Mühsal der Parkplatzsuche abzunehmen, denn Kraft bekommt sie erst wieder zu Gesicht, als sie ihnen Stunden später, am anderen Ende der Stadt, Ivans Wagen vor die Füße fährt und dabei wieder strahlt und lächelt und sich in Krafts Augen verliert, als habe sie in der Zwischenzeit an nichts und niemand anderen gedacht. Vielleicht, so vermutet Kraft, ist Gwen nicht nur dafür angestellt, ihrem Chef die Parkplatzsuche abzunehmen, sondern auch dafür, seine Gäste mit einem angemessenen Quantum an Augenkontakt auszustatten. Erkner hat es nicht so mit dem Augenkontakt. Nicht etwa, dass er unfreundlich wäre oder unsicher wirken würde. Ganz im Gegenteil, er geht aufrecht in seinem schmal geschnittenen Maßanzug, mit gestrafften Schultern, präsentiert ein gutes Stück seiner sehnigen, braun gebrannten Brust, spricht laut und ohne zu stocken oder zu zögern, blickt aber dabei seinem Gegenüber kein einziges Mal in die Augen. Oft ruht sein Blick knapp über Krafts Schultern in der Ferne, gleitet dann schnell über sein Gesicht, als rutsche er daran ab, und kommt über der anderen Schulter wieder zur Ruhe, sodass Kraft den ganzen Abend von dem unangenehmen Gefühl begleitet wird, in seinem Rücken spiele sich etwas ab, das nach Erkners Aufmerksamkeit verlange.

Erkners Telefon vibriert, und nach einem kurzen Blick auf das Display mahnt er zur Eile, das Restaurant habe leider eine strikte *first come first serve*-Politik und nehme keine Reservierungen an, er habe aber vorgesorgt, und sein Assistent warte in der Schlange bereits kurz vor dem Eingang.

Vor einem Laden mit dem Namen THE MAC&CHEESE stehen auf der Länge eines halben Blocks die Leute. Erkner eilt an der Schlange vorbei und reiht sich ganz vorne neben einen jungen Mann ein, der ihm schon von Weitem zugewinkt hat und den er ostentativ freundschaftlich bekumpelt, wobei es Kraft vorkommt, als erstarre der schmächtige Jüngling unter dem Schulterklopfen. Dies sei Eddie, Eddie Willers, einer seiner geschätzten Mitarbeiter. Eddie greift sich bei diesen Worten nervös an die Hornbrille und errötet. Kraft kommt die ganze Begegnung etwas inszeniert vor, aber was weiß er schon vom Sozialverhalten milliardenschwerer Silicon-Valley-Investoren, lange hat er sowieso nicht Zeit, darüber nachzudenken, denn ein weiterer junger Mann stößt zu ihnen, mit kahl geschorenem Kopf, von dem die fleischigen Ohren wie Blumenkohlröschen abstehen, und einem blonden, zu einem rattenschwänzigen Zopf geflochtenen Kinnbart, der dekorativ über das Palästinensertuch hängt, das er sich um den breiten Hals geschlungen hat. Außer Bart und Tuch trägt Ragnar Danneskjöld nicht mehr viel, ein schwarzes Ringertrikot vom MIT, Römersandalen und eine Rolex Deepsea, wie Kraft, der sich, seit er von Heike zum Fünfzigsten eine restaurierte Milgauss geschenkt bekommen hat, für mechanische Armbanduhren interessiert, mit Kennerblick registriert.

Ragnar, so wird ihnen von Erkner erklärt, sei Gründer und Direktor des *ThunderXStruck-Institutes*, eines seiner zahlreichen Investments, wobei ihm dieses hier besonders am Herzen liege, auch wenn es auf absehbare Zeit keinen Gewinn abwerfen werde, aber es gehe dabei um die Entwicklung sogenannter Sea Steadies, künstlicher Inseln, die, außerhalb von Hoheitsgewässern, befreit von Regularien, ineffektiven Regierungen und *messy politics*, als Laboratorien und Nährboden für neue Formen des freien Zusammenlebens fungierten. Kraft denkt dabei an eine Insel, wie er sie aus gezeichneten Witzen über Schiffbrüchige kennt; ein winziges Eiland aus Sand, mit einer einzelnen Palme bestückt, und darunter ein Rudel sonnenverbrannter junger Menschen, die sich dem

Gruppensex hingeben, aber er ahnt schon, dass es bei Erkners Investment in die freie Zukunft weniger um freie Liebe und Geschlechtsverkehr als um Freihandel und Zahlungsverkehr geht. Ragnar setzt an, seine Vision zu elaborieren, wird aber in seinem Elan von einem Mann ausgebremst, der mit einer rustikalen Lederschürze ausgestattet ist, wie sie von Männern getragen werden, die ihr Leben einem vom Aussterben bedrohten Handwerk gewidmet haben, und der sie ins Innere des Lokals und dort zu einer Koje aus hellem Holz geleitet.

Die Mühsal der Speiseauswahl kann man sich hier sparen, es gibt nur ein Gericht, und davon ordert Erkner fünf Portionen und dazu eine Runde Bier, die von einer Kellnerin an den Tisch gebracht wird. Kraft wird in seiner Eigenschaft als Deutscher zur Expertise aufgefordert und ist Ragnar dankbar, dass dieser ihm die Herkunft des Flascheninhalts auseinandersetzt, der sein besonderes Aroma den eigentümlichen klimatischen Bedingungen am Russian River zu verdanken habe, zu denen er glücklicherweise auch einiges zu sagen weiß, weil Kraft so lange in seinem Inneren nach dem englischen Ausdruck für hopfig kramen darf, der ihm partout nicht einfallen will. Eine kleine Prozession von Lederschürzen, die fünf gusseiserne Spätzlepfannen auf rohen Redwoodbrettern herantragen, erlöst ihn. Kraft schaut etwas ratlos auf das mit goldbraunem Paniermehl überbackene Nudelgratin, an dessen Rändern eine Käsesauce brodelt, aber es ist, als bleibe ihm an diesem Abend nie genug Zeit für nichts, und schon gar nicht dafür, sich zu wundern, denn es folgt sogleich eine Erklärung, dieses Mal von einem der Kellner, der, seine Rede mit eleganten Handbewegungen untermalend, erst die zur Verwendung gekommenen Röhrennudeln preist, zu deren Herstellung nur Quellwasser und Bio-Weizen von den Foothills der Sierra Nevada durch Kupferformen gepresst wird, und dann zu einem längeren Exkurs über die zur Verwendung gekommenen drei Käsesorten ausholt, einem Blue Fog Mountain aus dem Humboldt County, einem über Apfelholz geräucherten Cheddar aus dem Sonoma Valley, und schließlich einem Mozzarella von der Simmentaler Kuh, die tagein, tagaus den Ausblick von Point Reyes auf den Pazifik genießen dürfe und deren Milch darüber sowohl ausgesprochen würzig wie auch außergewöhnlich bekömmlich werde, woraufhin er mit großer Geste eine lange Reibe aus einer Bambusscheide zieht und jedem am Tisch, zur Krönung des Ganzen, ein paar Späne eines höhlengereiften Jack-Cheese auf die Brotbrösel hobelt, dabei ebenso viel Enthusiasmus verströmend wie Ragnar, der die Gelegenheit ergreift, Kraft auf die Reibe aufmerksam zu machen, die ein greiser Japaner in Big Sur aus fünfzig Lagen Damaszenerstahl geschmiedet habe. Dies hier, so verkündet Erkner, sei *the ultimate Mac and Cheese*, es sei dem Koch gelungen, das Gericht auf ein ganz neues Level zu heben, sozusagen von null direkt auf eins.

Kraft sieht zu, wie Ragnar das dampfende Gericht mit übervoller Gabel zum Mund führt, die brodelnde Masse in seinen Backentaschen zwischenlagert, dabei seinen Bart kreuz und quer mit käsigem Lametta schmückt, hastig kaut, stoßweise, zur Kühlung seines Mundraumes, seinen feurigen Brodem über den Tisch sendet, mit schaufelnden Bewegungen seinen Schlund beschickt und es trotzdem schafft, auf Aufforderung Erkners, der seinerseits mit mechanischer Präzision, ungerührt, die siedende Kinderspeise löffelt, während Kraft nach einer ersten Gabel bereits das Gaumensegel wie eine angekokelte Plastiktüte zusammenschnurrt, einen Überblick über sein Institut und die dort vollbrachte Arbeit zu geben, die, wenn ihn Kraft richtig versteht, in der Rettung der Welt besteht, wozu der Mann im Ringertrikot beabsichtigt, unter Einsatz von Tobias Erkners vielen Millionen eine größere Anzahl schwimmender Inseln zu bauen, die man in internationalen Gewässern, also außerhalb der Jurisdiktion eines Staates, auf dem Meeresboden zu verankern gedenkt, um sich dort in Gemeinschaft, ungestört von staatlichen Regulierungen, fern der Mühsal des Bohrens von dicken Brettern, der Arbeit, den Geschäften und nicht zuletzt dem Entwickeln neuer Gesellschaftsmodelle zu widmen, die ohne die verrotteten Ablagerungen von hunderttausend Jahren Politik, auf frischem, unverdorbenen und vor allem kontrollierbaren Grund gedeihen können, gleichsam wie die Treibhaustomate auf dem reinen, keimfreien Substrat der digitalen Technologie, und falls sich die Gemeinschaft nicht in die Richtung entwickle, die einem genehm sei, so verwirkliche man eben seine ultimative Freiheit, indem man seinen Teil der Insel – denn man beabsichtige, diese Sea Steadys modular zu bauen, wie man es von der Evolution gelernt habe – abkopple, Segel setze und sich im freien Ozean eine neue Gemeinschaft suche, an die man andocken könne, womit man sozusagen en passant das starre Konzept der Staatsbürgerschaft als lebenslange Verpflichtung, Zwangsjacke und Brutstätte des Nationalismus im Ordner der Geschichte abheften könne; einen Gedanken, den er damit unterstreicht, dass er sich einige Käsefäden aus dem Bart klaubt und zwischen Daumen und Zeigefinger zu einer kleinen Kugel dreht, die er der letzten Ladung Käsemakkaroni in seinen Rachen hinterherwirft, womit er Kraft dazu bringt, darüber nachzudenken, dass es in der Tat oftmals von Vorteil wäre, wenn man einfach so die Segel setzen könnte, aber Kraft kommt nicht dazu, denn Ragnar Danneskjöld nimmt nun Fahrt auf und schildert etwas, was er als die kambrische Explosion der *Governance* bezeichnet, da man mit der Preisgabe der alten, landbasierten Regeln, die uns vom Glück des Daseins fernhielten, Millionen aus der Armut katapultieren werde, indem man auf dem Wasser ein Singapur oder Hongkong nach dem anderen errichten werde und dabei nebenher – und diese Aufzählung begleitet er mit Luftstichen seiner Gabel, auf deren Spitze eine einzelne Nudel steckt – Krankheiten heilen, die Ozeane säubern, Kohlendioxid aus der Atmosphäre filtern, die Welt ernähren und fossile Brennstoffe durch Algen ersetzen werde, doch all dies, so gibt sich der Mann mit dem Palästinensertuch gewiss, während er die angebackene Käsekruste vom Rand seiner Pfanne kratzt, könne nur geschehen, wenn die Menschheit aufbreche und sich neues Land zu eigen mache, die *frontier* einmal mehr verschiebe, denn friedliche Evolution könne, im Gegensatz zur immer blutigen Revolution, nur in neuen Nischen stattfinden, und es seien schließlich nicht nur die einzelnen Spezies, die evolvierten, nein, auch die Kultur sei der Evolution unterworfen, und selbst Regierungssysteme entwickelten sich nach Darwin'schen Prinzipien, aber nur dann, wenn es Raum für Neues gebe, direkte Demokratie zum Beispiel, die über soziale Netzwerke organisiert sei und ohne Legislative auskomme, oder eine Gemeinschaft, die sich ihre Regeln und Gesetze selber gebe und sie nach den partizipativen Prinzipien der Open-source-Bewegung in einer Art Legipedia formuliere oder gar – warum auch nicht – Unternehmen, die Flatrates für alle Dienstleistungen anböten, Produkte, wohldesigned und kundenfreundlich, die bislang der Staat angeboten habe, wobei man bei Unzufriedenheit den Anbieter wechseln könne; kurzum, es sei Zeit, die Ozeane zu besiedeln, diese dynamischen Systeme, die dynamischen, fluiden Individuen – *Pioneers with new notions of new nations*, wurde Ragnar für eine Zeile alliterativ-kreativ –, die Gelegenheit zu Evolutionen ohne Revolutionen böten.

Ragnar legt seine Gabel nieder und schaut seine Gegenüber erwartungsvoll an. Kraft weiß nicht, was er sagen soll. Erkner springt ein und erklärt, es gebe weltweit Hunderte Millionen Menschen, die bereit seien, ihre Heimat zu verlassen, um sich auf die Suche nach einem besseren Leben zu machen. Jetzt weiß Kraft erst recht nicht, was sagen. Wie soll er die Millionen Afrikaner, Afghanen und Iraker mit rudimentärer Schulbildung, die auf Lastwagen und zu Fuß durch die Wüste kommen und sich in überfüllten Gummibooten übers Mittelmeer wagen, um in europäischen Treibhäusern Tomaten zu ernten, mit Ragnars HiTech-Vision von schwimmenden *Work-Life Habitats* im Jonathan-Ives-Design für die digitalen Nomaden mit Abschlüssen von Universitäten, die sich um die ersten zehn Plätze im Shanghai-Ranking rangeln, zusammenbringen? Aber wer weiß, vielleicht ist er zu pessimistisch? Immerhin ist Erkner bereit, seine Millionen in das Projekt zu investieren, und vielleicht ist er, Kraft, nur ein altes Fossil, nicht fluid genug, um die Schönheit des Ganzen zu begreifen. Als kulturpessimistischer Technikkritiker will er heute sicher nicht erscheinen, nicht vor Erkner, dessen Preisgeld mit Optimismus verdient sein will, also fragt er interessiert nach, wie weit man denn mit dem Projekt bereits fortgeschritten sei, in der Gewissheit, dass er darauf Staunenswertes von gigantischen, modularen, selbstversorgerischen Inselbauten auf weiter See hören wird, auf denen sich bereits erste Siedler der Algenzucht und der Disruption widmen.

Und Staunenswertes bekommt er zu hören: Man stehe also kurz davor, in der San Francisco Bay, unweit von Oakland, einige zusammengeschweißte alte Pontons zu verankern, auf denen man aus Containern bestehende *Work-Life Habitats* montieren werde. Die erste Wohngemeinschaft werde voraussichtlich im nächsten Sommer einziehen. Diese Schilderung erinnert Kraft allerdings eher an eines der abgehalfterten, festgebundenen Discoschiffe auf dem Neckar oder an eine jener trostlosen Asylbewerberunterkünfte, wie sie in Hamburgs Hafen liegen. Damit kann er zumindest den Bogen von Ragnars schöner neuen Welt zu den Afrikanern an den Zäunen von Ceuta und Melilla schlagen, deren Autoreifensandalen im Natodraht hängen bleiben, aber es scheint ihm, als sei die Diskrepanz zwischen Erträumtem und Erreichtem etwa so groß wie die zwischen der Lebensrealität von Tobias Erkner und der eines nigerianischen Emigranten. Wie ein angeschnittenes Soufflé sackt Krafts mühsam zusammengekratzter Optimismus angesichts dieser Luftnummer in sich zusammen, und er holt, Erkners Wohlwollen und damit das Preisgeld aufs Spiel setzend, Atem für eine Erwiderung; barsch wird sie sein, mit der Härte eines gesunden, europäischen Geschichtsbewusstseins und einem daraus erwachsenen Gespür für Realismus formuliert. Sein ganzes scharf geschliffenes Instrumentarium wird er einsetzen, beißenden Spott, Sarkasmus, Ironie. Hämisch, höhnisch, schneidend wird sie sein. Beschämen, vernichten, entlarven will er die beiden; diesen albernen Möchtegernpiraten in seinem müffelnden Ringertrikot und diesen fischigen Milliardär mit seinen unausgegorenen Bubenträumen, nur leider hat Letzterer, von Kraft unbemerkt, mittlerweile die Rechnung bestellt und gerade, als Kraft loslegen will, vor lauter Vorfreude bereits ein überlegenes Grinsen im Gesicht, mit dem er ein Bonmot zur Eigengesetzlichkeit der Technik zu untermalen gedenkt, das er sich als Einstieg zu seiner Suada ad hoc und von Heidegger inspiriert ausgedacht hat, tritt der Koch des Nudelgratins höchstpersönlich in fettbefleckter Lederschürze an den Tisch und verkündet, nachdem er sich ein vielstimmiges Lob auf seine ultimativen Makkaroni mit Käse abgeholt hat, in das auch der überrumpelte Kraft einstimmt, die Herrschaften hätten natürlich auf Kosten des Hauses gespeist; denn er hoffe doch, sagt er an Erkner und Danneskjöld gewandt, er habe sich damit für eine Filiale auf hoher See empfohlen, nichts sei für neue Gemeinschaften so wichtig wie eine gemeinsame Seele, und damit sei doch seine ultimative *Soul-Cuisine* für die Ernährung der Siedler sozusagen prädestiniert, außerdem werde er fern jeglicher Hoheitsgewässer, befreit von den zahllosen Schikanen, denen er sich seitens der Gewerkschaften und der Behörden tagtäglich ausgesetzt sehe, in der Lage sein, seine Marge pro verkaufter Nudelpfanne signifikant zu steigern, weswegen er eine erkleckliche Miete zu zahlen bereit sei. Erkner und Danneskjöld sind begeistert von der Idee, mit ihm die *frontier* zu verschieben, und versprechen, an ihn zu denken, wenn sie in See stechen; man werde sich also recht bald melden.

Exakt achtzehn Minuten, nachdem sie das Lokal betreten haben, stehen sie wieder auf der Valencia Street, und ein schwarzer Wagen mit einem rosa leuchtenden Plastikschnurrbart auf dem Armaturenbrett hält an der Bordsteinkante. Kraft wird auf den Rücksitz geschoben, Ivan hinterher, und durchs offene Fenster verabschieden sich Ragnar und der junge Eddi, der so aufopferungsvoll für sie in der Schlange gewartet und danach kein Wort mehr gesagt hat. Erkner setzt sich auf den Beifahrersitz und gibt das Kommando zur Abfahrt. Kraft, der immer wissen will, wo er ist, und das Gefühl, gefahren zu werden, kaum ertragen kann, starrt aus dem Fenster und versucht vergeblich, sich zu orientieren. Bald gibt er auf. An diesem Abend, das ist er nun bereit einzusehen, muss er die Führung abgeben; da kann er froh sein, wenn er hinterherkommt. Bedürftig wendet er sich seinem Freund zu, der während des Essens nur wenig gesagt hat, in der Hoffnung, von ihm ein Zeichen des Einverständnisses zu erhalten, ein Zwinkern mit dem gesunden Auge, ein leises ironisches Lächeln, irgendeine kleine Geste, die ihm,

Kraft, signalisieren würde, dass er nicht alleine ist in dieser seltsamen Aufführung und dass sie sich später, auf der Rückfahrt, darüber die Mäuler zerreißen werden. Ivan aber hat die Augen geschlossen und massiert seine Daumenwurzel; er sieht plötzlich sehr müde aus. Kraft lässt sich ins Polster fallen und tastet mit der Zungenspitze seinen verbrannten Gaumen ab. Der Wagen gleitet durch die Stadt, die steilen Straßen hinauf und hinab.

X.

History is an arena only one
can leave as victor.

Ford Sakaguchi

Kraft presste die Ledermappe mit den zwei übrig gebliebe-
nen Flaschen Tokajer schützend vor seine Brust, hinter der
sich eine bereits genossene Flasche Wein mit der ungarischen
Paprikasalami ein Gefecht um die Vorherrschaft in seiner
Speiseröhre lieferte. Es war ein Geschiebe und Gedränge,
und dauernd trampelte ihm jemand auf den glänzenden
Kappen seiner neuen italienischen Schuhe herum, unter
deren dünnen Ledersohlen zerbrochene Bierflaschen knirsch-
ten. Auf beiden Seiten des Brandenburger Tores stand die
Menge dicht an dicht, drängte vom Boulevard Unter den
Linden auf den Pariser Platz, der noch vor wenigen Wochen
Teil des Todesstreifens gewesen war, quetschte sich in beiden
Richtungen durch die schmalen Mauerdurchbrüche, die von
NVA-Soldaten zwei Tage vor Weihnachten eilig geschaffen
worden waren, flutete den Platz vor dem Brandenburger Tor,
wo sie auf die Menschen traf, die aus dem Tiergarten ström-
ten.

Kraft hatte vorgehabt, sich die Sache auf dem Sofa in der
Grunewaldstraße, in der er mittlerweile ganz alleine lebte, im
ZDF anzusehen, aber Ivan, wie er nun, seit seinem Umzug

nach Kalifornien, genannt werden wollte, hatte andere Pläne. Im Morgengrauen des letzten Tages dieser ereignisreichen Dekade hatte er an Krafts Wohnungstür geklingelt, die bis vor einigen Jahren auch die seinige gewesen war, und als Kraft schlaftrunken öffnete, stürmte er, den muffigen Geruch eines ungarischen Schlafwagens mitbringend, in die enge Diele, schwenkte dabei eine Plastiktüte, in der sich die Umrisse von Weinflaschen und Würsten abzeichneten, und rief, nun sei er zum zweiten Mal entkommen, aber diesmal nicht ohne Beute.

Acht Jahre war István nicht zu Hause gewesen, seit er als Hemdenwäscher von der ungarischen Studentenmannschaft zum Schachturnier nach Berlin mitgenommen und ebendort, in einem tristen Hotelzimmer, vergessen worden war. Acht Jahre, in denen er weder seine Mutter hatte sehen dürfen noch seinen Vater und auch nicht die kleine Schwester, die er als mausgraue Sechzehnjährige mit unreiner Haut in Erinnerung hatte. Der Vater war inzwischen tot, die Mutter hatte schütteres Haar und die Schwester einen Säugling an der Brust, als sie Ivan die Tür öffnete. Die Mutter schloss den verlorenen Sohn zwar in die Arme, hauchte ihm aber noch im selben Augenblick, in dem sie ihm die Wangen tätschelte und sein Gesicht mit trockenen Küssen bedeckte, den ersten einer langen Reihe von Vorwürfen ins Ohr, die sich vor allem um den Themenkomplex der unterlassenen Verabschiedung drehten; wie habe er sich nur, ohne ihr Bescheid zu sagen, in den Westen absetzen können, als ob er ihr, seiner Mutter, nicht habe vertrauen können? István – ein solcher würde er in Budapest immer bleiben, das war ihm schnell klar – hätte sich dieses Vorwurfs nur erwehren können, indem er seiner Mutter gestanden hätte, dass er keineswegs die Absicht gehabt hatte, sich nach West-Berlin abzusetzen, sondern von seinen Kameraden wie eine einzelne, unter die Tagesdecke geratene Socke vergessen worden war, aber er fürchtete, eine solche unbeabsichtigte Flucht sei eine noch schlechtere Entschuldigung für eine achtjährige Abwesenheit und das Fernbleiben von der Beerdigung seines eigenen Vaters.

Es wurde, trotz der Vorwürfe und des fehlenden Vaters, ein frohes und schönes Weihnachtsfest für alle; für die Mutter, die Schwester, den pausbäckig strahlenden Säugling und dessen walrossbärtigen Erzeuger, der es sich in den Kopf gesetzt hatte, all die verpassten schwägerlichen Besäufnisse in diesen wenigen stillen, verschneiten Tagen nachzuholen, aber nicht für István, nein, nicht für ihn, denn es dünkte ihn, als hafte den wunderbaren West-Produkten, deren erstmaliges Vorhandensein in den Läden Budapests, auf den heimischen Festtafeln und unter den geschmückten Weihnachtsbäumen das Fest für seine Familie zu einem besonders frohen machte, etwas Abgeschmacktes an. Missbilligend sah er seinen Landsleuten zu, wie sie glückselig Videorekorder, Fernseher und Stereoanlagen aus den Läden trugen, wie sie stolz in ihren neuen Jeans und Lederjacken in der Budapester Winterluft fröstelten, wie sie sich den billigsten Tand, den sie als West-Ware bezeichneten, auch wenn das meiste aus Fernost stammte, in hässliches Geschenkpapier einwickeln ließen, wie sie sich im Familienverband die Nasen an den reich dekorierten Schaufenstern platt drückten; ja, er missbilligte sogar die mit goldenen Sternen verzierten roten Kuverts, die sich seine Schwester und sein Schwager gegenseitig bei der Bescherung überreichten und aus denen sie mit gespieltem Erstaunen und lauten Freudenbekundungen die Flugtickets nach Paris zogen, die sie drei Tage zuvor gemeinsam im Reisebüro gekauft hatten.

Aber weshalb missbilligte er die Konsumfreude und die Reiselust seiner Landsleute? Sie packten es einfach nicht richtig an. Sie machten es falsch. Es fehlte ihren Kaufakten der nüchterne Pragmatismus des Westdeutschen, das Understatement des Engländers, die Unbekümmertheit des Amerikaners. Sie waren Barbaren. Sie entwerteten die heilige Handlung des Einkaufens. Konsum, das war für Ivan Pánczél eine ernste Sache. Zumindest redete er sich ein, dass sich hier der Grund für seine Missbilligung und seine schlechte Laune, die ihn seit seiner Ankunft in Budapest begleiteten, finden ließ. Das war natürlich ausgemachter Blödsinn, konnte doch sein näheres Umfeld bereits seit einigen Monaten eine permanente Gereiztheit in seinem Wesen ausmachen, eine Anspannung, die synchron mit dem Zusammenbruch des Ostblockes auftrat. Nach außen feierte er diesen Zusammenbruch und den Fall des Eisernen Vorhanges lautstark und triumphierend als endgültigen Sieg des Liberalismus, während er im Stillen bereits zu ahnen begann, dass es sich dabei um einen Pyrrhussieg handelte, zumindest für ihn persönlich, speiste sich doch seine ganze bisherige Existenz aus jenem Dualismus der Systeme, der nun überwunden schien.

Kaum dass er sich in Berlin seine erste D-Mark als Nachhilfelehrer einer begriffsstutzigen Charlottenburger Gymnasiastin verdient hatte, widmete er sich mit Hingabe dem Konsum. Nicht den Luxusgütern, diese lagen außerhalb seiner Reichweite, aber er begehrte sie auch nicht besonders; kleine, günstige Dinge taten ihren Zweck. Etwas kaufen, darum ging es. In den gesegneten Kreislauf des Handels eintreten, der über die Befriedigung der Grundbedürfnisse hinausging und damit also Selbstzweck wurde, im Grunde genommen l'art pour l'art. Aber von dieser Kunst, so redete er sich in jenen Weihnachtstagen in Budapest ein, verstanden sie halt nichts, seine Landsleute. Dabei verdarb es ihm ganz einfach seine Freude, dass nun auch jene in der Lage waren zu konsumieren, die er einst hinter sich gelassen hatte. Teil der Lust, die er mit jeder Kaufhandlung verbunden hatte, war das Wissen, dass er ein Begünstigter war, ein Auserwählter, distinguiert von seinen hinter dem Eisernen Vorhang zurückgelassenen Brüdern und Schwestern, aber eben auch nicht so, wie die ganzen anderen Kaufenden im Westen, denen die Erfahrung der Mangelwirtschaft abging, die keine Davongekommenen waren; kurzum, er hatte sich in einen Sonderstatus hineingedacht, den er nun bedroht sah. Diese neue Gleichheitserfahrung – selbst der walrossbärtige Simpel von einem Unicum Zwack trinkenden Schwager konnte sich nun eine Reise nach Paris kaufen – verdarb ihm ein für alle Mal die Lust am Konsum, sodass sich beinahe alle seine Anschaffungen auf das Ende der Achzigerjahre datieren lassen; noch immer trägt er jene große Brille mit rechteckigem Stahlrahmengestell, die er erworben hatte, weil der greise von Hayek ein solches Modell trug, noch immer fährt er seinen 85er Ford Bronco, den er sich am Tag nach seiner Ankunft in Palo Alto gebraucht gekauft hatte, und würde Barbara nicht gelegentlich durchgreifen und ihn zu einem Einkauf bei Nordstrom schleppen, trüge er immer noch Sakkos mit Schulterpolstern und hochgekrempelten Ärmeln.

Der Zusammenbruch des Kommunismus war für Ivan ein alle Lebensbereiche umfassendes Desaster. Nicht nur, dass er die Lust am Kaufen verlor, auch sein Nimbus des geflohenen Dissidenten war über Nacht bedeutungslos geworden, und beruflich war das Ganze sowieso eine Katastrophe, denn mit dem absehbaren Ende des Kalten Krieges hatte seine Disziplin über Nacht ihre ganze Erotik eingebüßt und war, zumindest in den Augen der Studenten, höchstens noch von historischem Interesse. Kaum war sein erstes akademisches Jahr als Hotshot unter den Verteidigungsintellektuellen an der Standford University und als jüngster Fellow an der

Hoover Institution on War, Revolution and Peace zu Ende, drohte er, mit Anfang dreißig bereits zum Verwalter seiner Forschung zu werden, und es dauerte nur noch wenige Quartale, bis er seine Vorlesung mit dem catchy Titel *Victory is Possible: Controlled escalation from first to last strikes* einstellen musste und fortan vor einer weit geringeren Studentenzahl *The History of Nuclear Strategy* las.

Der Hauptgrund für seine Gereiztheit und Anspannung aber war seine Angst vor ungarischen Gelehrten, die nun jederzeit ihre neu gewonnene Reisefreiheit nutzen konnten und als Gastwissenschaftler in Stanford aufzutauchen drohten. Was, wenn einer von ihnen Teil der Schachmannschaft gewesen war und sich bei Ivans Anblick an das Turnier in Berlin und die Abfahrt des blauen Ikarus im Morgengrauen erinnerte? Die erste Hälfte der Neunzigerjahre verbrachte Ivan in stetiger Sorge, es könne einer auftauchen und seine Legende zerstören. Und noch heute schreckt er gelegentlich, von kaltem Schweiß bedeckt, mitten in der Nacht auf, weil es ihm geträumt hat, mitten in seiner Vorlesung stehe ein blasser junger Mann im Auditorium auf, in dem er augenblicklich und begleitet von einem Stolpern seines Herzens János Rákosi, den Kapitän der ungarischen studentischen Schachnationalmannschaft der Jahre '80 bis '84, erkennt, deute mit anklagend ausgestrecktem Zeigefinger auf ihn, Professor Ivan Pánczél, Fellow der Hoover Institution on War, Revolution and Peace, der mit der Autorität seiner Biographie als ungarischer Dissident, Regimeflüchtling und Schachmeister über die Geschichte der atomaren Abschreckung doziert, und erkläre mit seiner fisteligen Stimme, die Ivan noch immer im Ohr hat, wie sie sich über die Schweißränder unter den Achseln eines elfenbeinfarbenen Kunstfasertrikots beschwert, es handle sich bei diesem Mann hier, der vorgebe, Herr Professor Ivan Pánczél, Experte für strategische Fragen der atomaren Rüstung zu sein, um einen Hochstapler, nämlich um den Hemdenwäscher István Pánczél, den man in einem tristen Hotelzimmer in Berlin vergessen habe, wie eine einzelne, getragene Socke, die unter die Tagesdecke geraten sei.

Ivans Furcht vor einer Enttarnung war aber gänzlich unbegründet, hatten doch alle Beteiligten den Hemdenwäscher Pánczél bald aus ihrer Erinnerung verdrängt, weil sie, nachdem sie sich auf einem tschechischen Autobahnrastplatz auf eine Lüge geeinigt hatten, diese alsbald selbst für bare Münze nahmen, aber immer von einem schalen Geschmack begleitet, und deswegen die ganze Angelegenheit bald dankbar vergessen hatten, bis hin zu jenem Geheimdienstoffizier, der als Aufpasser die Berlin-Reise der studentischen Schachnationalmannschaft begleitet hatte, für die Westflucht des Hemdenwäschers Pánczél verantwortlich gemacht und dafür in die Wüste geschickt, das heißt, in die Puszta strafversetzt worden war, wo er nach dem Genuss einer verdorbenen Gulaschkonserve aus den Beständen der Volksarmee bald an einer Meningitis erkrankte, die er nur knapp und völlig verblödet überlebte und sich fortan nicht einmal mehr an den Namen seiner eigenen Mutter erinnern konnte, geschweige denn an den des Hemdenwäschers Pánczél.

Ivan ging voran, drängte sich wie ein Keil in die Menge, teilte wie ein Kampfschwimmer die grölende Masse. Seine Gereiztheit, seine Anspannung, die er aus Kalifornien nach Budapest exportiert und von dort nach Berlin mitgebracht hatte, löste sich weder durch den bereits genossenen Tokajer noch durch das Wiedersehen mit Kraft, und mittlerweile wusste er auch nicht mehr, weshalb er plötzlich, als er tags zuvor in der *Magyar Nemzet* von den bevorstehenden Silvesterfeierlichkeiten in Berlin las – den ersten nach dem Fall der Mauer, die

die Bevölkerung Ost- und West-Berlins gemeinsam am Brandenburger Tor zu feiern gedachte –, die Eingebung gehabt hatte, dabei sein zu müssen, seine Tasche gepackt, ein Paar Flaschen Wein und ungarische Salami in eine Plastiktüte gesteckt, seine Mutter eilig auf die Stirn geküsst hatte und in den Nachtzug nach Berlin gestiegen war, als sei die Staatssicherheit hinter ihm her. Aber jetzt, da er schon mal da war, wollte er zumindest das angekündigte David-Hasselhoff-Konzert an der Mauer nicht verpassen.

Der Lärm war beängstigend. Es wurde geschrien und gesungen. Feuerwerkskörper flogen aus der Menge in den rauchverhangenen Himmel und erleuchteten die Quadriga auf dem Tor, auf der junge Männer herumkletterten, Flaschen schwenkend, freudentaumelnd am Abgrund tanzten. Die DDR-Flagge hatte man vom Fahnenmast geholt, Hammer, Zirkel und Ähren herausgerissen und das Tuch mit dem symbolkräftigen Loch, nebst einer Europafahne, wieder gehisst. Ivan, mit dem fluchenden Kraft im Schlepptau, kämpfte sich in Richtung Westen auf die Mauer zu, auf deren Krone Tausende dicht gedrängt über dem wogenden, wiedervereinigten Volkskörper standen. Rücksichtslos bahnte sich Ivan seinen Weg durch den ehemaligen Todesstreifen, der von Müll und zerbrochenem Flaschenglas übersät war. Am Fuße der Mauer ließen sie sich an den Händen hinaufziehen. Da standen sie nun, trotz der eisigen Kälte der Silvesternacht schwitzend, und blickten triumphierend über die Köpfe der Feiernden hinweg. Kraft holte eine der Tokajerflaschen aus seiner Ledermappe und zog den Korken, den er bereits zu Hause gelockert hatte, mit den Zähnen aus dem Flaschenhals. Süß und ölig rann ihnen der klebrige Wein in die Kehle. Jeder Quadratzentimeter der Mauerkrone schien von feiernden Menschen besetzt, aber noch immer enterten Neuankömmlinge mit Hilfe der bereits oben Stehenden die

Betonelemente. Ständig wurden Kraft und Ivan aufgefordert, nach den ausgestreckten Händen zu greifen und die Menschen zu sich nach oben zu ziehen. Dicht an dicht standen die beiden, klammerten sich aneinander und an wildfremden Menschen fest. Mit Geschrei wurde ihnen ein Kind, ein Junge von vielleicht sechs Jahren, entgegengestreckt. Der Junge reckte seine dünnen Ärmchen in die Höhe, Kraft packte seine Handgelenke, zog ihn schwungvoll zu sich hoch, hob ihn bis auf Augenhöhe und starrte in sein eigenes Gesicht: die gleichen grauen Augen mit den honigfarbenen Einschlüssen in der Iris, das gleiche gelockte Haar, ein kindlicher Mund, aber bereits mit dem gleichen skeptischen Zug auf den schmalen Lippen. Kraft streckte das Kind erschrocken weit von sich und sah Hilfe suchend zu Ivan, der Auge in Auge mit einer Frau stand, die er eben zu sich nach oben gezogen hatte; mit breitem Gesicht und mütterlichen Hüften stand sie vor ihm und schaute in das tränende Auge, in das sie einstmals wütend eine Gerbera geschlagen hatte. Ruth Lambsdorff blickte panisch von einem zum anderen, riss Kraft ihr Kind, das ganz augenfällig auch das seine war, aus den Händen, drückte es schützend an ihren üppigen Busen und wich erschrocken von dem ungarischen Dissidenten und Schachgenie zurück, trat dabei mit einem Fuß ins Leere und wäre zweifellos, mit ihrem Sohn im Arm, rückwärts von der Mauer gestürzt, hätte nicht ausgerechnet Ivan, der im selben Moment in ihr das sozialistische Schlägerweib erkannte, dem er den Verlust seiner Sehkraft zu verdanken hatte, instinktiv nach ihr gegriffen und den drohenden Sturz verhindert, während Kraft tatenlos und mit offenem Mund daneben stand.

Für einen Moment schien die Zeit stillzustehen, als finde dieses Jahrzehnt sein Ende nicht; allen dreien rauschte das Blut in den Ohren, das Kind blickte verständnislos von einem zum anderen. Aus der Vergangenheit drang eine Kraft in dieses Dreieck und wollte die Körper weit auseinandertreiben, aber es gab kein Entkommen. Dicht aneinander gezwungen standen sie, Leib an Leib, in der Mitte eingequetscht der Junge, dann brandete hinter den Erstarrten Jubel auf, als wollten Hunderttausende diese Wiedervereinigung feiern, ein Synthesizer setzte ein, tausendfach verstärkt übertönte ein Singender die Menge: Eines Morgens im Juni, ungefähr zwanzig Jahre zuvor, sei er als Sohn eines reichen Mannes zur Welt gekommen; es habe ihm an nichts gefehlt, das man mit Geld kaufen könne, aber Freiheit habe er keine gehabt, so sang er; glücklicherweise auf Englisch, denn was er besang, war ja nun gerade nicht das Problem der feiernden DDR-Bürger gewesen. Dann setzte ein stampfender Beat ein, in einem Krankorb stehend, die Menge zum rhythmischen Mitklatschen auffordernd, wurde David Hasselhoff weit über die Menge hinausgehoben, unzählige elektrische Lämpchen blinkten auf seiner Lederjacke, sein Schal, der im Muster einer Klaviatur gestrickt war, leuchtete in die dunkle Nacht, der Refrain setzte ein, und aus tausend Kehlen erscholl der Ruf nach Freiheit:

I've been looking for freedom
I've been looking so long
I've been looking for freedom
Still the search goes on

Der Junge riss seine Arme in die Höhe, klatschte mit seinen kleinen Händen kräftig den Rhythmus mit und fiel mit kindlichem Falsett in den Gesang ein.

Und es war, als befreie dies die drei aus ihrer Betäubung. Mit einer Geste der Erlösung hoben sie die Hände zum Himmel und priesen gemeinsam mit dem amerikanischen Fernsehstar die Freiheit, aber jeder für sich, den Blick des anderen meidend, in den vom Feuerwerk erhellten Himmel starrend.

XI.

Theodizee gelungen, Gott tot.

Odo Marquard

Aus dem Schlaf aufschreckend, starrt Kraft in den aufgerissenen Schnabel eines Purpurgimpels. Es hat ihm geträumt,
er stehe mutterseelenallein am Strand von Ceuta vor einer
riesenhaften Maschine, deren Laserstrahl mit schnellen Linien vor den glänzenden Kappen seiner Schuhe ein Objekt
aus dem Sand sintert, das, emporgehoben von einem un-
sichtbaren Mechanismus, sich gläserne Schicht für gläserne
Schicht vor ihm auftürmt und entbirgt, bis er an einem
transparenten Habitat emporschaut. Das Meer schwillt an,
die Wellen umspülen Krafts feines Schuhwerk, er rettet sich
auf die transparente Insel, die vom Wasser angehoben auf die
offene See treibt. Kraft bleibt ganz ruhig, kein Grund zur
Panik, er weiß, Gibraltar ist nicht weit und es ist alles da:
ein gläsernes Bett, eine gläserne Toilette, ein gläserner Vor-
ratsschrank, in dessen Innerem Gläser schimmern, die mit
gläsernem Eingemachten gefüllt sind. Der Wind treibt er-
stickte, gurgelnde Rufe der Not in seine Richtung. Unzählige
abgerissene Gestalten in Ringertrikots, die wie Seehundfelle
glänzen, schwimmen auf seine Insel zu, strecken ihre dunklen Arme nach seinem Eiland aus, klammern sich mit vom
Meerwasser schrumpeligen Fingern an den Rand und schwin-

gen ihre rosa Fußsohlen über die Reling. Kraft, mit stummer Zähigkeit, verteidigt sein Reich, biegt die Finger zurück, tritt auf knackende Fingerglieder, rennt von Backbord nach Steuerbord und wieder zurück, schlägt zu, tritt und stößt, aber es sind zu viele. Dann reicht ihm Herb ein Ruder, und Kraft schlägt damit auf die Köpfe, die über der Bordwand auftauchen, im rasenden Tanz, ein Kopf, ein dunkles Gesicht, ein Schlag, da, schon wieder einer, zack und zack, und dann rutscht er aus, taumelt, strauchelt, kippt rücklings über die Bordwand, seine Finger gleiten an dem Glas ab, das Wasser schlägt über ihm zusammen, er schreckt hoch und starrt in den aufgerissenen Schnabel eines Purpurgimpels.

Hektisch strampelnd, befreit er sich aus dem nass geschwitzten Laken, stellt achtlos die nackten Füße auf den Teppich und klammert sich mit einer Hand an die kühle Bettstatt. Gute Güte, denkt Kraft, warum nur schlage ich auf diese bedauernswerten Köpfe ein? Warum nur tue ich so was? Das passt doch nicht zu mir. Und das Ruder, kaum habe ich es wieder, wenigstens eines von zwei, verliere ich es abermals. Er reibt sich die Augen, die Nase, schnaubt und streicht sich die verklebten Locken aus der Stirn. Dieser verdammte Erkner hat mich ganz disruptiert mit seinem Geschwätz.

Er hatte sie in eine Bar geschleppt, hoch oben, in einem gläsernen Turm, irgendwo im Financial District. Kraft hatte am Fenster gesessen und hinunter in die Straßenschluchten geblickt, in denen die Leuchtkäfer ihre Spuren zogen, und hinauf, die Fassaden entlang, bis zur Spitze des Transamerica Building, die wie ein pharaonisches Grab in den Abendhimmel ragte. Irgendwo da unten, in diesen Hügeln, saß Johanna in einem kleinen Holzhäuschen, vielleicht im Licht einer eben eingeschalteten Küchenlampe, mit einem Löffel in der Hand. Kraft hatte Hunger. Zu seinem eigenen Erstaunen trauerte er bereits seinen Mac and Cheese hinterher, die man ihm, kaum angerührt, unter der Nase weggezogen hatte. Und eben wurde, auf Erkners Anweisung, von einer devoten Kellnerin die Schale mit der Nussmischung vom Tischchen geräumt und davongetragen. Dafür wurde eine Flasche Roggenwhiskey aus heimischer Produktion gebracht, aus der Erkner großzügig eingeschenkt hatte, um sich dann, den Tumbler auf seiner Handfläche balancierend, mit durchgestrecktem Rücken auf den Rand seines petrolfarbenen Mid-Century-Sessels zu setzen und loszulegen. Kraft, um eine aufmerksame Haltung bemüht, hatte es ihm gleichgetan, sank aber, von der konsequenten Widersprüchlichkeit der Worte seines Gesprächspartners gebeutelt, bald in sich zusammen und zog sich in den Schutz des Polsters zurück. Er war genauso erschüttert wie vor Monaten, als er den PDF-Anhang von Ivans Mail geöffnet und in das Bubengesicht mit den kalten Augen geblickt hatte, das sich nun direkt vor ihm befand, sodass er die platte Nase mit den Fingerspitzen hätte berühren können, wenn er nur die Kraft gefunden hätte, den Arm auszustrecken.

Erkner schien von einem dringenden Bedürfnis besessen, eine umfangreiche Präsentation seines Weltbildes abzuliefern, in wohlartikulierten Sätzen von makelloser Klarheit, die sich abwechselnd dem Genre des Slogans oder des Glaubenssatzes bedienten, die er aber, obwohl emphatisch formuliert, ohne ersichtliche Gemütsregung über die nierenförmige Glasplatte schickte, die zwischen ihren Knien stand.

Der Katholizismus, hatte Erkner gesagt, liege ihm in seiner theologischen Komplexität und intellektuellen Strenge näher als die Beliebigkeit des Protestantismus. Er sei ein hingebungsvoller Christ, hatte er beteuert und dabei knapp an Krafts linkem Ohr vorbeigeschaut. *Christianity is true.* Und weil sich in seinem Gedankengebäude keine Trennung zwischen weltanschaulichen Themen, die Kraft eher dem Privaten zugerechnet hätte, und seinen Handlungsmaximen als Unternehmer ausmachen ließ, wie überhaupt die unterschiedlichsten Sujets in seiner Rede mit organischer Selbstverständlichkeit nahtlos ineinander überblendeten und damit das Prekäre der argumentativen Konstruktion übertünchten, hatte Kraft erst nur ein diffuses Unwohlsein überkommen, das er dem starken Getränk, welches in seinem leeren Magen nichts fand, von dem es hätte absorbiert werden können, zugeschrieben hatte, als Erkner nur wenige Sätze später, in denen er aber offenbar, und von Kraft ganz unbemerkt, einen weiten Weg zurückgelegt hatte, davon sprach, wie sehr er schon immer Autoritäten verabscheut habe, weil sie der Originalität des Denkens und damit dem schnellen Fortschreiten in zukünftige Gegenwarten das Geschirr der Vergangenheit und der gegenwärtigen Gegenwart aufzäumten und damit das Nachdenken über die gegenwärtige Zukunft an die Kandare nähmen, womit aber eben auch der Möglichkeitsraum der zukünftigen Zukunft eingeschränkt werde. Die gesamte Weltbetrachtung habe so unabhängig wie möglich von bereits bestehenden und von Autoritäten verordneten Interpretationen zu sein, damit man, und dies sei für das Denken und Handeln der Technologiebranche unerlässlich, nicht auf ausgetretenen Pfaden wandle, denn nur das Neue garantiere eine bessere Zukunft für die Menschheit. Intellektuelle Unabhängigkeit sei der einzige Garant für Freiheit. Kraft hatte lange gebraucht, um sein Unwohlsein der völligen Unvereinbarkeit der einzelnen Bestandteile von Erkners Rede zuzuschreiben. Es war, als serviere man ihm einen Leberwurst-Milchshake, aber so gekonnt angerichtet und mit einer solchen Selbstsicherheit aufgetragen, dass die offensichtliche Widersprüchlichkeit der Anordnung sich erst bemerkbar machte, als die unverträglichen Ingredienzen im Magen ihre wohlgestaltete Form verloren und gegeneinander zu rebellieren begannen. Wie zum Teufel, so hatte er gedacht, lässt sich das Bekenntnis zum Katholizismus mit einer Ablehnung jeglicher Autorität vereinbaren? Aber bevor er einen Einwand formulieren konnte, wurde ihm ein neuer Zauber serviert, der mit dem Undenkbaren überhaupt – der Unsterblichkeit – glasiert war, aber mit einer Selbstverständlichkeit daherkam, als handle es sich dabei nur um ein technisches Problem, das unter Einsatz von Geld und ingeniösem Geist einer baldigen Lösung zugeführt werden könne. Ein Problem von hoher, ja, vielleicht sogar höchster Dringlichkeit sei die Sterblichkeit des Menschen, und deshalb investiere er nicht unbeträchtliche Summen in deren Überwindung, indem er das Institut eines Biogerontologen finanziell unterstütze. Es sei durchaus machbar, den Tod, der auch nichts anderes sei als eine Krankheit, zu besiegen, er unterscheide sich substanziell nicht von einer Grippe oder einem Magenkrebs; vermutlich nicht mehr zu seiner Lebenszeit, aber man müsse in die Zukunft denken. Was er allerdings nicht verstehe, sei, dass die meisten Menschen bereitwillig vor dem Tod kapituliert hätten. Es herrsche in unserer Gesellschaft die Vorstellung, der Tod sei unberechenbar und unvermeidlich.

Kraft sah nicht, wie sich Erkners Wunsch nach Unsterblichkeit mit seinem Bekenntnis zum Christentum vertrug, weder mit einer protestantischen noch mit einer katholischen Theologie. Aber er war sich, und das kam auch für ihn selbst überraschend und entmutigte ihn ungemein, mit seinen Gegenargumenten, wiewohl sie doch auf der Hand lagen, ganz unsicher. Es konnte doch nicht sein, dachte er, dass ein so erfolgreicher Mann Millionen in etwas steckte, das nicht bis aufs Letzte durchdacht war. Erkner aber hatte inzwischen den Tod längst hinter sich gelassen und sich ganz seinem offensichtlichen Lieblingsthema zugewandt, der Zukunft, oder besser gesagt, den Zukünften, denn sie schienen ihm in den verschiedensten Varianten möglich, aber nur in einer wünschenswert. Diese war glücklicherweise vollständig planbar, und davon konnte er sogar, mit geübtem Strich seiner Mont-Blanc-Feder, ein kleines Schaubild auf seiner Cocktailserviette verfertigen, und dabei beeindruckte er Kraft, indem er die Beschriftung mühelos auf dem Kopf stehend verfertigte, sodass sie für sein Gegenüber zu lesen war. Die Welt, so erklärte er anhand seiner Skizze, befinde sich seit geraumer Zeit in einer Krise, denn die Menschen hätten den Glauben an eine berechenbare Welt, eine berechenbare Zukunft verloren. In den goldenen Fünfzigerjahren und den darauffolgenden Dekaden sei die Menschheit, ausgehend von den USA und dem von hier ausgehenden technischen und wissenschaftlichen Fortschritt, von einem konkreten Optimismus geleitet gewesen, dem Glauben, die Zukunft werde besser sein als die Gegenwart, wenn man nur das Richtige dafür tue und hart daran arbeite. Wie diese bessere Zukunft auszusehen habe, darüber sei man sich einig gewesen. Aber heute habe ein allgemeiner Pessimismus die Menschen erfasst. Gerade in Europa sei es ein unkonkreter Pessimismus, der die Gemüter habe erschlaffen lassen. Man sei überzeugt, die Zukunft sei zwangsläufig düster, und habe im Grunde genommen nicht die geringste Ahnung, was dagegen zu tun sei. Alles, was den Europäern heute übrig bleibe, sei, auf den unvermeidlichen Niedergang zu warten und dabei tatenlos das Leben zu genießen; und genau darin sei der Grund für die Freizeitmentalität der Europäer zu finden. In Amerika hingegen habe in den frühen Achtzigern eine Phase des unkonkreten Optimismus begonnen, die sich besonders deutlich im Aufstieg der Finanzbranche zeige, deren einziges Ziel es sei, Geld zu vermehren, ohne aber eine Vorstellung davon zu haben, wie damit eine bessere Zukunft zu schaffen sei.

Kraft war nun endgültig verwirrt, hatte er doch, als ihn die Einladung nach Stanford erreichte, Erkners Wikipedia-Eintrag studiert, in dem zu erfahren war, dass dieser geraume Zeit in der Finanzbranche verbracht hatte und mit seinem eigenen Anlagefonds, mit dem er gegen Währungen und Energiepreise gewettet hatte, in der Finanzkrise tüchtig ins Strauchein geraten war. Hilflos suchte er nach Ivans Blick, und es schien ihm, als weiche ihm dieser aus. Scheinbar unbeteiligt saß er neben Erkner und schaute den Eiswürfeln in seinem Glas beim Schmelzen zu. In diesen fatalen Zeiten des unkonkreten Optimismus, fuhr Erkner fort, seien der Anwalt und der Banker die Leitfiguren. Eine Hinwendung zum konkreten Optimismus, der Glaube an eine planbare Zukunft, sei aber dringend geboten, und am Ende dieser Kulturrevolution, mit der der Mensch das Joch des Zufalls abschütteln werde, werde wieder der Ingenieur die Speerspitze der Menschheit bilden. Mit diesen Worten blitzte zum ersten Mal ein Anflug von Enthusiasmus an Krafts rechtem Ohr vorbei.

Ha, der Zufall, denkt Kraft, den mag er nicht, dieser Erkner, und dabei steht er auf und beginnt, in Unterhosen in Mckenzies Zimmer auf und ab zu gehen. Natürlich nicht, denn der Zufall kommt seinem Elitarismus in die Quere. Das Leben sei kein Glücksspiel, hatte Erkner gesagt und zur Untermauerung seiner Überzeugung einige Autoritäten zitiert: Oberflächliche glauben an Glück und Zufall. Tatkräftige glauben an Ursache und Wirkung, das habe schon Emerson gewusst, und Amundsen sei der Meinung gewesen, der Erfolg erwarte diejenigen, die ihre Sache in Ordnung gebracht hätten; andere sprächen von Glück... Aber auch ein Tweet des Twitter-Gründers Jack Dorsey musste zum Beweis herhalten: Erfolg ist keine Frage des Zufalls...

Aber mit der Anrufung solcher Autoritäten gab sich Erkner

nicht zufrieden, sondern bemühte sich, bevor Kraft dazu kam, mit Jonathan Swift zu entgegnen, zum Segen des Glücks würden sich nur die Unglücklichen bekennen, die Glücklichen aber führten alle ihre Erfolge auf Klugheit und Tüchtigkeit zurück, das Paretoprinzip oder ganz allgemein die Potenzgesetze, denen zufolge die Ungleichverteilung in unserer Welt ein extrem verbreitetes Phänomen sei; ja, es zeige sich mit aller Deutlichkeit, dass unsere Welt in ihrer natürlichen und gesellschaftlichen Dimension vom Potenzgesetz regiert werde. Bereits Pareto habe zeigen können, dass sich in Italien der Grundbesitz nach der klassischen 20/80-Verteilung richte, dass also 20 Prozent der Italiener 80 Prozent des Grundes besäßen, was sich mit derselben Natürlichkeit gezeigt habe wie die Tatsache, dass 20 Prozent der Erbsensträucher in Vilfredo Paretos Garten 80 Prozent der Ernte lieferten; woraus Erkner mühelos in der Lage war zu folgern, dass es also auch unter den Menschen nur eine Handvoll Leistungsträger und Genies gebe, die die Menschheit mit ihrem Tun insgesamt nach vorn brächten, und sich mit der Anerkennung des Paretoprinzips als regierendem Gesetz des Universums auch die ökonomische Ungleichheit in den Rang eines Naturgesetzes erheben lasse.

Kraft unterbricht seine Wanderschaft unter den Plakaten der Basketballspieler, die ihn nun ins Grübeln bringen; obwohl er mit einer leicht überdurchschnittlichen Körpergröße gesegnet ist, überragen ihn solche Hünen um Haupteslänge. Nur ganz wenige werden von der Natur mit der Statur eines Basketballspielers beschenkt, aber nicht jeder, der zwei Meter zehn misst, wird ein großer Basketballer. Nein, dazu braucht es harte Arbeit. Andererseits gab es auch erfolgreiche Basketballspieler mit eher durchschnittlicher Größe, und überhaupt ist das ein schlechtes Beispiel, denn gerade die Körpergröße unterliegt keiner Exponentialverteilung, das weiß

Kraft. Aber spricht das nun für oder gegen Erkners Argumentation?

Ach, wieder einmal hört unser Kraft den leisen Ruf über die Zinnen klingen: So einfach ist es nicht. Nichts und nie ... Aber weshalb hört er gerade jetzt den Ruf? Weshalb erweist sich sein mühsam errichtetes intellektuelles Bollwerk gerade in der Gegenwart Erkners als nicht wehrhaft genug? Nun, wir ahnen es bereits: So einiges in Erkners Denken und seiner Persönlichkeit ist Kraft gar nicht so fremd. Bei aller offensichtlichen Unterschiedlichkeit sind sie sich eben doch ähnlicher, als ihm angenehm ist, und wir können davon ausgehen, dass Krafts Abneigung sich zumindest zu einem signifikanten Teil genau aus diesem Umstand speist. Noch nie ist Kraft einem Menschen begegnet, in dem sich das Wesen des Igels und das des Fuchses so sehr in einem Widerstreit befinden. Als er Erkner in der Bar gegenübersaß und widerstandslos seiner Ansprache zuhören musste, schien ihm, als sei dieser in seiner Wesenhaftigkeit ganz eindeutig den Vulpini zugehörig, doch plage ihn eine solche Sehnsucht nach Klarheit und Eindeutigkeit, dass er sich in eine Erinaceidaenhaftigkeit zurückzog, die ihm eine große Pein sein musste, denn es ist dem Fuchs eben nicht möglich, ein Igel zu sein; das wusste Kraft. Und genau deswegen streckte und reckte er sich wieder in Fuchsgestalt, die ihm aber auch kaum erträglich schien. Erkner gebärdet sich wie ein Fuchs, der seinem eigenen Schwanz nachjagt und darüber in einen rasenden Derwischtanz gerät, sich immer schneller und schneller um sich selbst dreht, bis sich sein agiler Körper, der so leichtfüßig traben kann, als könne er mit federndem Gang über Wasser laufen, immer mehr verdichtet, darüber in eine immer schnellere Pirouette gerät und in sich zusammenschnurrt zum Igel, aber das Kreiseln hört nicht auf und der Igel rollt sich zu einem solch dichten Ball ein, dass er sich die eigenen

Stacheln in den verletzlichen Bauch drückt und darüber aufschreckt, sich reckt und streckt und in alle Richtungen ausdehnt, die Glieder von sich wirft und wieder zum Fuchs wird, der seinem eigenen Schwanz nachjagt ... Kein Wunder, denkt Kraft, dass sich ein solcher Mensch in einer abgründigen Orientierungslosigkeit wiederfinden muss, die sich nicht einmal mehr als solche selbst erkennen kann, und ihm irgendwann die stärksten Kontradiktionen als ganz einsichtig erscheinen. Dieses Oszillieren muss einem doch auf Dauer das Gemüt zerrütten. Fast tut er ihm leid; und das ist nun für Kraft beileibe eine seltene Gemütsregung. Er hätte ihm, Erkner, einen István gewünscht, der ihm zur rechten Zeit die Augen für die Stachelschweinoption geöffnet hätte, aber dafür, da ist sich Kraft sicher, ist es nun zu spät, Erkner zu alt und vermutlich auch zu reich.

Der Geniekult, der ist Kraft nun weiß Gott nicht fremd ... Aber man braucht es doch nicht zu übertreiben ... Und diese Rückführung auf Naturgesetzlichkeiten, die aber nur Gültigkeit besitzen, wenn es einem dienlich ist ... Und dieser unangenehm offen eingestandene Elitarismus ... Aber halt! Lässt sich nicht daraus etwas machen? Gibt es dazu nicht etwas bei Pope? Kraft schaltet die Schreibtischlampe ein und sucht ganz aufgeregt in seinen Bücherstapeln nach Popes *Essay on Man*. In der dritten Epistel ...? Nein, in der vierten. Kraft brauchte eigentlich gar nicht danach zu suchen, denn längst summen ihm, dank seines phänomenalen Gedächtnisses, die Verse im Kopf. Aber er will es schwarz auf weiß. Hier ... Da ist es:

Order is Heaven's first law; and this confest,
  Some are, and must be, greater than the rest,
  More rich, more wise ...

Plötzlich weiß er, was er zu tun hat. Er stellt den Wecker auf sieben, glättet das zerknüllte Laken, breitet die Patchworkdecke darüber, löscht die Lichter und kriecht ins Bett. Einen kurzen Augenblick lang bekämpfen sich euphorischer Tatendrang und grenzenlose Erleichterung, doch Letztere gewinnt bald die Überhand und entlässt Kraft in den Schlaf.

Zu wissen, was er zu tun hat. Welch süße Empfindung verbindet unser Kraft damit. Eine flüchtige Empfindung ist es, das weiß Kraft, und gerade deswegen gilt es, den Moment zu nutzen und danach zu greifen, denn allzu oft kommt bald wieder der Zweifel und tut stetig nagend sein entkräftendes Werk.

Wusste er, was zu tun war, als Ruth Lambsdorff, nachdem der Jubel für David Hasselhoff abgeklungen war, ihrem Sohn die Hände auf die Schultern legte, ihn zu Kraft drehte und mit den Worten vorstellte, dies sei Daniel, sie habe ihn nach Cohn-Bendit getauft?

Ivans Lippen zitterten, verständnislos blickte er von dem Gesicht des Jungen in das Gesicht seines Freundes und wieder zurück, richtete sein Auge über Ruths üppigen Busen hinweg auf ihre breiten Züge, stieß den ausgestreckten Zeigefinger anklagend gegen sie und dazu einen amerikanischen Fluch aus und suchte, von der Mauer springend, Richtung Osten das Weite. Kraft hielt ihn nicht auf. Stattdessen sprang er auf der anderen Seite von der Mauer, drängte sich, ohne sich umzusehen, durch die feiernde Menge und verschwand im dunklen Tiergarten.

Sechs Tage – für jedes Jahr einen Tag – brauchte er, bis er Ruth verzeihen konnte, dass sie ihm seine Vaterschaft verschwiegen hatte, und drei weitere Tage, bis er ihr den Namenspatron ihres gemeinsamen Sohnes verzieh, dann machte er sich auf die Suche. Im *Diener* konnte sich niemand an die Frau erinnern, die er den Gästen und dem Personal als keine klassische Schönheit, aber ausgesprochen beeindruckende Persönlichkeit beschrieb und mit hilflosen Gesten anzudeuten versuchte, was er so beeindruckend fand. Nein, eine solche Frau kannte man nicht im *Diener*, und demnach auch nicht den kleinen Jungen, den sie, so Kraft, eventuell manchmal bei sich habe; ein Junge, der ihm wie aus dem Gesicht geschnitten sei.

An der Hochschule der Künste hatte er mehr Glück. In einem Atelier mit staubigen Fenstern, in dem er sich die frisch geputzten Schuhe mit Gips versaute, erinnerte man sich gut an Ruth Lambsdorff. Sie habe bis vor einigen Monaten noch bei Günther Ackerknecht als Assistentin gearbeitet, mit diesem aber, beschied ihm raunend ein junger Mann, dessen Haut, Haar und Blaumann einen pudrig weißen Überzug wie ein Schimmelbesatz zierte, sei sie aneinandergeraten, sodass er sie entlassen habe. Nein, eine Privatadresse der Lambsdorff habe er leider nicht, aber damit könne sicherlich der Herr Professor dienen, fügte er hinzu, verzog sein hageres Gesicht zu einem maliziösen Grinsen und sah dabei aus wie seine eigene Gipsfigur mit dem Hungergesicht, an der er mit einem rostigen Nagel herumkratzte.

Kraft fand Ackerknecht hinter dem Ateliergebäude im Freien sitzend. Trotz der Kälte trug dieser zur Zimmermannshose bloß eine Weste aus grobem Cord und ließ sich nur ungern beim Rauchen stören. Der Professor scharrte verdrossen mit den Stiefeln im Matsch, während er sich mit der Hand über die spärlichen grauen Borsten seines massigen Schädels strich und sich dabei das Haupt mit Zigarettenasche bekränzte. Kraft klemmte sich seine Mappe vor die Brust. Das war genau der Typ Mann, der ihn verunsicherte: fleischig, rosig, roh. Zaghaft brachte er sein Anliegen vor; man habe ihm gesagt, der Herr Professor kenne vielleicht die Privatanschrift der Frau Lambsdorff. Ackerknecht hustete. Ja, allerdings, die kenne er. Dann hustete er wieder und schwieg. Ob es denn vielleicht möglich sei, diese von ihm zu erhalten? Kraft wurde einer Musterung unterzogen, die ihm wie die Winterkälte in seinen kurzen Wollmantel kroch. Für die Polizei sehe er nicht dumm genug aus und sei auch nicht unfreundlich genug, ob er bei dem Fräulein Lambsdorff Schulden eintreiben wolle? Nein, nein, beeilte sich Kraft zu versichern, seine Bekanntschaft mit Frau Lambsdorff sei rein privater Natur. Ackerknecht neigte seinen feisten Schädel zur Seite und musterte ihn mit zusammengekniffenen Augen, dann tippte er sich mit zwei Fingern, zwischen die er die Selbstgedrehte geklemmt hielt, an die kahle Schläfe. Du bist doch der Vater vom kleinen Dany?, sagte er. Ja, in der Tat, er habe Anlass, dies zu vermuten, antwortete Kraft. Vermuten?, schnaubte Ackerknecht, euch beide hätte Breker nicht ähnlicher hingekriegt. Er glaube nicht, dass es dem Fräulein Lambsdorff recht wäre, wenn er ihm ihre Adresse verrate. Ackerknecht ließ seine Kippe fallen und trat sie mit einem groben Tritt in den Schmutz. Aber genau deswegen sei er gerne dazu bereit. Mit einem zerkauten Bleistiftstummel, den er anleckte, schrieb er die Adresse auf einen Zettel, den Kraft eilig aus seiner Mappe gekramt hatte. Vergessen sie nicht zu erwähnen, sagte er, als er ihm den Zettel reichte, dass Sie die Adresse von mir haben. Viel Glück. Dann hustete Ackerknecht wieder und entließ Kraft mit einem müden Winken seiner fleischigen Pranke.

Ruth war in der Tat alles andere als begeistert, als er bei ihr in Kreuzberg vor der Tür stand, aber immerhin bat sie ihn in die kleine Wohnung, die nach Kohlenheizung roch. Kraft holte die Ninja-Turtle-Puppe aus seiner Mappe, die er unterwegs besorgt hatte, und streckte sie, unter Ruths missbilligenden Blicken, seinem Sohn entgegen, der sich an den Türrahmen seines Kinderzimmers klammerte. Wortlos nahm der Junge das ungewohnte Geschenk des Fremden entgegen und verschwand in seinem Zimmer. Ruth bat Kraft in die Küche, setzte Tee auf, und während sie darauf wartete, dass das Wasser kochte, hörte sie sich schweigend seine Vorwürfe an. Sie hatte nichts zu entgegnen, hatte sie sich doch selbst in all den Jahren manchmal gefragt, ob es richtig sei, dem Jungen seinen Vater vorzuenthalten, und manchmal, ob es nicht falsch sei, Kraft seinen Sohn zu verheimlichen, aber das kam selten vor, denn sie dachte nicht oft an Kraft. Sich zu entschuldigen lag ihr dennoch fern.

Ruth setzte sich Kraft gegenüber und blies in ihre Tasse. Müde war sie. Irgendwie erschöpft. Wäre Kraft einige Monate früher aufgetaucht, hätte sie ihn wahrscheinlich an der Schwelle abgewiesen. Aber jetzt fehlte ihr die Energie. Wie für Ivan, wenn auch aus ganz anderen Gründen, war auch für sie die Wende keine zum Besseren. Sie spürte bereits, dass es mit ihrem Berlin und ihrem West-Berliner Leben zu einem Ende kommen würde, und wiewohl sie den Regimen des Ostblocks keineswegs kritiklos gegenüberstand, bedauerte sie, dass die Geschichte unausweichlich auf dieses Ende hinauslief. Sie wusste, dass das Leben in dieser Enklave dem Leben in einer Blase glich und dass sich die Lebensform, für die sie sich entschieden hatte, nur hier so verwirklichen ließ, denn das dazugehörige Lebensgefühl konnte sich nur unter diesen historisch einmaligen Umständen bewahren lassen. Ruth war also ganz zerrissen. Der Zusammenbruch des Ostblocks und die Wiedervereinigung, mit der nun zu rechnen war, bedrohten ihre private Nische, und gleichzeitig schämte sie sich für diesen kleingeistigen Egoismus, denn sie sollte sich doch für die Millionen freuen, die ihre Freiheit fanden, aber sie ahnte, dass es mit dem Versagen des Sozialismus zu einem Mangel an Alternativen kommen musste und damit Kräfte befördert würden, die einen anderen Freiheitsbegriff als den ihrigen durchzusetzen gedachten.

Und dann war da das Zerwürfnis mit Ackerknecht. Ackerknecht, der sie schon während des Studiums gefördert hatte und ihr nach dem Abschluss die Assistenz angeboten hatte, für die sie dankbar gewesen war. Bald war sie mehr als nur seine Assistentin, denn auch Ackerknecht war ein Schwafler, wenn auch einer der schweigsamen Sorte. Er behelligte Ruth und den Rest seines Umfeldes mit seinem unerschöpflichen Schaffensdrang. Maulfaul und wortkarg ließ er aus seinem Atelier einen unaufhörlichen Strom an überlebensgroßen Skulpturen auf die Welt los. Ungezählte Darstellungen seiner bei einem Autounfall ums Leben gekommenen Tochter, die er mit wütenden Schlägen aus dem Marmor trieb, mit dem Schweißbrenner aus rostigen Autokarosserien oder mit der Kettensäge grob aus Eichenstämmen schnitt. An guten Tagen schuf er süßliche Mädchenfiguren, an schlechten widmete er sich der Darstellung des zerschmetterten Kinderkörpers, und wenn er getrunken hatte, stattete er beide mit stilisierten Engelsflügeln aus. Selbst in schwer depressiven Phasen, in denen er vollends verstummte und tagelang kein Wort sprach, erlahmte sein Schaffensdrang nicht. An einem Tisch in seinem Atelier füllte er schweigend Abdrücke seines Hodensacks, deren Herstellung mittels Gipsbinden zu Ruths Aufgaben als Assistentin gehörte, mit filigranen Miniaturszenen aus Silberdraht, von denen es ihm geträumt hatte, und verarbeitete damit seinen beidseitigen Hodenkrebs, der ihn kurz nach dem Tod seiner Tochter ereilt hatte. Den leeren Hodensack hatte er sich nach der Operation mit zwei eigenhändig geschliffenen Marmorkugeln befüllen lassen, deren leises Klackern Ruth wunderbar beruhigte, wenn sie, ihren Kopf auf Ackerknechts fleischigen Schenkel gebettet, das nutzlos gewordene Organ sachte in ihrer hohlen Hand wog.

Es war also Ackerknechts manische Produktion, die Ruths altbekannte Schwäche hervorrief und leider auch ihre eigene

Schaffenskraft lähmte, wiewohl er, das müssen wir ihm zugutehalten, sie in der mürrischen Art, die ihm als einzige zur Verfügung stand, in ihrer Arbeit zu bestärken versuchte und sie förderte, so gut er konnte. Ackerknechts Schwatzhaftigkeit in Ton und Gips, in Marmor und Silberdraht, in Autoblech und Eiche rang Ruth nieder und ließ sie wie ausgespuckt in tiefer Tatenlosigkeit zurück.

Nie wäre sie entkommen, hätte sie nicht eines Morgens begriffen, dass sie Dany das Zusammenleben mit Ackerknecht oder vielmehr dessen toter Tochter, die in den unterschiedlichsten Graden der Versehrtheit in Regimentsstärke aus Ackerknechts Atelier quoll, unmöglich länger zumuten durfte, denn das Kind wurde zusehends stiller und litt unter Anämie, für die kein Arzt eine Ursache finden konnte.

Mit der zweiten Tasse Tee ließ Kraft die Vergangenheit ruhen und wandte sich umstandslos der Zukunft zu, in der er für sich eine gewichtige Rolle im Leben seines Sohnes sah; eine Rolle, die ihm zweifellos zustehe und die er jetzt sogleich einzunehmen gedenke. Mit diesen Worten erhob er sich und begab sich, Ruths leisen Protest ignorierend, in das Zimmer seines Sohnes, um zusammenzuführen, was die Natur zusammengedacht hatte. Oft hatte er sich diesen Augenblick in den letzten Tagen ausgemalt und ihn mit der Hoffnung auf einen Moment der Erhabenheit verbunden, dessen reinigende Kraft Furcht und Schrecken in Mitleid verwandeln und die Dinge in Schönheit ordnen werde.

Es wurde dann nicht ganz so erhaben, wie er sich das vorgestellt hatte, denn vor dem Kinde kniend, ergriff ihn eine stammelnde Verlegenheit, die sich in Danys Zügen als Furcht und Schrecken widerspiegelte, und es war schließlich die Erbärmlichkeit der Szene, die in Ruth das Mitleid erweckte und sie veranlasste, ihren beobachtenden Posten im Türrahmen aufzugeben und einzuschreiten. Sie griff ihren Sohn bei der Hand, setzte sich mit ihm auf die Bettkante und erklärte ganz unumwunden, dies sei sein Vater, von dem sie ja immer wieder mal gesprochen hätten, der von seiner weiten und langen Reise zurück in Berlin sei und nun, wenn ihm, Dany, das recht sei, gelegentlich gerne etwas mit ihnen unternehmen würde. Das Kind nickte stumm und knetete das Gesicht des grünen Gummireptils.

Kraft hielt Wort und drängte sich, gegen Ruths nachlassenden Widerstand, in das Leben der beiden, indem er sie mindestens zweimal die Woche zu einer gemeinsamen Unternehmung abholte. Leider hatte er, was die Gestaltung eines Familienlebens anging, zwar viele abstrakte Ideale, aber nur wenig praktische Fantasie, sodass sich die Besuche im Zoo, in den Museen und Eisdielen zu wiederholen begannen und er die Gestaltung der gemeinsamen Nachmittage bald Ruth überlassen musste. Im Grunde genommen war er dankbar dafür, denn von dieser Last befreit kam er erst richtig dazu, Ruths natürliche Mütterlichkeit, die ihn schon bei ihrer ersten Begegnung so beeindruckt hatte, wahrzunehmen und hernach ausgiebig zu würdigen.

Es kam, wie es unter dieser historisch-biographischen Konstellation kommen musste; Ruths fundamentale Schwäche entwickelte sich synchron zu dem, was man für Kraft «einen guten Lauf» nennen konnte; kaum ein geisteswissenschaftlicher Kongress wollte mehr ohne einen Vortrag dieses jungen, dynamischen Denkers auskommen, der seine Zuhörerschaft mit stupender Gelehrsamkeit, eleganter Rhetorik und steilen Thesen in seinen Bann ziehen konnte und dessen Aufsätze in beängstigendem Rhythmus die besten Fachzeitschriften füllten. Kaum ein wichtiger Lehrstuhl im Lande war neu zu besetzen, ohne dass dabei sein Name fiel. Kraft gelang es, allseits den Eindruck zu erwecken, er sei der Mann der Stunde, der als einer der Wenigen in der Lage war, das

Anbrechen dieses neuen Zeitalters intellektuell adäquat zu fassen und mit seinem Denken zu begleiten. Der Ruf auf den Lehrstuhl für Rhetorik an der Universität Tübingen, als Nachfolger des großen Walter Jens, ließ in ihm die bürgerlichsten Familienträume auferstehen, die er Jahre zuvor, neben dem versehrten István auf dem Sofa in der Grunewaldstraße sitzend, beerdigt hatte und mit denen er nun Ruth beschwafelte, bis sie sich ihm erschöpft hingab und alsbald zum zweiten Mal von ihm schwanger war.

Kraft schleppte die Wehrlose vors Standesamt und machte aus einer Lambsdorff eine Kraft – übrigens das Einzige, was er sich in späteren Jahren gelegentlich vorwarf. Ohne Ruth, die an einer chronischen Plazentainsuffienz litt, was Kraft angesichts ihres breiten Beckens überraschte, reiste er nach Tübingen, wo er in zweiter Reihe am Neckarufer in einem Haus aus dem 16. Jahrhundert im obersten Geschoss eine Wohnung erstand, die ihm als Bühnenbild für seine Familienträume ein solches Wohlgefallen bescherte, dass er sich dafür schwer verschuldete. Aus seinem zukünftigen Arbeitszimmer gewährte sie ihm einen Blick auf das Tübinger Stift, und wenn er sich etwas aus dem Fenster lehnte und den Hals verrenkte, konnte er die Spitze des Hölderlinturmes sehen. Zu seinem Neuerwerb gehörte ein geräumiger Dachboden mit einem Gebälk aus Schwarzwälder Tannenholz. Kraft versprach seiner Frau, ihr diesen zum Atelier auszubauen, damit sie darin ihre künstlerische Tätigkeit weiterführen könne.

Noch vor der Geburt des zweiten Kindes siedelte Krafts kleine Familie nach Tübingen über. Die Parkettböden glänzten, in den fein gesprossten Fenstern brach sich die Herbstsonne, im Vestibül versprach ein von tausend Schritten erzählender Sandsteinboden Teilhabe an der Geschichte. Handwerker hatten, nach langen Verhandlungen mit der Denkmalschutzbehörde, mittels zweier großer Dachfenster

Licht in den Dachboden gebracht, Kraft versprach, die Isolation und den Innenausbau bald eigenhändig in Angriff zu nehmen.

Ruth hatte widerstandslos ihre Kreuzberger Wohnung geräumt und Berlin, das mit den Vorbereitungen für die Wiedervereinigungsfeier beschäftigt war, zu ihrem eigenen Erstaunen mit einem Gefühl der Erleichterung den Rücken gekehrt, um zum zweiten Mal ein Kind von Kraft auszutragen, mit dem Unterschied, dass er sich diesmal, seinen Vorstellungen einer bürgerlich-zeitgemäßen Ehe folgend, aufopfernd um sie kümmerte, wenn ihm seine neue Stellung als Ordinarius Zeit dazu ließ.

Hatte er das Richtige getan? Vielleicht ja, vermutlich aber aus den falschen Gründen. Wer wusste das schon so genau zu sagen. So einfach war das nicht.

XII.

Zweifle an der Sonne Klarheit, zweifle an der Sterne
Licht, zweifle nur an meiner Wahrheit und an deiner
Dummheit nicht.

Friedrich Wilhelm Joseph Schelling

Von wegen Kraft weiß, was er zu tun hat. Der Zweifel kommt
schneller, als er in der Lage ist, die Euphorie der Nacht in
einen konsistenten Gedankengang zu packen. Mühsam versucht er, die nächtliche Empfindung wiederherzustellen, und
als ihm das nicht gelingt, probiert er es mit Pragmatismus
und System, denn wenn er sich richtig erinnert, erwuchs
seine Tatkraft in Mckenzies Zimmer aus genau dieser Richtung. Ich muss, so sagt sich Kraft, mir, Heike und den Zwillingen die Freiheit wieder verschaffen. Dazu muss ich eine
Million nach Hause bringen. Um die Million nach Hause zu
bringen, muss ich diese vermaledeite Preisfrage beantworten;
und zwar besser als alle anderen. Was aber heißt in diesem
Zusammenhang besser? Zur größeren Zufriedenheit Erkners,
denn dieser hat das letzte Wort.

Hier gerät er ins Stocken, denn bei hellem Licht betrachtet,
fehlt dem Gedankengang die Tiefe der Nacht und er erscheint unverhüllt in seiner ganzen unaussprechlichen Häss-
lichkeit; vulgär, ordinär und funktionalistisch. So einfach
kann es doch nicht sein? Einfachheit, aus Opportunismus

geboren, bin ich denn schon so weit?, muss sich Kraft fragen, und es scheint, als lächle ihm Rumsfeld zu; weniger spöttisch als sonst. Vielleicht, mit etwas gutem Willen, könnte man sein Lächeln sogar als aufmunternd bezeichnen. Und ließ sich da nicht sogar eine Spur Mitleid aus den Zügen des alten Verteidigungsministers lesen? Ist es schon so weit gekommen? Ja, das ist es.

Kraft rauft sich zusammen, reißt die vollgekritzelten Blätter vom Block und schreibt in Versalien auf ein frisches Blatt: *THEODIZEE UND TECHNODIZEE; OPTIMISMUS FÜR EIN JUNGES JAHRTAUSEND. WESHALB ALLES, WAS IST, GUT IST, UND WESHALB WIR ES DENNOCH VERBESSERN KÖNNEN?* Und darunter: *Was würde Erkner antworten?* Letztere Frage umkreist er mehrfach mit seinem Füller und setzt aus Verlegenheit, nach einigem Nachdenken, noch ein Ausrufezeichen dazu.

Herrgott, das wird er doch noch hinkriegen!

Wenn dies hier, nur mal angenommen, die beste aller Welten ist, dann muss das Übel notwendigerweise dazugehören. Erkners Gott... Oder ist es Erkner selbst? Nein, erst Gott, dann Erkner... Zur Befriedigung von Erkners Geniekult wird er später kommen. Erkners Gott also realisiert die Welt nicht als vom Übel befreites Gutes, sondern als die Beste aller möglichen Welten, in der das Übel notwendigerweise auch vorkommt. So weit kann sich Kraft bei Leibniz bedienen. Das absolut Vollkommene kommt nur Gott selbst zu; im Rahmen der Schöpfung aber ist es, genau aus diesem Grund, ein Ding der Unmöglichkeit.

Das ist doch schon ganz gut, als Einstieg... Natürlich macht er sich damit bei seinen Kollegen lächerlich, aber zumindest stellt er damit seine Argumentation, zum Wohlgefallen Erkners, gleich auf ein religiöses Fundament. Und das kann er später noch ausbügeln, wenn er das Ganze wieder auf den Boden der Tatsachen zurückholen wird. Mit Widersprüchlichkeiten scheint Erkner ja kein Problem zu haben.

Weiter ... Weiter im Text ...

Das Übel; es muss also sein ... und es IST ... zweifellos. Jetzt muss es darum gehen, weshalb das Übel so übel gar nicht ist. Vielleicht sollte er gleich zur *great chain of being* überleiten ... Kette ist gut, das klingt so mechanisch, Glied für Glied, so sauber strukturiert und handfest. Eins nach dem anderen. An einer Kette kann man sich Glied für Glied zurückhangeln, bis sich *der Spaten der Erkenntnis* zurückbiegt, weil er auf den harten Fels der letzten Wahrheit stößt.

Kraft schaut einen Augenblick versonnen ins Neonlicht und erlaubt sich einen kleinen Tagtraum von jener letzten Wahrheit, die vor seinem geistigen Auge als silberner Brocken erscheint, massiv, schwer, härter als alles Material, von makellosem Glanz und mit einer reinen Oberfläche, so spiegelglatt, dass nicht das kleinste Partikel Schmutz daran haften bleibt. Ein Objekt, an dessen Existenz er nur in seltenen Augenblicken zu glauben vermag; aber was sind das für Momente der vollkommenen Reinheit ...

Gut, die Kette ... Man kann sich an einer solchen Kette natürlich auch nach vorne orientieren und ihr Glied für Glied in die geschmiedete Zukunft folgen. Die Zukunft, die mag Erkner.

Die große Kette der Wesen. Da kann Kraft sich eleganterweise gleich bei Pope bedienen, dem Urheber jener *Alles ist gut*-Formel, die es zu beweisen gilt. Die Fähigkeit – nein, er sollte besser vom Vermögen sprechen, damit gleich jetzt schon der monetäre Aspekt mitschwingt und er später den Kreis schließen kann –, also das Vermögen des Menschen an sich, aber auch jedes einzelnen Menschen, ist, ganz seiner Position im Seinsganzen, in der Kette der Wesen, angemessen. Und, wie es bei Pope heißt, nimmt der Mensch dabei eine Mittelstellung ein, zwischen Tier und höherem Geistwesen. Und in dieser Mittelstellung findet sich der Grund für seine innere Zerrissenheit. Das ist gut, die Zerrissenheit, damit spricht er direkt Erkners Unbewusstes an. Andererseits ... der Mensch als Mängelwesen? Erkner hat bestimmt Mühe, sich als ein solches zu sehen. Vielleicht sollte er das besser weglassen. Kraft schreibt *evtl. weglassen* an den Rand und setzt ein Ausrufezeichen dazu. Dann streicht er das Ausrufezeichen wieder durch. Was hat er nur heute mit diesen Ausrufezeichen, die benutzt er doch sonst nie; aus Prinzip nicht!

Aber er braucht das, für den weiteren Fortgang seiner Argumentation, diese Schwächen und Mängel. Es sind natürlich nicht nur die Schwächen, die die Position des Menschen definieren, sondern genauso seine Stärken. Vielleicht sollte er einfach das mit den Stärken mehr herausstreichen. Kraft schreibt *Stärken betonen* an den Rand und setzt ein Fragezeichen dahinter. Das wird schwierig, sind es doch gerade die Schwächen des Einzelnen, die den Zusammenhalt der Kette garantieren, weil sie die Ergänzung durch das Vermögen des anderen benötigen. Aber gerade durch diesen Mechanismus, und hier wartet auf Kraft schon die Lösung seines kleinen Problems, werden die Mängel bei Pope zu *glücklichen Schwächen*, die als eine Art Kitt für die wunderbare Gesamtkonstruktion fungieren. Für den Einzelnen mögen die Schwächen zwar von großem Übel sein, aber sie sind sozusagen eine notwendige Voraussetzung für das Gute des großen Ganzen. Und irgendwie, so bemüht Kraft sich, selbst zu glauben, stimmt das doch; was ist schon das Leid des Einzelnen gegenüber der Großartigkeit des Ganzen, und diese, so erscheint es ihm plötzlich ganz logisch, ist ja wohl unbestreitbar, denn schließlich heißt es nicht umsonst *whatever is, is right*.

Ob denn das nicht etwas ungerecht sei, wirft ein Zuhörer ein; Kraft stellt sich beim Denken gern ein Publikum vor. Aber beileibe nicht, entgegnet Kraft dem impertinenten Simpel, denn es handle sich hier ja nur um eine Frage der Distributionsgerechtigkeit und da habe:

a) bereits Pope festgestellt, dass *Some are, and must be, greater than the rest, more rich, more wise.*

Und außerdem

b) könne man sich ganz auf den Mechanismus des Trickle Down verlassen. Je mehr die oben haben, desto mehr tropfe auf die unten ... von allem, Geld, Geist, Bildung, etcetera. Dies sei gewissermaßen ein allseits bekanntes Naturgesetz ... Eine Kette eben ... und diese sei selbstverständlich nicht horizontal, sondern vertikal zu denken, wie die Kette, die von der Dachrinne in die Regentonne verlaufe, genauso, wie sie sowohl diachron als auch synchron zu denken sei – Letzteres hatte hier eigentlich nichts zu suchen, erfüllte aber wunderbar den Zweck eines *argumentum cerei nebulosi.*

Trickle Down und Great Chain of Being zusammengedacht, warum ist er da nicht schon früher drauf gekommen? Jetzt spürt er Oberwasser. Von hier aus wird es ganz leicht. Jetzt kann er einfach mit den Kanthölzern der neoklassischen Theorie und des Marktliberalismus auf seine Zuhörer eindreschen. Angebotsorientierte Wirtschaftspolitik, Laissez-faire, Unsichtbare Hand, Selbstregulierung der Marktkräfte, Individualismus, Utilitarismus, Eigenverantwortung etcetera und so weiter. Und das Beste daran wird sein, dass das von einem Professor für Rhetorik keiner erwartet. Er muss nur aufpassen, dass er nebenbei noch eine Lanze für die Monopole bricht, die Erkner in der Bar so gepriesen hat, und dass er irgendwo einschiebt, dass Wettbewerb eigentlich etwas für Verlierer ist. Um Widersprüchlichkeiten muss er sich keine Sorgen machen. Vielleicht kann er ja auch das noch begründen. Vielleicht sagt er einfach, dass konsistente Argumentation selbstverständlich unerlässlich sei, aber eben auch der Widerspruch dazugehöre; dies beweise sich doch mit diesem Satz gerade selbst. Das muss er natürlich noch etwas eleganter formulieren. *Besser formulieren*, schreibt er an den Rand, *Fertilität kontradiktorischer Modi ... / evtl. Eristische Dialektik -> Schopenhauer / Topik / o. so ä.*

Und dann, dann kann er ja auch noch mit Vogl und seinem Begriff der Oikodizee kommen. Wenn mit der Theodizee die Vorstellung verbunden ist, dass die Gerechtigkeit Gottes trotz der offensichtlichen Übel in der Welt gerechtfertigt werden kann, so ist mit Vogls Oikodizee, quasi analog, die Vorstellung verbunden, dass die Gerechtigkeit des Kapitalismus, trotz der offensichtlichen Übel in der Welt, mit einer Mischung aus naturgesetzlicher Gültigkeit und quasi-religiöser Überzeugung gleichsam heilsökonomisch verteidigt werden kann. Die Armut, der Hunger, die Ungerechtigkeit, das alles ist sozusagen von systemimmanenter Notwendigkeit im Dienste des großen Ganzen. Das System organisiert die soziale Ordnung, die damit auch von naturgesetzlicher Qualität ist, und weil das alles sowieso so wunderbar systematisch ist, ist es auch berechenbar und vorhersehbar, ergo ... die Zukunft ist planbar. Kraft sieht förmlich, wie Erkners Blicke während seines Vortrages endlich, nach einem Leben des Umherwanderns, zur Ruhe kommen und an seinen, Krafts, Lippen hängen bleiben.

Vogl hat das zwar alles kritisch gemeint und die Ablösung der Theodizee, also die Rechtfertigung Gottes, durch die Oikodizee, die quasi-religiöse Rechtfertigung des Kapitalismus, als eines der großen Probleme unserer Zeit ausgemacht, aber Kraft kann ja da, wo Vogl vom Phantasma spricht und das Religiöse, Imaginäre und Gespensterhafte des Wirtschaftsgeschehens anprangert, konsequent vom Visionären sprechen; das wird ganz wunderbar auf eine noch bessere Zukunft verweisen und Vogls raunenden Berliner Pessimismus in einen konkreten Optimismus nach Erkners Geschmack umdeuten. Wenn das Vogl zu Ohren kommt, wird er nie wieder ein Wort mit Kraft sprechen, aber das ist er, als angenehme Nebenerscheinung, gerne bereit, in Kauf zu nehmen.

So, jetzt muss er nur unbedingt noch die Technik und die Technodizee, nach der in der Ausschreibung der Preisfrage verlangt wird, unterbringen. Die Technodizee fragt also nach der Rechtfertigung der Technik angesichts des Übels in der Welt. Das wird ein bisschen schwieriger werden, fürchtet Kraft, schließlich sitzt hier nicht Gott auf der Anklagebank und auch kein Wirtschaftssystem, dem man den Nimbus des Gottgewollten verpasst hat, sondern der Mensch höchstselbst. Sicher, man kann mit irgendwelchen Kulturkritikern und Technikpessimisten behaupten, die Technik sei eigentlich gar kein Menschenwerk, sondern liege als solche bereits im Ideenhimmel, gleichsam auf Vorrat, und sei einer ganz eigenen Dynamik unterworfen, entwickle sich mithin autonom, und der Mensch sei nur ihr hinterherhechelnder Sklave, aber das ist sicher nicht das, was Erkner hören will. Nein, es muss ihm gelingen, die Technik als Selbstermächtigung des Menschen darzustellen; der geniale, schöpferische Ingenieur – und sein ebenso genialer und mutiger Financier –, die mit Hilfe der Technik eine bessere Welt schaffen. Und die Übel, die zweifellos durch die Technik in die Welt gebracht werden, muss Kraft dabei als notwendig für die Sinnhaftigkeit und Güte des großen Ganzen deklarieren.

Und was ist mit der Bombe? Dem Sündenfall Hiroshima?, unterbricht derselbe anmaßende Zuhörer wieder Krafts Vortrag, würden Sie den auch als notwendiges Übel verstehen wollen?

Ha, die Bombe, antwortet Kraft voller Vorfreude, der Sündenfall Hiroshima. Ich danke Ihnen für die Frage, denn sehen Sie, gerade daran lässt sich gut festmachen, dass es eben so einfach nicht ist, denn bei Lichte betrachtet gibt es keinen Sündenfall Hiroshima. Es wird Ivans Licht sein, das er in diesen dunklen Winkel zu senden gedenkt. Ein Licht, das dieser in einer ganzen Reihe von wissenschaftlichen Arbeiten gleißend hell hat strahlen lassen. Der sogenannte Sündenfall Hiroshima, so wird er mit Ivan argumentieren können, sei nichts als eine leere Worthülse, denn die neuesten Computermodelle zu dem Thema ließen den eindeutigen Schluss zu, dass die Erfindung der Atombombe und die Demonstration ihrer vernichtenden Kraft in Hiroshima einen dritten Weltkrieg verhindert habe. Nur der drohende atomare Holocaust habe verhindert, dass der Kalte Krieg zu einem heißen eskaliert sei, denn den Preis der nuklearen Totalvernichtung sei keiner der Blöcke zu zahlen bereit gewesen. Man stelle sich nur einmal vor, die Atombombe sei nie erfunden worden. Sagen wir, die Kernspaltung, ob kontrolliert oder unkontrolliert, ein Ding der Unmöglichkeit. Was dann? Die Antwort liege auf der Hand und werde auch von sämtlichen Modellen unterstützt. Ohne die drohende nukleare Eskalation wäre es zweifellos zu einem Krieg mit konventionellen Waffen zwischen den Blöcken gekommen; einem dritten Weltkrieg, mit Maschinengewehren, Panzern, Bomben, Jagdflugzeugen und dergleichen mehr, der aber ungleich verlustreicher geworden wäre als der Zweite Weltkrieg, denn die weiterentwickelte, nicht-nukleare Waffentechnik der Jahre '78 bis '82 – dies der Zeitpunkt, zu dem das prognostische Modell (Pánczél et al.), welches äußerst komplex sei, weil es die Einflüsse der Atomtechnik auf die Geschichte aus der Gleichung herausrechnen müsse, einen Krieg für am wahrscheinlichsten hält –, die Waffentechnik der Jahre '78 bis '82 also sei wesentlich effektiver gewesen als die der Jahre '39 bis '45, und deswegen müsse man in einem solchen hypothetischen Krieg mit Opferzahlen von siebenhundert Millionen (+/– 8 %) rechnen. Ergo habe die Erfindung der Atombombe, ziehe man die, konservativ geschätzten, hundertdreißigtausend Toten von Hiroshima ab (wie er die Toten von Nagasaki begründen soll, weiß er im Moment auch gerade nicht, da muss er heute Abend Ivan fragen), summa summarum sechshundert Millionen achthundertsiebzigtausend Menschenleben gerettet. *For the greater good,* sozusagen. Also noch einmal: Das Übel für den Einzelnen erweist sich als Notwendigkeit für das große Gute und lässt sich dagegen aufrechnen.

So viel zum Sündenfall von Hiroshima. Kraft sieht, wie der Störenfried durch die Wucht seines Argumentes einknickt und in beschämte Nachdenklichkeit versinkt.

Am besten wird er die Technik als Synthese von Glauben und Kapitalismus verkaufen, denn in ihr zeigt sich die gottgewollte Selbstermächtigung des Menschen – das Ausschöpfen seiner von Gott geschenkten Freiheit, Freiheit ... richtig, die hat er noch etwas vernachlässigt. Kraft schreibt *Freiheit manifestiert sich in der Technik!* an den Rand.

Und von hier ist es tatsächlich nur noch ein kleiner Schritt zur finalen Selbstermächtigung, der Überwindung der Sterblichkeit durch Technik, mit der der Mensch selbst zum Gott wird. Kraft kommt das nun alles ganz selbstverständlich vor, was Erkner am Abend zuvor vom Tod als zu überwindender Krankheit erzählt hat. Er kann auch den Widerspruch nicht mehr finden, den er zwischen Erkners Bekenntnis zum Christentum und seinem Wunsch nach Unsterblichkeit zu erkennen geglaubt hatte. Theologisch lässt sich das doch mit links begründen. Der Mensch muss irgendwann selbst zum Gott werden, sonst hätte ihn dieser nicht nach seinem Ebenbild geschaffen und mit Freiheit und Entwicklungspotenzial ausgestattet. Und die Analogie ist geradezu von verblüffender

Schönheit: Gott erschuf den Menschen nach seinem Bild, so, wie der Mensch den Roboter nach seinem Bild erschafft, und irgendwann (bald, so hoffe er, hatte Erkner gesagt) wird der Roboter zum Menschen (*oder andersrum?* notiert er an den Rand), und genau so, wie Gott die Gottwerdung des Menschen begrüßen wird, werden wir Menschen die Menschwerdung der Technik, die Singularität, begrüßen. Das wird das Feuerwerk sein, das Kraft am Ende zünden wird: die Singularität, jener viel beschworene Moment, in dem der technische Fortschritt förmlich explodieren wird, die künstliche Intelligenz die ihres eigenen Schöpfers überholt, Mensch und Maschine verschmelzen ... *Transhumanismus, Posthumanismus, Transzendenz unserer Spezies*, notiert Kraft, und *posthumaner Transtheotechnismus*. Ein neues Zeitalter wird anbrechen, so neu und so anders, dass niemand, nicht einmal ein Visionär vom Kaliber Erkners, in der Lage ist, es zu beschreiben. Aber eines wird Kraft versprechen, es wird gut werden ... so gut!

Es muss!

Kraft hat sich förmlich in eine Ekstase gedacht. Schweißperlen stehen ihm auf der Stirn. Die Schreibhand krampft. Immer schneller hat er geschrieben und dabei eine zusehends unleserlichere Spur seines überbordenden Enthusiasmus hinterlassen. Ist es möglich, dass er eben, in knapp drei Stunden, vollbracht hat, woran er die letzten Wochen, Tag für Tag, gescheitert war?

Kraft blättert zur ersten Seite zurück, an deren oberen Rand er die Frage, die er nun gelöst hat, in Versalien notiert hat, und beginnt zu lesen. Am Anfang macht er hie und da noch eine Anmerkung, ergänzt und streicht. Aber bald legt er den Füller nieder, trocknet sich mit dem Hemdsärmel die Stirn, und ungefähr bei der Hälfte hört er auf zu lesen. Hühnerkacke ... was für eine ausgedachte Hühnerkacke.

Mit so was wird er nicht antreten. So verzweifelt ist er nicht. Aber dann brummt das neue iPhone auf dem Tisch, und wie panisch er beim Anblick von Heikes Büronummer auf dem Display den Anruf ablehnt, beweist ihm eigentlich nur eines: Doch, doch, so verzweifelt ist er.

Vielleicht, so redet er sich ein, ist es nur eine Frage des Tons. Vielleicht kann er die Sache noch retten. Vielleicht wird das alles etwas weniger unerträglich, wenn er sich zu einer Art Mash-up überwinden kann und diesen entsetzlichen Notoptimismus mit einer Prise seines guten alten Skeptizismus würzt.

Bei einer hilfsbereiten Bibliothekarin leiht er sich eine Schere und Tesafilm und holt den dünnen Stapel Papier mit seinen Notizen und Fragmenten aus dem Rucksack. Blatt für Blatt sucht er nach brauchbaren Sätzen, findet hie und da sogar einen ganzen Abschnitt, den er noch für verwertbar hält, und die eine oder andere seiner Formulierungen lässt ihn sogar wieder etwas Hoffnung schöpfen.

Mit der Schere schneidet er das Verwertbare aus dem Manuskript und legt die Schnipsel, thematisch geordnet, vor sich aus. Dann macht er sich daran, die frisch beschriebenen Blätter von seinem Block mit der Schere zu bearbeiten. Eine Weile schiebt er die Fragmente auf der Tischplatte hin und her, sucht nach einer sinnvollen Anordnung. Das, brummt er vor sich hin, muss an den Anfang... und dann kann ich mit Schopenhauer kommen ... Mühsam sucht er mit dem Fingernagel den Beginn der Klebestreifenrolle, klaubt daran rum, reißt mit den Zähnen ein Stück ab und montiert damit den Schopenhauer direkt an den Zettel, den er als Anfang vorgesehen hat. Eine Weile läuft das ganz gut. Kraft schnippelt und klebt, kämpft mit dem Klebeband, und dass da etwas völlig Neues, physisch Greifbares vor ihm entsteht, stimmt ihn ganz optimistisch, bis er sich mit Tesafilm einen Fetzen

Fleisch von der Lippe reißt, erschrocken die schmerzende Stelle zwischen Daumen und Zeigefinger knetet, hochschaut und gewahr wird, dass sich im Lesesaal die Köpfe von ihren Bildschirmen und Büchern gelöst haben und ihn mit ungläubiger Faszination bei seinem Kampf mit der Materie beobachten. Was ist?, möchte er diesen jungen Gesichtern entgegenwerfen, die sich ertappt wieder ihrer Arbeit zuwenden, auch er kenne natürlich die Tastenkombination für *copy and paste*, doch manchmal müsse sich das Denken eben in der Materie manifestieren, aber der Sinn für das Haptische, das Greifbare sei ihnen ja längst abhandengekommen. Er hege sogar den Verdacht, sie fürchteten es in seiner Beständigkeit und nur vom Ephemeren, Digitalen fühlten sie sich nicht bedroht. Er hingegen teile mit Derrida den Traum eines Füllers, der gleichzeitig auch Spritze sei und subkutan eine unauslöschliche Spur des Geistes im Körper hinterlasse. Es ist vermutlich dieser letzte Gedanke – die Einsicht, dass er mit Derrida einen Traum teilt –, der ihn derart ins Straucheln bringt, dass er für die Dauer eines Wimpernschlages aus seinem Körper fällt und sich aus leicht erhöhter Perspektive selber beobachten kann. Es ist kein schönes Bild, das sich ihm da bietet. Ein alternden Mann – wiewohl das Haar noch immer voll und lockig, wie er zugeben darf –, über seinem Tisch zusammengesunken, das Blut tropft ihm von der Lippe und besudelt die notdürftig zusammengeklebten, mageren Früchte seiner Arbeit, die Bastelei seines überforderten Geistes; und in seinem leeren Schädel kullern ihm wie ranzige Erdnüsse die wunderlichsten kulturkritischen Ressentiments. Eines ist gewiss, wenn ihn Erkner so sehen würde, wie er sich gerade selber hatte sehen können, mit Schere und Klebestreifen hantierend, dann wär's gelaufen mit der Million.

Kraft flüchtet auf den Turm; diesmal nicht vor dem Staubsauger und dessen Mexikanerin, diesmal vor sich selbst, und deswegen auch vergeblich. Heiß ist es auf der Aussichtsetage und unerträglich hell. Kraft stellt sich ans Gitter auf der Nordseite, schirmt seine Augen gegen die Sonne ab und sucht in der Ferne nach der Skyline an der Bucht. Zitternd spiegelt sich die kalifornische Sonne in den weit entfernten gläsernen Fassaden und erzeugt einen pulsierenden Dunst, der ihn schwindeln lässt. Kraft schließt die Augen und spürt den gelben Reflexen nach, die sich wie Würmer im Dunkeln winden. Ach, Johanna, womit habe ich dich nur so wütend gemacht?

Und plötzlich ist ihm, als habe er all die Jahre, wie ein Sträfling seine Kugel, diese Frage hinter sich hergeschleppt und als habe allein sie ihn an der leichtfüßigen Fortbewegungsart des Fuchses gehindert, an jenem federnden Gang, der den nötigen Optimismus ausstrahlt.

XIII.

Wo die Kraft nicht reicht, komme die Täuschung hinzu.

Pietro Metastasio

Kraft ist froh, dass er eine Geschichte zu erzählen hat.

Er hatte sich nicht getraut, Heikes Anruf erneut abzulehnen, früher oder später musste er antworten, und von den vielen Strategien der Vermeidung, der Unehrlichkeit und der Verdrängung, die er sich in den letzten Jahren mit Heike angeeignet hatte, hat sich die frühe Lüge als besonders erfolgreich erwiesen; wenn sich Kraft zu einer Handlung entschließt, die er Heike aus strategischen Gründen verschweigen muss, so hat sich gezeigt, dass ihm die Lüge umso glaubwürdiger von den Lippen kommt, je früher er sie ausspricht. Am besten noch, bevor er in die Tat umsetzt, worüber er beschlossen hat, die Unwahrheit zu erzählen, denn dann kann er sich im Moment der Lüge einbilden, er könne diese noch immer in eine Wahrheit verwandeln, indem er im letzten Moment doch noch anders handelt.

Insofern kam ihm Heikes Anruf gelegen, denn er konnte ihr erzählen, er sitze im Caltrain nach San Francisco, was ein recht mühsames Erlebnis sei, der Zug sei eben zum zweiten Mal auf offener Strecke zum Halten gekommen, die Klimaanlage defekt, und überhaupt seien Strecke und Rollmaterial in einem Zustand, der jeder Beschreibung spotte, aber Ivan sei leider bereits heute früh nach San Francisco gefahren, wo er den ganzen Tag eine Sitzung bei einem Cyber-War-Unternehmen habe, in dessen wissenschaftlichem Beirat er sitze, und er habe sich deswegen nicht Ivans Wagen leihen können, weshalb er nun auf offener Strecke und bei ausgefallener Klimaanlage in einem stehenden Wellblechwaggon sitze. So weit hatte alles der Wahrheit entsprochen. Kraft war, als er seinen Entschluss gefasst hatte, von seinem Bücherturm hinuntergestiegen, hatte im Lesesaal achtlos seine Bricolage in den Rucksack gestopft und den nächsten Stanford-Shuttlebus zum Bahnhof Palo Alto genommen, wo er auf dem fast schattenlosen Bahnsteig darüber nachgedacht hatte, ob er nun vielleicht alt genug sei, um einen Hut zu tragen, denn ein solcher würde ihm nun Schatten spenden und überdies vor der Bahnstation mit ihrer stromlinienförmigen 40er-Jahre-Architektur unverschämt gut aussehen.

Aber dann kam Heikes unvermeidliche Frage, weshalb er denn nach San Francisco fahre, und Kraft behauptete, er habe vor, nach Berkeley weiterzureisen, um dort in die nachgelassenen Notizbücher eines längst verstorbenen Wissenschaftstheoretikers Einsicht zu nehmen, eine Lüge, die ihm leicht über die Lippen kam, denn noch immer konnte er sich in San Francisco entschließen, statt Johanna aufzusuchen, in die BART umzusteigen und unter der Bucht hindurch nach Berkeley zu fahren. Noch war es also nur die Erzählung einer Möglichkeit, die er immer noch in die Tat umsetzen konnte – auch wenn er das keineswegs beabsichtigte –, und damit bis dahin nicht wirklich eine Lüge.

Trotzdem ist er froh, dass er nun eine Geschichte erzählen und vom Grund seiner Reise ablenken kann. Der Caltrain, so weiß er zu berichten, sei insgesamt eine wunderliche Einrichtung. Nachdem er eine geraume Weile auf dem heißen Bahnsteig gewartet habe, seien unter Tuten und Glockengebimmel einige chromstählerne, zweistöckige Wagen von einer riesenhaften Diessellokomotive, über deren Schornsteine schwarzer Ruß in den wabernden Abgasen getanzt habe, langsam in den Bahnhof geschoben und dort mit quietschenden Bremsen zum Stehen gebracht worden. Die wenigen Anzeigetafeln auf dem Bahnsteig hätten leider nur ungenügend und ziemlich kryptisch darüber Auskunft gegeben, ob es sich um einen Expresszug oder einen Regionalzug mit Stopp an jedem Bahnhof handele, weswegen einfach alle Wartenden eingestiegen und dann in den engen Eingängen stehen geblieben seien und mit zur Seite geneigtem Kopf angestrengt einer verzerrten und rauschenden Ansage gelauscht hätten. Danach habe sich ungefähr die Hälfte der Zugestiegenen wieder hinausgedrängt, dabei sei viel gefragt und diskutiert worden, und man sei den Bahnsteig entlanggerannt, um einen der uniformierten Schaffner zu befragen. Dieses Spiel habe ziemlich lange gedauert und sich an jeder Haltestelle von Neuem wiederholt.

Jedenfalls habe sich der Zug unter lautem Tuten und konstantem Bimmeln ruckelnd in Bewegung gesetzt, und er habe sich in einer der oberen Etagen, die sich auf beiden Seiten der Wagen wie Galerien entlangzogen, einen Platz gesucht. An Lesen sei kaum zu denken gewesen, zu sehr habe der Zug geschwankt, seine Passagiere hin und her geworfen, und überhaupt habe das ganze altertümliche Gefährt einen bestialischen Lärm verursacht, der selbst im Inneren kaum zu ertragen gewesen sei. Irgendwann sei der Zug auf freier Strecke stehen geblieben. Links und rechts der Geleise hätte sich eine seltsame Ansammlung von Bürogebäuden und Einkaufszentren entlanggezogen. Schwitzende Schaffner in grauen Hemden, mit rasselnden Schlüsselbunden an den Gürteln, hätten mühsam ihre schweren Körper durch die schmalen Gänge geschoben und dabei aufgeregt in große

Funkgeräte hineingelauscht, aus denen unverständliches Ge-
quäke gedrungen sei. Nach ungefähr zehn Minuten sei der
Zug wieder in Bewegung geraten und habe seine bimmelnde
Fahrt fortgesetzt. Doch nach wenigen Minuten sei wieder
Schluss gewesen, und der Zug habe erneut in ergebenem Stillstand verharrt. Die Szenerie vor dem Fenster habe sich kaum
verändert, dieselben gesichtslosen Bauten und hie und da ein
Eigenheimtraum im viktorianischen oder spanischen Stil.
Dann aber sei die Klimaanlage ausgefallen, und es sei schnell
unerträglich heiß geworden, und Seltsames habe sich zugetragen: Eben habe einer der Schaffner eine Durchsage gemacht,
sie seien leider nicht in der Lage zu eruieren, wann es weiter-
gehe, und auch nicht, weshalb man von einem Signal zu Stopp
auf freier Strecke aufgefordert worden sei, die Reichweite ihrer
Funkgeräte genüge leider nicht, um beim nächsten Bahnhof
Auskunft zu verlangen; eine Durchsage, die das Gefühl, er sei
in eine Zeitmaschine geraten, noch verstärkt habe.

Funkgeräte, schnaubt Kraft. Funkgeräte! Mitten im Silicon Valley. Da draußen vor dem Fenster liege irgendwo der
Google Campus und ein paar Kilometer dahinter Apple, und
auf der anderen Seite könne er die Türme von Oracle sehen.
Facebook, Netflix, Tesla, alles nur einen Steinwurf entfernt,
aber bei Caltrain operierten sie mit schuhkartongroßen
Funkgeräten, die nicht einmal bis zum nächsten Bahnhof
reichen. Und der Witz sei, so sagt Kraft, dass sie beide im selben Moment über einen Ozean hinweg in bester Tonqualität
ihr Privatgespräch führten. Heike hört schweigend zu. Das
hatte sie an Kraft von Anfang an gemocht, wie präzise und
scharf er über die Unzulänglichkeiten anderer zu erzählen
vermag, und noch immer hört sie ihm dabei gerne zu, auch
wenn es nur um eine marode kalifornische Bahngesellschaft
geht. Aber als er damit beginnt, seine Beobachtung in einen
erweiterten kulturtheoretischen und politischen Zusammen-

hang einzubetten und über die Diskrepanz zwischen dem desolaten Zustand der Infrastruktur und der privaten Hochrüstung seiner Mitreisenden mit den allerneuesten Gadgets zu philosophieren, verliert sie schnell die Geduld und beendet das Gespräch mit dem Hinweis auf einen bevorstehenden Termin. Sie weiß, was gekommen wäre. In letzter Zeit hatte sich Kraft immer mal wieder ungewohnt kritisch über die Auswirkung von Privatisierungen geäußert und sich gelegentlich sogar unverhohlen für eine stärkere Beteiligung des Staates ausgesprochen, selbst wenn man dafür die Steuern erhöhen müsse. Davon will sie nichts hören. Es geht von Kraft in diesen Momenten so etwas Altersmildes aus, und sie hält weder vom Alter noch von der Milde viel.

Irgendwann – Kraft hat, in seinem eigenen Saft köchelnd, längst jegliches Gefühl für die Zeit verloren – geht es weiter, und die Diesellokomotive schiebt die Blechwagen wie überdimensionierte Backröhren durch die Karosseriewerkstätten und Autolackierereien, die den Bahndamm in San Bruno säumen und sich mit schäbigen Holzhäuschen abwechseln, in deren verdorrten Gärtchen alte Sofas neben aufgebockten Autos und ausgeleierten Kindertrampolins verrotten.

In San Francisco nennt er dem Taxifahrer die Adresse, die er auf der Webseite eines Vereins gefunden hat, dessen Mitglieder sich regelmäßig in ihrer Freizeit treffen, um den Neophyten in der nordkalifornischen Flora den Garaus zu machen. Eine Johanna Heuffel, wohnhaft an der Ecke Folsom und Stoneman, war als Kontaktadresse angegeben, und Kraft hofft, dass es sich bei ihr um jene Johanna handelt, deretwegen ihn heute noch beim Geruch von Hefeteiggebäck eine schwer einzuordnende Empfindung übermannt, ein Widerstreit von amouröser Melancholie und wehleidiger Rührung, von nebulöser Schuld und schattenhafter Schuldlosigkeit.

Die Klimaanlage im Taxi trocknet sein Hemd und hinterlässt zarte Wolken aus Salz auf dem hellblauen Stoff. Der Wagen entlässt ihn an einer steilen Straße unter dem Schatten großer Ulmen, die die winzigen Holzhäuser überragen. Kraft betrachtet mit stolperndem Herzen und glühenden Ohren die mintgrüne Fassade, prüft, ob sich hinter dem Erkerfenster Leben regt, mustert die Holztreppe, die braune Haustür, an der ein Strauß getrockneter Blumen hängt. Gerade, als er sich durchgerungen hat und auf die Treppe zugeht, öffnet sich die Tür des rosa Nachbarhauses und eine ältere Dame mit aufgedunsenem Gesicht unter einem exaltierten Turban, in der Nase eine Sauerstoffbrille, deren Schläuche in einer indianischen Umhängetasche verschwinden, tritt in einem karierten Flanell-Pyjama auf die Straße, an einer Leine führt sie ein Tier, von dem Kraft, der sich nie sonderlich für Zoologie interessiert hat, nicht sicher ist, ob es sich um einen jungen Ozelot oder eine Hauskatze handelt. Frau und Katze mustern ihn interessiert, beide nicht unfreundlich. Hochbeinig tänzelt die Katze auf ihn zu, die Frau gibt Leine, und Kraft weicht einen Schritt zurück. Er brauche sich nicht zu fürchten, wird ihm versichert, Taby wolle nur riechen. Also lässt sich Kraft die Kniekehlen beschnuppern, die das Tier erreicht, ohne sich strecken zu müssen, und erkundigt sich währenddessen nach der Katze, denn dergleichen habe er zuvor noch nie gesehen, weder in dieser Größe noch mit einer solch raubtierhaften Zeichnung. Es fällt ihm leicht, diese Konversation zu starten, denn zum einen lernt er gerne etwas Neues und stellt sich bereits vor, wie er den Zwillingen von dem Tier berichten und dabei dessen eleganten Gang beschreiben wird, zum anderen zögert er die Begegnung mit Johanna lieber noch einen Augenblick hinaus; vielleicht kann er von der Nachbarin etwas über ihre Lebensumstände in Erfahrung bringen – muss er mit einem Ehemann rechnen, gibt oder gab es Kinder?

Die Frau mit Turban, unter dem Kraft eine Glatze vermutet, weil ihre Augenbrauen aus zwei zittrig gemalten Bögen bestehen und auch die Wimpern fehlen, gibt gerne Auskunft. Taby sei eine Savannah-Katze, eine Kreuzung aus einer afrikanischen Wildkatze, einem Serval, und einer Hauskatze. Dann hebt sie zu einem längeren Vortrag über die Schwierigkeiten der Zucht an, über F1- bis F5-Generationen, Hybriden, Charaktereigenschaften und Preise, die Kraft für ein Haustier unanständig hoch vorkommen, ihm allerdings dafür sofort einsichtig erscheinen lassen, weshalb das Tier nur an der Leine ins Freie darf. Er bückt sich, krault Tabys gestreifte Ohren, sagt mehrfach, wie interessant das alles sei, und schiebt gleich die Frage nach, ob denn hier im Nachbarhaus eine Johanna Heuffel wohne? Ja, eine solche wohne hier, wird ihm bestätigt, und weil er glaubt, eine Spur Misstrauen in der Antwort zu vernehmen, krault er nun auch noch Tabys Kinn und erzählt von seiner Bekanntschaft mit Johanna zu Studentenzeiten, ohne die Natur dieser Freundschaft näher zu spezifizieren. Auf jeden Fall sei er gerade beruflich in San Francisco, das heißt, eigentlich an der Stanford University, schiebt er ein, weil er sich vom klangvollen Namen der Universität einen Vertrauensgewinn verspricht, und habe beschlossen, seiner alten Freundin, die er nicht mehr gesehen habe, seit sie Deutschland verlassen habe, einen Besuch abzustatten.

Die Nachbarin ist ganz gerührt von dieser Geschichte, die Kraft mit einigen gezielt eingesetzten Exotismen aus der Schweizer Grenzstadt und langen Fahrten durch East and West Germany anreichert, und verkündet mit Bedauern, dass Joan leider nicht anzutreffen sei. Sie besäßen ein Haus im Sonoma County, an der Küste, und verbrächten die meiste Zeit dort. Kraft dröhnt der Plural in den Ohren, und er traut sich nicht, nach dem Grund für dessen Verwendung zu fragen;

aber wozu auch, schilt er sich selbst einen Narren, als hoffe er, sie habe all die Jahre auf ihn gewartet.

Downtown mietet er sich einen Wagen. Auf dem Heck steht ESCAPE. Ist er auf der Flucht, unser Kraft? Oder ist es nicht doch eher das Gegenteil? Will er sich nicht endlich etwas stellen, vor dem er dreißig Jahre auf der Flucht war? Kraft ist sich selbst nicht sicher, und als er sich hinter das Steuer des überdimensionierten Wagens setzt, ist ihm das klare Wissen darum, weshalb es so wichtig sei, Johanna zu besuchen, abhandengekommen. Was zum Teufel macht er eigentlich hier?

Kraft tippt die Adresse, die er von der Nachbarin erhalten hat, in das Navigationssystem und überlässt die Führung ganz der freundlichen Frauenstimme. *Follow 4th Street, then turn right on Harrison. Now turn right.* Eigentlich hat er damit gerechnet, die Stadt über die Golden Gate Bridge zu verlassen, aber das Navigationsgerät hat sich für die Bay Bridge entschieden. Das scheint der kürzere Weg zu sein. Sei's drum, er hat sowieso keine Lust, den Touristen zu spielen, und es fühlt sich richtig an, die Entscheidungsgewalt abgegeben zu haben. Zum ersten Mal kann er den Reiz autonom fahrender Autos nachvollziehen. Nie hat er diesen Hype verstanden; wer sollte das schon wollen, hat er sich immer gefragt, von einem Computer durch die Gegend kutschiert werden, die Zügel aus der Hand geben? Er, der es kaum erträgt, Beifahrer zu sein, sicher nicht. Aber jetzt würde er gerne das Steuer loslassen und sich ganz in die Hand der freundlichen Stimme begeben. Vielleicht weiß sie ja, was er nicht weiß; dass dieser ganze Ausflug zu nichts Gutem führen wird. Vielleicht weiß sie, wo er stattdessen hin sollte. Vielleicht würde sie, bei vollem Bewusstsein, die sanfte Kurve der Brücke ignorieren und mit ihm, gemeinsam, das weiße Geländer durchbrechen und in hohem Bogen ins Blau der Bucht segeln.

Kraft fährt über eine weitere Brücke, an einem großen Gefängnis vorbei, durch Industrieviertel und an Einkaufsstraßen entlang. Passiert Kleinstädte, Wohnsiedlungen und Dörfer, fährt durch Marschen und Grasland, geführt von der freundlichen Stimme, einmal rechts, einmal links, viel geradeaus; immer gegen Norden führt sie ihn, dann heißt sie ihn wieder links abbiegen und gleich darauf rechts, und Kraft fährt an Weinbergen vorbei, an verbranntem Weideland, an allein stehenden Höfen und roten Holzscheunen. Zäune und Telefonleitungen säumen die Straße, die Hügel schwingen sanft, die Rinder kauen stoisch. Das Buschwerk wird dichter, manchmal spendet ein kleiner Nadelwald etwas Schatten, es verändern sich die Farben, mehr Grün, eines mit silbernen Schatten und eines wie der Neckar, manchmal ein Rot wie die Tübinger Ziegeldächer und ein Gelb wie von Flechten. Kraft kann das Meer riechen, lange bevor er es sieht. Ab Bodega Bay folgt die Straße der Küste. Er steuert am Duncan's Landing Point in eine der Haltebuchten, starrt eine Weile aus dem geöffneten Seitenfenster auf die raue See und sucht nach einem adäquaten Gefühl, vergeblich, und seine Begleiterin verliert die Geduld: *Turn around and follow Shoreline Highway.* Kraft ist folgsam. Irgendwann, kurz vor dem Russian River, soll er links abbiegen, in Richtung Pazifik, und dann wieder rechts, einen kleinen Hügel hoch, an dessen Flanke vereinzelte Häuser ihre Veranden von der Sonne bleichen lassen. Kraft hält auf der Rückseite eines der Häuser, neben einem Toyota Prius. *You have reached your destination*, vermeldet ihm die Stimme und veranlasst ihn, sich in einigen Überlegungen zur englischen Sprache und zur gemeinsamen Etymologie der Begriffe *Destiny* und *Destination*, die es so im Deutschen nicht gibt, zu verlieren, aber die Gedanken führen zu nichts, und er kommt nicht darum herum, den Motor auszumachen und auszusteigen.

Johannas Haus bemüht sich, in der Landschaft zu verschwinden. Es duckt sich in ein vom Wind gebürstetes Nadelwäldchen. Zur Straße hin ist nur eine rohe Bretterwand zu sehen, fensterlos und grau gewaschen. Kraft betritt durch einen versetzten Spalt in der Wand einen Innenhof von klösterlicher Strenge. Moos und Bambus, ein rustikales Vogelbad aus japanischem Steingut, ein Weg aus Schieferplatten, der ihn zur Haustür geleitet. Kraft klingelt, lauscht, späht durch das schmale Fenster neben der Tür und wischt sich noch einmal die Handflächen an der Hose ab. Johanna, Johanna ... Sie öffnet.

Dieselben Haare, wie mit der Küchenschere geschnitten, nun allerdings weiß, dieselben schmalen Schultern, noch immer trägt sie Segelschuhe. *Yes,* sagt sie, *how can I help you?* Kraft muss sich räuspern. Ich bin's, Richard.

Good Lord, ruft sie mit heiserer Stimme, Richard! Richard Kraft! Es ist vor allem Überraschung, die Kraft bei seiner sorgfältigen Prüfung ihrer Reaktion ausmachen kann. Zorn kann er zu seiner Erleichterung, aber auch zu seinem Erstaunen, nicht erkennen. Die Überraschung macht schnell einer Herzlichkeit Platz, der Kraft misstraut, weil sie ihm sehr amerikanisch erscheint. Ein Eindruck, der sich noch durch die starke englische Färbung verschärft, die ihr Schwäbisch über die Jahrzehnte angenommen hat; es rollt ihr sperrig aus dem Mund, als finde es in ihrem schmalen Gesicht zu wenig Raum.

Kraft wird hineingebeten in ihr Haus, das im Inneren seine Bescheidenheit verliert. Er folgt ihr durch weite Räume, deren große Fensterflächen sich zum Pazifik hin öffnen. Sie führt ihn in eine geräumige Küche mit geölten Sperrholzfronten und einem frei stehenden Küchenblock, bietet ihm Eistee an, und während sie zwei Gläser füllt und mit Minzzweigen dekoriert, versteift sich Kraft, denn er hat den Eindruck, dies sei nun der Moment, in dem sie ihn nach dem Grund seines Besuches fragen müsste, stattdessen dreht sie sich zu ihm um und wechselt wieder ins Englische. *What a surprise*, sagt sie, und Kraft fällt auf, dass ihre Haut, die er blass und dünn und zu Rötungen neigend erinnert, von der kalifornischen Sonne imprägniert, eine ledrige Bräune angenommen hat. Noch immer sucht er nach einem Anzeichen von Enttäuschung oder Verbitterung, von aufkeimender Wut, die sein Erscheinen auslöst, aber Johanna scheint so entspannt wie der große, zottelige Hirtenhund, der auf der Schwelle der Terrassentür liegt und über den sie leichtfüßig hinwegsteigt.

Come, sagt sie, und Kraft folgt ihr, tapsig, denn es schmerzt ihm wieder das Knie, das er sich bei seinem Ruderabenteuer ramponiert hat. Überhaupt fühlt er sich wacklig auf den Beinen, als sei er gerade nach langer Krankheit zum ersten Mal aufgestanden. Mit einem großen Schritt steigt er über den schlafenden Hund, dabei schwindelt ihm, und er muss sich am Türrahmen festhalten. Der Hund öffnet kurz ein Auge und schlägt mit dem Schwanz. *Mimi*, sagt Johanna, *we have an unexpected guest.*

Mimi, eine schwere Frau in Funktionsshorts, Sandalen und Tanktop, faltet die *New York Review of Books*, in der sie gerade gelesen hat, und erhebt sich aus ihrem hölzernen Liegestuhl. Ist das, so fragt sich Kraft, also der Grund für den Plural? *Mimi, this is Richard, an old friend from Germany.* Aus ihrer Zeit in Basel, präzisiert sie. Mimi schiebt die Sonnenbrille in ihre dichten, weißen Locken und reicht ihm die Hand. *Oh,* sagt sie an Johanna gewandt, *that's the one who tried to seduce you with the Marble Cliffs?* Dann tritt ein Moment der Stille ein, und Kraft ist sich sicher, dass jetzt die Frage kommen muss. Ihm ist schlecht, und er hat das Gefühl, dass ihm gleich die Beine versagen.

Sit, sit, sagt Mimi und deutet auf einen der weißen Holzsessel. Kraft lässt sich dankbar in den Sessel fallen und stellt, froh, dass er damit das aufgeregte Klackern der Eiswürfel abstellen kann, seinen Eistee auf die breite Armlehne. Anerkennend lässt er seinen Blick schweifen. Schön, sagt er, *beautiful, amazing,* das Haus, der Garten, der Blick, das Meer, sehr schön, und weist dabei auf das jeweils Genannte, als müsse er den beiden Frauen erklären, was es zu sehen gebe.

But now, setzt Johanna an, *tell us...* Jetzt, jetzt kommt die Frage, die er mit einer Gegenfrage beantworten muss, auf die er vielleicht doch lieber keine Antwort bekommen möchte... und überhaupt, was soll er sagen? Johanna, Johanna, womit habe ich dich so wütend gemacht? ... *how did you find us?* Oh, das kann er beantworten! Und froh um diesen Aufschub erzählt er ausführlich von der Webseite, auf der er ihre Adresse in San Francisco gefunden hat – Neophyten, sehr interessant, darüber müsse sie später etwas erzählen –, und wie er sie dort – *obviously,* er lacht nervös – nicht angetroffen habe, dafür aber eine Nachbarin, die eine gigantische Katze, von der Größe eines Luchses, an einer Leine ausgeführt und ihn freundlicherweise mit dieser Adresse hier ausgestattet habe. *Oh,* sagt Mimi, *that's Joyce and her cat Taby.* Dann ist wieder Stille.

Der Hund gähnt. Mimi seufzt. Sie habe leider nicht mehr lange zu leben. Kraft äußert sein Bedauern, sie habe gar nicht so gewirkt, ganz im Gegenteil habe sie ihm doch eifrigst die Kniekehlen beschnuppert und sich ganz lebhaft benommen. Oh, nein, korrigiert Mimi, nicht die Katze, Joyce. Ah, sagt Kraft, natürlich, sie habe eine Sauerstoffflasche bei sich gehabt. Krebs, sagt Mimi. Johanna schnaubt, und wir werden die Katze erben. Eine Zehntausend-Dollar-Katze, die man an der Leine führen müsse, die nach einem Spezialfutter verlange, das aus Dänemark eingeflogen werde, und ihr Tierarzt, zu dem sie einmal im Monat müsse, sitze in Fresno. Aber sie hätten Joyce versprochen, dass sie sich nach ihrem Tod um Taby kümmerten. Johanna hebt mit einer Geste der Resignation die Schultern und lacht so hell und rau zugleich, dass sich Kraft augenblicklich dreißig Jahre in eine Basler Mansardenwohnung zurückversetzt fühlt.

Kraft nippt an seinem Eistee. Jetzt, da er sitzt, fühlt er sich wieder etwas kräftiger und beschließt, sich etwas Zeit zu verschaffen, indem er in die Offensive geht und frei heraus danach fragt, wie es ihr, Johanna, denn in den ganzen Jahren ergangen sei? Sie habe, so gibt sie, nachdem sie sich eine Zigarette angezündet hat, bereitwillig Auskunft, in jenem Biotech-Unternehmen, für welches sie damals Basel verlassen habe, einige Jahre Karriere gemacht und dann Ende der Neunziger mit zwei Partnern eine eigene Software-Company im Bereich der Gensequenzierung gegründet, die Dotcom-Blase habe ihnen beinahe das Genick gebrochen, aber dann habe sich das Geschäft erholt, und vor drei Jahren hätten sie die Firma an ein großes Unternehmen verkauft, und sie sei sozusagen in den Ruhestand gegangen. Und nun, so sagt sie, sitzen wir hier, *with more money than two old girls like us can possibly spend,* in den paar Jahren, die ihnen noch blieben.

Kids?, traut sich Kraft zu fragen und kommt sich dabei sehr progressiv vor, weil er glaubt, sich mit dieser Frage gegenüber ihrer Lebensform, die ihn doch ziemlich überrascht, ja, vielleicht sogar verunsichert, besonders aufgeschlossen zu zeigen. *No,* winkt Johanna ab, *no kids, but we have the dog.* Kraft ist sich nicht sicher, ob sie das ernst gemeint hat; sie lächelt so schelmisch, vielleicht sogar spöttisch. Und statt nun ihrerseits Kraft nach seinem Leben zu fragen, schlägt sie vor, ihm den Strand zu zeigen, als ahne sie, dass er etwas zu besprechen habe, bei dem er lieber mit ihr alleine wäre.

Johanna holt aus dem Haus eine Leine, bei deren Anblick

der Hund bereitwillig aufspringt. Ein steiler Pfad führt zum Meer hinunter. Der Hund geht voran, leichtfüßig läuft ihm Johanna hinterher, und Kraft bemüht sich, Schritt zu halten.

Kraft ist wie betäubt, geschlagen. Es gelingt ihm kaum, den ungewohnt großen Wagen in der Spur zu halten. Die freundliche Frauenstimme hat er ausgeschaltet, fährt aufs Geratewohl nach Süden; solange er rechter Hand den Pazifik sieht, wird er ja irgendwie nach San Francisco kommen. Aber was will er dort? Richtig... er muss den Mietwagen abgeben. Die Straße führt in Serpentinen hinunter, an Tsunami-Warnschildern und Parkplätzen vorbei, auf denen junge Menschen auf den Heckklappen ihrer Pick-ups sitzen, die Neoprenanzüge bis zu den Hüften hinuntergerollt, dann wieder hoch, in engen Kurven, an steilen Klippen entlang. Wie lange ist er schon unterwegs? Er weiß es nicht. Kraft hat das Gefühl, dass er seinen Körper vom Gesäß an abwärts nicht mehr spüren kann, aber die Füße tun ihren Dienst, geben Gas und bremsen ganz von selbst. Dafür bringt die Scham seine Ohren zum Glühen; sie hängen wie pulsierende Fleischlappen an seinem Schädel, und in ihren gewundenen Gängen tobt brausend ein Sturm.

Johanna hatte energisch die Insekten von einem fauligen Haufen Tang gewedelt und aus dem organischen Durcheinander einen schlauchförmigen Stängel gezogen, an dessen Ende eine faustgroße Schwimmblase saß. Sie schwang ihn über dem Kopf, schleuderte ihn in die raue Brandung, der Hund sprang hinterher. Nun, hatte sie gesagt, was führt dich zu mir?

Kraft begann, von seiner Einladung nach Stanford zu erzählen, schilderte den Wettbewerb, erläuterte die Problematik der Preisfrage, berichtete von Erkner, doch Johanna ließ ihn nicht entkommen, unterbrach seine Erzählung und wollte wissen, was ihn denn nun hierherführe, zu ihr? Hoffst du, bei mir die Antwort auf die Theodizeefrage zu finden? Kraft lachte nervös auf. Nun ja, in gewisser Weise ... das heißt ... zumindest, das habe sie schon richtig erkannt, sei er mit einer Frage zu ihr gekommen. Johanna bückte sich nach dem Seegrasstängel, den ihr der Hund zu Füßen gelegt hatte, und schleuderte ihn erneut in die Wellen. *Shoot!*, forderte sie Kraft auf und schaute ihm dabei aufmunternd ins Gesicht. Nun, so sagte Kraft, er fürchte, er wisse gerade selbst nicht mehr, weshalb ihm diese Frage so wichtig erschienen sei ..., aber da er nun schon mal hier sei ... also gut ... er habe aus schwer zu klärenden Gründen das dringende Bedürfnis, in Erfahrung zu bringen, womit er sie damals, im Juni '87, so wütend gemacht habe, dass sie für immer nach Amerika verschwunden sei?

Johanna war sichtlich irritiert; sie verstehe die Frage nicht. Nun, nun ... er wisse schon, dass es ja eigentlich seine Aufgabe sei, sich daran zu erinnern, und er sei sich völlig darüber im Klaren, dass ihn diese Gedächtnislücke nicht im besten Licht erscheinen lasse, aber vielleicht zeige sich gerade daran die Notwendigkeit, die Frage beantwortet zu bekommen.

Aber Richard, sagte sie, ich weiß beim besten Willen nicht, wovon du sprichst. Deine Wut ..., insistierte Kraft, womit habe ich dich so wütend gemacht? Nie, so versicherte sie, sei sie wütend gewesen, sie wisse gar nicht, was er meine. Aber sie habe doch wutentbrannt ihre Koffer gepackt und die Tür hinter sich zugeschlagen?

Johanna schwieg einen Moment. Ob er sich wirklich so an diese Geschichte erinnere?, wollte sie wissen. Kraft nickte stumm. Interessant, sie sei sich eigentlich ziemlich sicher, dass er es gewesen sei, der wütend seine Bücher und seine

Kleider in zwei Koffer geworfen und die Tür hinter sich zugeschlagen habe. Kraft starrte in die milchige Nebelbank, die am Horizont über dem Wasser lag, als hoffte er, es entberge sich dort die Vergangenheit und strafe Johanna Lügen.

Aber ... hob er an und versank dann wieder in Schweigen. Sie habe doch, rief ihm Johanna in Erinnerung und sprach dabei wie zu einem störrischen Patienten, nach ihrer Promotion ein Stellenangebot aus San Francisco erhalten, und es sei für sie außer Frage gestanden, dass sie dieses annehme, genau so, wie es für sie klar gewesen sei, dass er ihr nicht folgen werde, da seine berufliche Zukunft in Deutschland lag. Zu ihrem Erstaunen habe er ihr daraufhin seine Familienträume, die er mit ihr zu verwirklichen gedachte, eröffnet, und sie müsse heute, aus der Distanz, zugeben, dass es für ihn wohl sehr kränkend gewesen sein musste, dass sie diese nicht ernst genommen habe, und das offensichtliche Missverständnis, oder besser gesagt die Asymmetrie, welche wohl von Anfang an ihrer Beziehung zugrunde gelegen habe, sei in jenem Moment ganz offen zutage getreten. Verletzt sei er gewesen und, ja, wütend, ausgesprochen wütend. Sie aber, und das tue ihr leid, dies jetzt zugeben zu müssen, sei mit leichtem Herzen und sicherlich ohne jeden Groll nach Amerika abgereist, voller Vorfreude auf einen neuen Lebensabschnitt. Wieder bückte sich Johanna nach dem Seetang, schleuderte ihn in den Pazifik.

Kraft schaute dem kreiselnden Objekt nach, wie es klatschend im Meer aufschlug. Sie wirft einfach alles weg, ganz leichter Hand, dachte er.

Danach gab es nicht mehr viel zu sagen, und sie stiegen hintereinander den steilen Pfad hoch. Johanna brachte ihn zu seinem Wagen, und als er bereits hinter dem Lenkrad saß und sie ihm ein *drive safely* durchs offene Fenster zuwarf, bäumte er sich ein letztes Mal auf und entblödete sich nicht, zu fragen, ob sie sich denn seinetwegen von den Männern ab- und den Frauen zugewandt habe? Johanna lachte laut auf. Ach, sagte sie, mein lieber Kraft, so schlimm warst du auch wieder nicht ...

... und vor allem nicht so wichtig. Hat sie das wirklich gesagt? Oder war das nur das, was er aus ihren Worten herausgehört hat? Als die roten Pylonen und dahinter die weiße Stadt in den Hügeln auftauchen, weiß er nicht mehr, wie sich die Sache wirklich zugetragen hat. Er stellt den Wagen auf dem Parkplatz neben der Brückenauffahrt ab und geht unter der Brücke durch zum Aussichtspunkt hoch. Unter normalen Umständen würde er einen solchen Ort mit den vielen Wohnmobilen, den aufgeregten Familien und all den Fotokameras meiden, aber der Besuch bei Johanna hat ihn ganz auf sich selbst zurückgeworfen, und sein ganzes misanthropisches Vermögen konzentriert sich auf seine eigene Person, als sei er der letzte Mensch und damit der Einzige, den es noch zu hassen gilt.

Kraft stellt sich allein zwischen die Touristen und richtet doch, wie ein Schaf in der Herde, seinen Blick auf das Golden Gate, auf die elegante Brücke, auf der sich ein endloser Verkehrsstrom in beide Richtungen bewegt, auf die Inseln in der Bucht; Angel Island, beinahe zu seinen Füßen, und dahinter Alcatraz, wo man das Böse hinter Gitter gesperrt hatte.

Kann er denn seiner Erinnerung gar nicht mehr trauen? Hatte er sich geirrt? Wie mit den Rotkehlchen? Gibt es vielleicht in dem Turm mit den Büchern über den Krieg, die Revolution und den Frieden ein Nachschlagewerk mit dem Titel *All about Kraft*, in dem er nachlesen kann, wie es wirklich war?

Wie war das mit Ruth gewesen? Trügt ihn auch da seine

Erinnerung? Nein, da können wir davon ausgehen, dass sich das tatsächlich so zugetragen hat. Dass er sich richtig erinnert.

Kraft befand sich auf einer Tagung in den kanadischen Rocky Mountains, als, vier Jahre nach Ruths Abreise aus Berlin, zum ersten Mal in der Tübinger Wohnung mit Blick auf das Stift und den Hölderlinturm für einige Tage Ruhe einkehrte. Daniel, der bereits die erste Klasse des Gymnasiums besuchte, war für einige Tage auf Klassenfahrt im Schwarzwald, und Adam (ja, Kraft hatte sich bei der Namenswahl durchgesetzt; er hatte behauptet, das stünde ihm zu, nachdem er bei seinem ersten Sohn so schnöde übergangen worden war, und Ruth hatte dem wenig entgegenzusetzen, zumal sie dankbar war, dass er ihr Veto gegen Otto akzeptierte), Adam also besuchte endlich den Kindergarten, sodass nun, da Kraft auf Reisen war und seine hektische Betriebsamkeit, die er in den wenigen Stunden, die er zu Hause verbrachte, entfaltete, um trotz seiner häufigen Abwesenheit seinen Anspruch auf die Stellung des Familienoberhauptes zu unterstreichen, mit in die kanadischen Berge genommen hatte und dort damit seinen Kollegen auf die Nerven gehen konnte, eine himmlische Stille in den Räumen mit den Flügeltüren, dem glänzenden Parkett und dem protestantisch würdevollen Stuck herrschte. Die ersten drei Tage hatte sie auf dem Sofa verbracht, die Augen geschlossen, ein Buch auf dem Bauch, in die Stille gelauscht und in dieser nach ihren geschwundenen Kräften gesucht, auf ihren Atem gehört, den sie seit langer Zeit zum ersten Mal wieder vernehmen konnte. Am vierten Tag erhob sie sich, warf dabei das ungelesene Buch auf den Boden und stieg die schmale Treppe zum Dachboden hoch. Eine abgestandene, unerträglich trockene

Hitze empfing sie. Die Spätsommersonne brach durch die großen Dachfenster, erhitzte die Ziegel, und von den erwärmten Dachbalken ging ein muffiger Geruch nach altem Tannenholz aus. Große Ballen Isolationswolle stapelten sich hinter der Tür. Kraft hatte sie vor vier Jahren bestellt, aber immer noch einen Vortrag, den es zu schreiben, noch eine Vorlesung, die es vorzubereiten galt, eine Druckfahne, deren Prüfung keinen Aufschub duldete, einen Stapel Seminararbeiten, die er zu korrigieren hatte, gefunden, deretwegen er gerade unmöglich in der Lage war, den versprochenen Ausbau in Angriff zu nehmen – sehr zu seinem Leidwesen, wie er gelegentlich anfügte, wenn das Thema zur Sprache kam, denn er stelle es sich reizvoll vor, wenn Ruth das Familienleben mit ihrer künstlerischen Produktion bereichern würde. Tatsächlich bereitete es ihm großes Vergnügen, bei gesellschaftlichen Anlässen eine Frau an seiner Seite zu haben, die er als Berliner Bildhauerin vorstellen und damit einen Hauch Boheme in die hausbackene Tübinger Akademikergemeinschaft bringen konnte, obwohl er natürlich wusste, dass es vor allem seinem Ehrgeiz und seinem Egoismus zuzuschreiben war, dass Ruth seit dem Tag ihres Umzuges nie wieder eine Feile, einen Stechbeitel oder einen Klumpen Ton in die Hand genommen hatte.

Ruth schob einige abgelegte Kinderspielsachen und Wintersportgeräte zur Seite, die man achtlos in den Speicher gestellt hatte, und ging an der langen Reihe der Billy-Regale vorbei, in denen Kraft – nur vorübergehend – seine Bücher untergebracht hatte, für die er in seinem Arbeitszimmer keinen Platz mehr fand, und suchte ganz hinten nach den Kartons mit ihren Arbeitsmaterialien. Obenauf lag ein großer Sack Ton, von der Gluthitze im unisolierten Dachstock zu nutzlosen Ziegeln gebrannt. Ruth blieb eine geraume Weile davor stehen, drehte sich, ohne eine der Kisten zu öffnen, energisch um, stieg in die stille Wohnung hinunter, suchte nach einem dicken Filzstift, Paketband und Papier, begab sich wieder auf den Dachboden und versah die Kisten mit der Atelieradresse einer Berliner Freundin. Beim Hinuntergehen nahm sie einige leere Umzugskisten und die zwei größten Koffer mit. Eilig begann sie zu packen. Sie fürchtete, mit der Heimkehr Adams aus dem Kindergarten ihren Mut und ihre Tatkraft zu verlieren, denn Adam kam ganz nach seinem Vater, war ein großer Schwafler, schon immer gewesen, vom ersten Tag an, ein Brabbler und Brüller, der unangemessen früh zu schwatzen begann, Sätze bildete, Fragen stellte, die er sich selbst beantwortete, eben erst gelerntes Wissen absonderte und überhaupt seinen ganzen kleinkindlichen Alltag mit einem unstillbaren Strom an Geräuschen, Worten und Sätzen begleitete, als kommentiere er ein Fußballspiel. Wenn wir aber jetzt annehmen, Kraft habe deswegen seinen Sohn mit Wohlgefallen betrachtet, so liegen wir ganz falsch, schien es doch Ruth, als trete er mit seinem Sohn vielmehr in einen Wettstreit um die Worthoheit und fühle sich von ihm herausgefordert, auf einem Feld, das zuvor ihm ganz alleine gehört hatte, denn sein Erstgeborener, von Ackerknecht und den Abbildern seiner toten Tochter in die innere Emigration getrieben, fand auch in Tübingen seine Stimme nicht wieder und blieb ein stummes, blasses Kind, zu dem Kraft, wiewohl er sich, wenn er denn Zeit dazu fand, redlich um ihn bemühte, auch nie so recht Zugang fand.

Ruth kündigte der Berliner Freundin ihr Kommen an, drückte ihrem Ältesten, als er von der Klassenfahrt kam und noch seinen Rucksack trug, den kleineren der beiden Koffer in die Hand, nahm Adam an ihre linke und den anderen Koffer in die rechte und verschwand für immer nach Berlin.

Kraft fand bei seiner Heimkehr auf dem Küchentisch eine Notiz, in der sie ihn bat, der Spedition, die sie beauftragt hatte, Zugang zur Wohnung zu gewähren und darauf zu achten, dass sie auch die Kisten mit ihren Werkzeugen mitnahm, und war derart erleichtert, dass ihn fürs Erste das Platzen seiner bürgerlichen Träume nicht weiter kümmerte.

Vielleicht, so können wir annehmen, gründete seine momentane Unbekümmertheit in der Euphorie, mit der ihn die Tage in den Rocky Mountains ausgestattet hatten und die das Scheitern seiner Ehe und die Abreise seiner Familie im Lichte eines ersehnten Neuanfangs und einer Befreiung erscheinen ließ.

Nachdem Ivan in Richtung Brandenburger Tor von der Mauer gesprungen war und Kraft in Richtung Tiergarten, hatten die beiden lange nichts mehr voneinander gehört. Kraft hatte Ivan einen Brief geschrieben, in dem er ausführlich sein Verhältnis zur Gerberaschlägerin Lambsdorff zu erklären versuchte, was ihm, der doch sonst fast alles erklären konnte – zumindest zu dieser Zeit, in der er den Wind der Geschichte unter den Flügeln spürte –, ausgesprochen schwergefallen war. Eine Antwort erhielt er nicht. Als es nur Monate danach darum ging, einen Trauzeugen zu finden, und Kraft an keinen anderen denken konnte als an István Pánczél, den er aus naheliegenden Gründen unmöglich um diesen Dienst bitten konnte, wurde ihm schmerzlich bewusst, wie sehr ihm der Freund fehlte.

Irgendwann war es der Zufall, der die beiden zwang, die Stille zwischen ihnen zu beenden. Ivan, den die Weltläufe ins akademische Abseits zu drängen drohten, erinnerte sich an seine philosophische Forschung, die er in den letzten Jahren vernachlässigt hatte, und nahm seine dahin gehende Lehr- und Publikationstätigkeit wieder auf. Unabhängig voneinander sagten sie zu, in die Redaktion einer neu gegründeten Fachzeitschrift einzutreten, und im Rahmen dieser Tätigkeit waren sie gezwungen, einen sporadischen Mailverkehr zu führen, der sich erst auf einen rein fachlichen Austausch beschränkte, den sie aber bald durch kurze Postscripta persönlicher Natur ergänzten; die Ankündigung der Geburt Mckenzies, eine dürre Mitteilung über das Ableben von Krafts Mutter, das Erscheinen einer Monographie ...

Die Tagung in den Rocky Mountains war die erste Gelegenheit, bei der sie sich persönlich begegnen sollten. Kraft sah diesem Wiedersehen mit widersprüchlichen Gefühlen entgegen. Er freute sich auf Ivan, fürchtete zugleich aber, dass sein Freund über sein schäbiges Verhalten während der Tage, in denen er, István, in einer Berliner Klinik um sein Augenlicht kämpfte, Rechenschaft einfordern würde. Dann aber wurde es ein Triumph; und zwar in jeder Hinsicht.

Ein überambitionierter Mitarbeiter des wissenschaftlichen Dienstes der NATO hatte diese kleine und ausgesprochen exklusive Tagung zur Rhetorik der Abrüstung organisiert, für die man eine eklektische Gruppe aus hohen NATO-Beamten, Diplomaten, Politikern und mit Sternen und goldenen Fourragèren dekorierten Militärs zusammen mit einigen Wissenschaftlern unter hohen Sicherheitsvorkehrungen in ein sommerlich verlassenes Wintersporthotel eingesperrt hatte. Kraft seinerseits hatte die Einladung einem weniger ambitionierten Mitarbeiter des wissenschaftlichen Dienstes des Auswärtigen Amtes zu verdanken, den man damit beauftragt hatte, einen geeigneten deutschen Wissenschaftler für die Konferenz zu suchen, und der sich unter dem Tagungstitel nichts Konkretes hatte vorstellen können, weswegen er der Einfachheit halber davon ausging, der Inhaber eines Lehrstuhles für Rhetorik müsse doch sicherlich der passende Kandidat sein; eine Einschätzung, der Kraft nicht widersprach, denn er war froh um jede Gelegenheit, seiner Familie zu entkommen.

Ivan ging vom ersten Tag an in die Vollen und plädierte wortreich und lautstark für eine Rhetorik der Sieger, weil ihm die Samthandschuhe, die neuerdings en vogue waren, gewaltig auf die Nerven fielen, und ging sogar so weit, seinen Kollegen einen Appetit auf Kreide vorzuwerfen, den er, der den Kommunismus am eigenen Leib zu spüren bekommen hatte, für gänzlich unangebracht hielt. Das Verständnis für die Sorge der Russen vor einer drohenden NATO-Osterweiterung wollte er nicht teilen, und immer wieder ermahnte er die Runde, weder die Chinesen aus den Augen zu verlieren noch zu glauben, Kuba sei am Ende.

Kraft schlug sich sofort auf Ivans Seite, halb aus Überzeugung, halb aus der Hoffnung, er könne damit etwas wiedergutmachen und die alten Bande der Freundschaft neu knüpfen. Gemeinsam gingen sie ihren Kollegen mit permanentem Widerspruch, historischen Argumenten, die ihnen säckeweise zur Verfügung zu stehen schienen, Studien, aus denen sie, inklusive der richtigen Zahlen, ganze Abschnitte zitieren konnten, und, wenn es nottat, mit Theorien obskurer Denker, von denen außer ihnen keiner je gehört hatte, auf die Nerven. Abends saßen sie, etwas abseits der Gruppe, auf einer Kiefernholzveranda, blickten in die kanadischen Wälder, die von braunen Schneisen und stillstehenden Skiliften durchzogen waren, tranken Crown Royale mit Ginger Ale und schwelgten in Erinnerungen an alte Berliner Zeiten, dabei heikle Themen elegant umschiffend. Manchmal setzte sich ein alternder italienischer Konteradmiral in einer schicken weißen Uniform dazu, der ihnen versonnen lächelnd zuhörte, ohne ein Wort zu verstehen, aber der kalte Krieger sah in den beiden wackeren jungen Männern eine Zukunft, die er bereits gänzlich verloren geglaubt hatte.

XIV.

If a man has not made a million dollars by the time he
is forty, he is not worth much.

Herbert Hoover

Wenn wir also wissen, dass sich Kraft, was das Ende seiner
Geschichte mit Ruth betraf, richtig erinnert, so haben wir
ihm etwas voraus, denn er selbst steht da, den Blick in der
Ferne verloren, und ist sich völlig im Unklaren darüber, ob
er seinen Erinnerungen überhaupt noch trauen kann. Es
schwankt ihm der Boden unter den Füßen, und aus einer fernen Welt dringen Schreie an sein Ohr.

Alles um ihn rennt und flüchtet und schreit. Wie Kegel
fallen die Touristen durcheinander und klammern sich dabei
an ihren Kameras fest. Auch Kraft geht zu Boden, einem
Sünder gleich fällt er auf die Knie und weiter vornüber, aber
der Boden, auf dem er sich mit gestreckten Armen abstützt,
bietet bebend keinen Halt, er knickt ein, stößt sich die Stirn
auf dem Asphalt, kommt auf dem Bauch zu liegen, und dann
hebt er, unser Kraft, das Kinn und sieht mit ungläubigem
Staunen, wie ein Zittern die Brücke vor ihm erfasst, und dann
einen Stoß, der eine Welle durch die Fahrbahn sendet, die die
Autos wie Spielzeuge aufhüpfen lässt, gefolgt von noch einer
Welle, die die Brücke grotesk verdreht, sich hochschaukelt
und unter dem Ächzen der Stahlträger und Sirren der Kabel

die Wagen über das Geländer wirft, als schüttle die Brücke sie ab wie lästige Insekten. Mit dem Geräusch überspannter Gitarrensaiten reißen die Kabel, es brechen die Träger, und unter Getöse zerbirst die rote Brücke und stürzt in die Bucht, die sich brausend erhebt, während am anderen Ufer die Häuser zu tanzen beginnen. Die Spitze der Transamerica Pyramid schwankt, das ganze Gebäude dreht sich halb um seine eigene Achse und bricht mit der Anmut einer portugiesischen Hofdame zusammen. Die Stadt scheint ins Rutschen zu kommen, die rechtwinklig verlaufenden Straßen geraten aus dem Lot, und in der Market Street fallen die Hochhäuser, reißen einander ins Verderben und gehen auf in einer Staubwolke, die sich über den Hügeln erhebt. Das Beben und Rütteln nimmt kein Ende, und Kraft, immer noch auf dem Bauch liegend, spürt, wie ihm der Zorn der Erde durch die Eingeweide fährt.

Nach endlosen Minuten kommt der Grund zum Stillstand, Staub rieselt auf Krafts Rücken, und durch die Schreie der Verletzten, die Rufe der Eltern nach ihren verloren gegangenen Kindern, dringt hundertfach das infernalische Hupen der Alarmanlagen vom Parkplatz. Kraft erhebt sich, taumelt, läuft kopflos drauflos, vorbei an Weinenden und Jammernden und an jenen, die zwischen dem Blech der Autos eingeklemmt sind. Ein Mann hält seinen Lauf auf, krallt sich in seine Schultern, schreit nach Hilfe und deutet auf seine Frau, die mit gespreizten Beinen auf dem Rücken liegt, auf ihr die bronzene Statue eines Matrosen, der, von seinem Sockel gestürzt, sie mit der schieren Kraft der Physik zu Tode geschändet hat. *Help me, help me!*, krächzt der Mann und schüttelt Kraft, als müsse er ihn aus einem Albtraum erwecken. Hier gibt es nichts zu helfen, das sieht Kraft mit einem Blick auf die zerschmetterte Brust, die quellenden Eingeweide, und als ob ihn dieser entsetzliche Anblick zur Räson bringt, hält er einen Moment inne und ruft in dem Lärm nach seinem Freund: István, István.

Kraft macht kehrt, rennt zurück an den Aussichtspunkt, klettert über die eingestürzte Bruchsteinmauer, sucht nach einem Pfad, der ihn hinunter an die Bucht führt. Über abgerutschte Erde hinweg, mit großen Sätzen über tiefe Spalten im Asphalt, fällt er mehr, als er läuft, zur Bucht, wo die Boote kopfüber treiben oder zusammengeschoben zu einem wilden Haufen auf dem Parkplatz der Küstenwache auf dem Trockenen liegen. Kraft findet ein unbeschädigtes Schlauchboot zwischen den Trümmern eines Steges, der Motor tuckert, der Besitzer treibt vermutlich mit gespaltenem Schädel auf dem rauen Wasser. Er springt an Bord und steuert auf die Stadt in Trümmern zu.

Am Ferry Building oder dem, was davon übrig ist – der Turm, zu Boden gestürzt, hat am Quay das Deck einer Fähre durchschlagen –, geht Kraft an Land. Die halbe Fassade des Hyatt Hotels ist auf die Market Street gekracht, und Kraft schaut auf die klaffende Lobby wie in das Innere einer Gursky-Fotografie. Leichtverletzte tragen Schwerverletzte, Trauernde werfen sich über die Leiber der Toten, und die Ratlosen stehen in Gruppen und beten. Staub liegt in der Luft, der Geruch von Ziegeln und Zement, und es heulen Abertausende Sirenen. Kraft weiß, dass er nicht viel Zeit hat, bis die alles verschlingende Welle durch das Golden Gate branden und die Bucht unter ihren Fluten begraben wird. Über Trümmer kletternd und Funken sprühenden Kabeln ausweichend, das Tohuwabohu um sich ignorierend, eilt er an die Stelle, an der er das Gebäude vermutet, in dessen oberstem Stockwerk er seinen Freund weiß. Grotesk verbogene Stahlträger, Zementbrocken, aus denen die Armierungseisen ragen, und Millionen Splitter grünes Spiegelglas liegen da, wo einst der stolze Turm der ClauseVRiX Inc. stand. Zu

Krafts Füßen liegt zerschellt das Neonlogo mit dem Tatzenkreuz, und nicht weit davon entfernt ein schwerer Sitzungstisch aus Eichenholz, auf dem sich Trümmer türmen. Halb darunter begraben findet Kraft seinen Freund. Er lässt sich neben dem Stöhnenden nieder, streicht ihm das Haar aus der Stirn. Alles wird gut, István, alles wird gut. Unter Einsatz seiner ganzen Kraft zieht er den Freund unter dem Möbel hervor, unverletzt.

Kraft richtet ein umgekipptes Motorrad auf, schwingt sich auf den Sattel, Ivan setzt sich auf den Sozius und legt die zerschundenen Arme um seinen Freund. Sie brausen im wilden Zickzack die Market Street hoch, links und rechts brennen die Feuer, und die Plünderer steigen durch die zerborstenen Scheiben des Apple Store. In der Nähe fallen erste Schüsse.

Sie müssen in die Höhe, bevor das Meer kommt. Aber Kraft hat noch etwas zu erledigen. In enger Kurve biegt er in die Folsom Street, ganze Häuserblocks stehen in Flammen, die alten Holzhäuschen lodern wie Zunder. Immer hinauf geht die rasende Fahrt, bis es kein Weiterkommen mehr gibt: Entwurzelte Ulmen versperren ihnen den Weg. Kraft und Ivan springen ab, klettern über die Stämme, bahnen sich einen Weg durch Blatt- und Wurzelwerk.

Vor den Trümmern eines rosa Häuschens bleiben sie atemlos stehen. Taby, schreit Kraft, Taby! Die Äste einer Ulme ragen aus den zersplitterten Fenstern, das Dach, vom Stamm eingedrückt, hängt tief zwischen den geborstenen Wänden. Kraft öffnet mit Gewalt die Eingangstür. Im Wohnzimmer liegt Joyce auf dem Gesicht, der verrutschte Turban entblößt den gespaltenen, kahlen Schädel; ein Balken hat die Erlösung gebracht. Taby sitzt zwischen Joyces mageren Schulterblättern und spielt mit dem Plastikschlauch der Sauerstoffbrille. Kraft greift sich die Katze, drückt sie an seine Brust und verlässt diesen schauerlichen Ort. Hoch, weiter hoch, so weit sie kommen, rennen sie den grasigen Bernal Heights Hill hinauf.

Zu Tausenden, versehrt und unversehrt – einige haben sogar, unter Protest der Lebenden, die Leichen ihrer Liebsten mit hinaufgeschleppt –, stehen die heiligen Franziskaner auf dem Hügel, den Blick fest nach Norden, aus dem sie die tödlichen Wassermassen erwarten.

Die Katze auf seinem Arm versteift sich, die Ohren zucken und richten sich wie Parabolantennen in Richtung Golden Gate, und es geht ein Stöhnen und Jammern durch die Menge, als sich am Horizont der weiße Wellenkamm durch die Bucht wälzt, sich zu den Seiten hin ausdehnt und alles mit sich reißt, dabei tief ins Landesinnere den Schutt der Stadt schiebt und auf seinem Weg zertrümmert, was das Beben überstanden hat, mit einem Rauschen und Krachen, das bis auf die Hügelkuppe zu vernehmen ist.

Kraft, immer noch die Katze im Arm, drängt sich mit Ivan zwischen den Überlebenden hindurch auf die Südseite des Hügels, und sie schauen von dort der Welle zu; wie sie das Silicon Valley unter sich begräbt, wie sich die Bucht ausdehnt und das Wasser bis an den Fuß der Berge schwappt, die Startups und Techunternehmen, die biederen Industriebauten und die Trümmer der spiegelnden Bürotürme davonschwimmen und nach Süden treiben, auf den Campus der Stanford University zu. Der Turm mit den Büchern über den Krieg, die Revolution und den Frieden widersteht einen enttäuschenden Moment den herannahenden Wassermassen, doch dann gibt er nach, zerbirst und gibt sein gesammeltes Wissen frei. Da geht sie hin, denkt sich Kraft, die Konferenz ...

Er öffnet die Augen, vor ihm die rote Brücke, aufrecht die Transamerica Pyramid auf der anderen Seite der Bucht und um ihn die fotografierenden Touristen. Nein, diesen Gefallen tut ihm die Stadt nicht. Kraft geht zurück zu seinem Wagen, reiht sich in den Feierabendverkehr ein und überquert die Brücke; er muss den Mietwagen abgeben.

Es sieht nicht gut aus für Kraft. Er hat noch genau vierundzwanzig Stunden bis zum Beginn der Konferenz, und von der Beantwortung der Preisfrage ist er weiter entfernt, als er es vor knapp drei Wochen war, dreißigtausend Fuß über Arkansas, mit der Verpackung seiner Wasabinüsse kämpfend, und mit dem Triumph über die renitente Plastikfolie eine Siegesgewissheit verband, die er sich, angesichts seiner intellektuellen Überlegenheit, glaubte leisten zu können.

Vor einer Stunde hat er Power Point geöffnet und nach der Vorlage der Universität Tübingen gesucht, die ihm seine Sekretärin installiert hatte. Vielleicht ist das der richtige Weg, da er doch sowieso keine Zeit mehr hat, einen ausgefeilten Vortrag zu schreiben; einfach ein paar Folien mit wohlklingenden Bullet-Points füllen und sich davon zu einer Improvisation verführen lassen. Aber es ist seit seinem Besuch bei Johanna eine Scham in ihm, die die großen Gedanken ausbremst, die das weite Schweifen seines Geistes, auf das er sich sonst verlassen kann, zu einem kleinmütigen Kreisen um ihre Abschiedsworte hat verkümmern lassen – wie eine Stubenfliege auf der Herdplatte, denkt Kraft.

Aber ist es nicht langsam an der Zeit, dass wir uns fragen, weshalb eigentlich einer der Gründe, deretwegen Kraft nicht ins Schreiben kommt, seine finanzielle Lage ist, aus der wir wiederum, in Kombination mit seiner familiären Situation, die existenzielle Notwendigkeit, die Jury – das heißt, vor allem Tobias Erkner – zu beeindrucken, ableiteten? Steht es so schlecht um Krafts Finanzen, dass Heike in eine Scheidung nur einwilligt, wenn Kraft die Million nach Hause bringt, weil sie sonst um die adäquate Versorgung ihrer Person und der Zwillinge fürchten muss? In der Tat, so ist es, obwohl er doch als Ordinarius jeden Monat zuverlässig ein respektables Gehalt mit nach Hause bringt und Heike selbst in manchen Monaten – das ist etwas abhängig von der Auftragslage ihrer Unternehmensberatung, die sie kurz nach der Geburt der Zwillinge gegründet hat und mit der sie sich auf die Beratung von Bildungseinrichtungen im Hochschulsektor spezialisiert hat – ebenso viel oder gar noch mehr zum gemeinsamen Lebensunterhalt beisteuert.

Wir müssen den Ursprung des Problems viel weiter zurück suchen; bei jenem Moment, in dem Ruth die beiden Söhne bei der Hand nahm und für immer nach Berlin verschwand, denn wiewohl Kraft sich, nachdem er ihren Brief gelesen hatte, eine Flasche Wein öffnete und sowohl auf die wiederhergestellte Freundschaft mit Ivan als auch auf seine neue Freiheit getrunken und zumindest an jenem Abend kaum einen Gedanken an Ruth oder seine beiden Söhne verschwendet hatte, wäre es etwas zu einfach, in ihm einen gewissenlosen Unmenschen zu sehen, sah er sich doch selbst als einen Mann von Ehre und beauftragte bereits am Morgen darauf einen Anwalt, mit Ruth eine ausgesprochen großzügige Unterhaltsregelung zu finden, auf dass sie und seine Söhne aufs Beste versorgt wären.

Die Tübinger Wohnung behielt er, so ganz hatte er sich seine bürgerlichen Familienträume noch nicht abgeschminkt, belieh sie aufs Neue und zahlte damit Ruth aus, die sich in Berlin eine Wohnung und ein Atelier kaufte, das sie sich vom Fachmann isolieren ließ, mit dem Restgeld eine Gesamtausgabe Freud erstand, etwas über die Hälfte davon las und danach endlich ihre künstlerische Arbeit wieder aufnahm.

Als Kraft sechs Jahre darauf Heike mit den Zwillingen im Bauch über die Schwelle trug, war es offensichtlich, dass er sich überhoben hatte. Der Schuldendienst und der großzügige Unterhalt für Ruth und die Söhne zehrten Monat für Monat sein Professorengehalt auf; gespart hatte er mit Mitte vierzig nichts und abgestottert schon gar nichts.

Überhaupt: die Söhne ... Adam hatte sich von seiner Mutter bei der Hand nehmen lassen und, gänzlich unbeeindruckt von den ungewöhnlichen Geschehnissen, weitergeredet, darüber kein einziges Mal zurückgeblickt und auch auf der langen Zugfahrt nach Berlin keine Sekunde geschwiegen, sondern sich die Zukunft in der neuen Stadt bereits in den schrillsten Farben ausgemalt, als hoffe er, dort eine größere Bühne zu finden. Es war keinem der Beteiligten je ganz klar, ob Adam seinen Vater vermisste. Munter schwatzend, besuchte er Kraft in den Schulferien in Tübingen, fuhr mit ihm plappernd und plaudernd in die Toskana oder nach Griechenland und kehrte seinem Vater am Ende der Ferien fröhlich schwadronierend den Rücken. Sein Verhältnis zu seiner Mutter wurde hingegen zusehends schwieriger, denn Ruth hatte sich, nach ihrer Selbstmedikation mit dem halben Freud, in die Hände einer begnadeten Therapeutin begeben, die ihr geraten hatte, falls sie in der Gegenwart eines Schwätzers die alte Schwäche überkommen sollte, *Hava Nagila* zu singen und dabei den Rhythmus mit dem Zeigefinger auf den Tragus, den kleinen Knorpel in der Mitte der Ohrmuschel, zu klopfen. Als sich Adam in die Pubertät geschwafelt hatte, führte diese Angewohnheit seiner Mutter immer öfter zum Streit, und so war Ruth nicht unglücklich, als er sich mit vierzehn entschlossen zeigte, seine Hochschulreife in einem englischen Internat zu erlangen. Ruth opferte für dieses Unterfangen bereitwillig das kleine Erbe einer Tante, informierte Kraft telefonisch und ließ ihn, unter der Androhung, sie werde Adam sonst nach Tübingen zurückschicken, einen nicht unbeträchtlichen Rest der Schulgebühren übernehmen. Kraft wehrte sich wortreich und eloquent gegen

dieses Vorhaben, welches er als unangebrachtes Misstrauensvotum gegenüber dem deutschen Bildungssystem geißelte,
doch rasch stimmte er zu, denn es schien ihm, Ruth summe
am anderen Ende der Leitung wieder ein hebräisches Volks-
lied, eine neue Angewohnheit, die ihn fälschlicherweise an
ihrer geistigen Gesundheit zweifeln ließ und ihm ausgesprochen unangenehm war. Das englische Internat belastete
Krafts Finanzen also zusätzlich, und wie er bereits befürchtet
hatte, waren Adam nach dem britischen Abitur auch die
deutschen Universitäten nicht mehr gut genug, sodass er bis
zum heutigen Tag alle halbe Jahre die Studiengebühren für
eine Business School in Pfund Sterling zu überweisen hat.
Die Tatsache, dass sich Adam ausgerechnet für ein Betriebs-
wirtschaftsstudium entschlossen hat, war auch nicht dazu
angetan, die mit diesem finanziellen Opfer verbundenen
Schmerzen zu lindern, hält Kraft doch die Betriebswirt-
schaftler im Allgemeinen für bessere Verkäufer, die sich mit
dem Nimbus des Akademischen schmücken. Aber er musste
auch zugeben, dass Adams Schwätzereien, denen man mit
etwas Wohlwollen einen kindlich unschuldigen Charme
attestieren konnte, mit dem Eintreten des Stimmbruches
immer mehr in Richtung Marktschreierei abdrifteten und er
also da, wo er war, ganz gut hinpasste.

Was Krafts Beziehung zu seinem Erstgeborenen betrifft, so
müssen wir leider eingestehen, dass die Bande, die sie in der
Zeit, in der sie als Familie zusammenlebten, knüpften, sich
für die siebenhundert Kilometer zwischen Berlin und Tübingen als zu schwach erwiesen. Kraft war es nicht gelungen, für
sich einen relevanten Platz im Leben seines Sohnes zu bean-
spruchen, was, das dürfen wir, um fair zu bleiben, nicht uner-
wähnt lassen, nicht nur an Krafts mangelndem Engagement
lag, sondern auch an der, wie er fand, ungesund symbioti-
schen Beziehung, die Mutter und Sohn infolge der Abwesen-

heit einer männlichen Bezugsperson – eine Rolle, die Ackerknecht weder einnehmen wollte noch konnte – eingegangen
waren.

Wir können es so auf den Punkt bringen: Daniel brauchte
keinen Vater, und Kraft kapitulierte bereitwillig – und
bezahlte.

Eine Weile hatte er noch versucht, wenigstens an den wichtigsten Ereignissen im Leben seines Sohnes teilzuhaben. Er
reiste nach Berlin und setzte sich neben Ruth in die erste
Reihe, als an der Hochschule für Musik anlässlich Danys
Abschluss in der Kompositionsklasse ein Streichquartett aus
seiner Feder zur Uraufführung kam, er setzte sich, weil er zu
spät kam, in die hinterste Bank der Lutherkirche, als Dany
eine evangelische Pastorin aus Cottbus zur Frau nahm, und
er besuchte sogar die Taufe seines ersten Enkelkindes auf
einem heruntergekommenen Vierseitenhof in Brandenburg,
in dessen Remise sich Dany ein kleines Tonstudio eingerichtet hatte, in dem er für wenig Geld Werbejingles komponierte
und nebenbei an seinem großen Konzertzyklus zum Mensch-
Tier-Verhältnis schrieb, während seine Frau aus dem Kirch-
gemeindehaus den christlichen Widerstand gegen die völki-
schen Siedler organisierte, die in großen Familienverbänden
ins Dorf zogen und auf ihren billig erworbenen Höfen Bio-
landbau betrieben, heidnische Feuerfeste feierten und das
Dorf zur national befreiten Zone erklärten. Dieses Setting
deprimierte Kraft derart, dass er sich um die Taufe des zweiten Enkelkindes drückte und stattdessen einen Obolus auf
ein Konto bei der Sparkasse Oder-Spree überwies, was er
seither regelmäßig in Abständen von zwei Jahren tut, wenn
wieder einmal eine mit Taizé-Kreuzen dekorierte Geburts-
anzeige in seiner Post liegt.

Gehungert wird deswegen nicht bei Krafts, das nicht. Aber
Heikes Einschätzung muss er beipflichten: Eine Scheidung

mit all den erwartbaren Kosten, die mit der Gründung eines zweiten Hausstandes einhergehen, ist in der gegenwärtigen Lage nicht zu stemmen, vor allem nicht ohne Einbußen beim Lebensstil, und zu solchen ist sie durchaus nicht bereit. Heike hat also recht, Erkners Million ist die Lösung, das weiß Kraft, aber damit hat die Freiheit widerwärtigerweise plötzlich einen Preis.

Kraft holt sich im Café vor der Green Library ein Schinkenbrötchen und eine Dose Diet Coke und läuft dabei Bertrand Ducavalier und seinem sonnigen Gemüt in die Arme. Ducavalier strahlt bei Krafts Anblick übers ganze Gesicht und besteht darauf, dass er sich neben ihn auf die Bank setzt. Sie haben sich nicht mehr gesehen, seit Bertrand vor ein paar Jahren Paris und im Besonderen der Rue d'Ulm vorzeitig den Rücken gekehrt und sich auf das Weingut seiner Familie im Burgund zurückgezogen hat, wo er seiner Schwester beim Ausüben des Winzerhandwerks zuschaut und ansonsten das Leben eines Privatgelehrten führt.

Ivan hatte Kraft erzählt, dass es einige Überredungskunst gekostet hatte, um Ducavalier für Erkners Konferenz nach Kalifornien zu locken, aber er, Kraft, wisse ja, welche Bereicherung Bertrand für jede Konferenz sei. Kraft kann dem nur beipflichten, schätzt er doch nicht nur dessen Vorträge und Gesprächsbeiträge, mit denen er regelmäßig einen frischen Wind in die ödeste Tagung bringt, sondern vor allem seine Qualitäten als Tischgenosse. Bertrand ist in der Lage, in den seltsamsten Städten das einzige gute Restaurant auszumachen, und wenn es kein solches gibt, findet er das am wenigsten schlechte, und man kann sicher sein, dass es ihm auch dort gelingt, einen formidablen Abend zu gestalten, denn seinem Savoir-vivre haftet nichts Pompöses an. Er braucht keinen ausgefallenen Wein – obwohl er selbstverständlich in der Lage ist, in einer dicken Weinkarte den besten (nicht den teuersten) auszusuchen –, gibt es nur einen Hauswein, dann tun es auch ein paar Karaffen davon. Es müssen auch keine extravaganten Speisen auf den Tisch kommen, es gelingt ihm ohnedies, aus jedem Abend ein Festessen und eine große Fresserei zu machen. Kraft weiß natürlich, woran das liegt: Ducavaliers Savoir-vivre ist nicht angeboren – an so etwas glaubt Kraft nicht –, aber es ist etwas, was er vom ersten Tag an vermittelt bekommen hat, worin er seine ganze Kindheit und Jugend verbracht hat; es ist ihm eine Selbstverständlichkeit, aber weil er ein kluger und reflektierter Mann ist, weiß er auch, dass es ein Privileg ist, welches er sich in keiner Weise verdient hat, da es ihm qua Geburt zukam, und gerade deswegen hat er damit einen ausgesprochen unverkrampften Umgang. Daran liegt es auch, dass ihn Kraft zwar durchaus um seine Leichtigkeit und seine Lebensart beneidet, ihn aber auch bewundern kann; etwas, das ihm sonst meist nur mit toten Männern und Margaret Thatcher gelingt. Er bewundert Bertrands Charme, seine abgetragene Eleganz, die immer etwas Zufälliges hat. Seine weißen Hemden, deren Stoff zugleich solide und weich ist und die aussehen, als habe er sie von seinem Vater geerbt. Seine Schuhe, die immer etwas ausgetreten und selten frisch gewienert sind und trotzdem eleganter aussehen als Krafts sorgfältig gepflegte Budapester. Am meisten bewundert er Bertrand aber dafür, dass es ihm gelingt, trotz dieser Leichtfüßigkeit in Fragen der Lebensführung ein zwar unverbesserlicher Linker, aber eben auch ein ausgesprochen streitbarer Geist zu sein.

Kraft denkt an den Abend in Sarajevo, an dem einige Teilnehmer einer Tagung Bertrand bereitwillig in ein Kellerlokal gefolgt waren, wo er nach einem ausgedehnten Mahl eine Zigarette aus der Brusttasche seines Hemdes gefingert und erklärt hatte, weshalb er beschlossen habe, der École Normale

Supérieure in der Rue d'Ulm den Rücken zu kehren. Er habe endlich verstanden, dass er, als Sprössling einer ebenso alten wie auch reichen Familie, der seine Ausbildung selbstverständlich an den besten Schulen absolviert und bei diesem vorgezeichneten Marsch durch die Institutionen konsequent das Banner der Arbeiterklasse vor sich hergetragen habe, Teil des französischen Problems sei und damit nicht, wie er sich lange eingeredet habe, gleichzeitig auch Teil der Lösung sein könne, weswegen er sich Ende des Semesters aufs Weingut seiner Familie zurückziehen werde. Die französische Linke habe sich zweier Vergehen, nein, richtiger sei es, von Verbrechen zu reden, schuldig gemacht. Sie habe sich nie ernsthaft darum bemüht, das elitistische und neofeudale Ausbildungssystem zu reformieren, und er selbst sei als Absolvent zweier Grandes Écoles Nutznießer dieses Systems gewesen und als Professor an der Rue d'Ulm mitverantwortlich, indem er Jahr für Jahr die Studenten auf ihre Teilhabe an diesem elitären Zirkus abrichte. Aber nun, da mit Hollande der traurigste dieser Clowns die Manege betreten habe, wolle und könne er nicht mehr mitmachen. Es sei nun natürlich leicht, ihn als alternden Zyniker abzutun, der sich auf seinem ererbten Wohlstand ausruhe und mit dem Weinglas in der Hand zuschaue, wie die Dinge zum Teufel gingen. Er betrachte es aber eher als Übung in Demut; zugeben, dass man Teil des Problems und nicht der Lösung ist, und ansonsten einfach mal den Mund halten.

Zum Zweiten, referierte Ducavalier in Sarajevo und drückte dabei mit seinen eleganten Fingern mit den gelben Nägeln seine Kippe aus, habe sich die Linke schamlos dem Neoliberalismus an die Brust geworfen und damit Verrat geübt an der Arbeiterklasse, indem sie den Begriff des Klassenkampfes für überholt erklärte und damit die Existenz jener, um die sie sich eigentlich zu kümmern habe, geradewegs zu negieren versuchte, denn es gäbe auch in unseren Gesellschaften noch genügend Menschen, für die die Zugehörigkeit zur Arbeiterklasse schlicht eine Lebensrealität sei – kein Wunder, fügte er hinzu, hätten jene Parteien Konjunktur, die wenigstens noch zugäben, dass man sich im Kampf befände, auch wenn sie konsequent und mit voller Absicht den falschen Gegner ausmachten. Die ersten Anzeichen dieses Verrats habe man in Frankreich schon in den Achtzigern unter Mitterrand erkennen können, dann in den Neunzigern in Clintons USA, gefolgt von Tony Blair, diesem Wicht, und seinem infamen deutschen Kumpel Schröder.

Hier muss ihm Kraft widersprechen, hatte nicht Schröder mit seinen Reformen die deutsche Wirtschaft wieder auf kräftige Beine gestellt, und stand heute Deutschland nicht seinetwegen so gut da? Ach, Schröder..., rief Ducavalier, komm mir doch nicht mit der Agenda 2010. Verrat war das, Verrat, und sieh dir an, wo die Sozialdemokratie in Deutschland heute steht! Sie hatten alle viel getrunken, die Diskussion bewegte sich entlang der großen Linien, und die Details verloren sich zunehmend in der alkoholinduzierten Unschärfe. Ich will dir sagen, brummte Bertrand mit einer neuen Zigarette zwischen den Lippen, wie es sich mit Schröder verhielt: Kaum saß er im Kanzleramt, musste er begreifen, dass es andere gab, die doch immer noch mehr Macht hatten, die Leute in der obersten Etage der Deutschen Bank, die auf den Chefsesseln bei Siemens, Porsche und Thyssen-Krupp, und vor allem hatten sie mehr Geld, und der arme Gerhard konnte das nicht ertragen, kam sich plötzlich ganz klein vor, also hat er sich angebiedert, damit sie wenigstens mit ihm spielten, ihre präpotenten Pimmel- und Eierspiele. Nein, ich sage dir, war sich Bertrand sicher, Schröder, das ist doch für eine ganze Generation Deutscher die politische Enttäuschung ihres Lebens. Stell dir vor, man wächst in Deutschland auf, und alles, was man kennt, ist dieser Kohl –

sechzehn Jahre Kohl. Und sag mir nur nicht, lieber Kraft, du hättest darunter nicht gelitten. Sechzehn Jahre Scham und Pein, und dann kommt Schröder, und es ist, als hätte endlich jemand das Fenster geöffnet und frische Luft hereingelassen. Und dann betrügt er sie, alle ... der Genosse der Bosse – eine Bezeichnung, die dank Ducavaliers an Husserl geschultem Deutsch mit französischem Akzent tiefsten Ekel zum Ausdruck brachte. Die größte Enttäuschung ihres politischen Lebens, für eine ganze Generation. Ich verstehe nicht, rief er aus, weshalb ihn keiner umgebracht hat ... sie sind nicht wütend genug, diese jungen Leute ... man hätte ihm die Kehle aufschlitzen sollen, und dabei fuchtelte er illustrativ mit einem Buttermesser durch den Zigarettenrauch.

So ganz Unrecht hat er ja nicht, das spürte Kraft, denn auch für ihn war Schröder eine schwierige Figur. Dass es ausgerechnet ein Sozialdemokrat war, der sozusagen die Pläne des verehrten Grafen aus der Schublade holte, in der sie Kohl abgelegt hatte, nachdem er vollmundig die geistig-moralische Wende versprochen hatte, war natürlich verwirrend, aber im Grunde verkraftbar, viel schwerer wog, dass das Denken, mit dem Kraft, István an seiner Seite, seine Kommilitonen in Rage bringen konnte, mit den Jahren tatsächlich, wie es Bertrand beschrieben hatte, in die Mitte der Gesellschaft und links darüber hinausgestoßen war. Kraft hatte sein Alleinstellungsmerkmal verloren. Nicht einmal mehr in geisteswissenschaftlichen Zirkeln konnte er damit auffallen. Zwar gab es immer noch nicht so viele, die sich lauthals wirtschaftsliberal äußerten, aber wenn er, Kraft, es tat, war es, als bekenne er sich öffentlich dazu, Pornografie zu konsumieren – völlig unnötig nämlich, denn niemand schämte sich mehr für seinen Pornokonsum, aber laut darüber zu reden, das fand man dann doch unnötig.

Der rasende Fall der Freien Demokratischen Partei bereitete Kraft zusätzliche Pein, da sich an der Parteispitze eine lächerliche Figur nach der anderen ablöste, bis irgendwann ein paar Bürschchen das Ruder übernahmen, die Kraft unangenehm an István und ihn selbst in jungen Jahren erinnerten und die einstmals stolze Partei in die Bedeutungslosigkeit versenkten. Sogar Frau Doktor Hamm-Brücher hatte nach vierundfünfzig Jahren Parteizugehörigkeit die Nase voll und trat aus. Das war ausgerechnet am Tag der Geburt der Zwillinge und ein Ereignis, das Kraft seltsam berührte.

Nein, so richtig Freude bereitete es Kraft schon lange nicht mehr, das Banner der Freiheit zu schwenken und das Lied von der Privatisierung durch Deregulierung oder den Psalm der Regenmacher anzustimmen.

Und, fragt er Bertrand, wie willst du für den Optimismus argumentieren? Gar nicht, lacht Ducavalier und klopft sich eine Zigarette aus der Packung. Das Gegenteil werde er tun. Er sei angereist, um den Untergangspropheten zu geben, einer müsse diese Rolle übernehmen, und da sei er doch genau der Richtige. Für die meisten unter ihnen sei eine Million Dollar schließlich so viel Geld, dass man es ihnen kaum übel nehmen könne, wenn sie die Sache sehr pragmatisch angingen. Er hingegen könne es sich leisten, den Dissidenten zu geben und auf die Million zu verzichten.

Das wird mein Opfer sein, und wie du siehst, lieber Richard, wird es wieder kein echtes sein. Das ist das Elend meiner Existenz, dass mir partout kein Opfer gelingen will.

Er werde also, sagt Ducavalier, die Aufgabe übernehmen, zu erklären, weshalb beinahe alles, was ist, schlecht sei. Eine ziemlich leichte Aufgabe, fügt er hinzu und gibt einen stichwortartigen Überblick über die heraufziehende Apokalypse: der drohende Zerfall der Europäischen Union, die Rückkehr des Nationalismus, die neue Salonfähigkeit des Rassismus und der Bigotterie, die demokratisch gewählten Despoten, die ihre Länder, mit Einverständnis der Bevölkerung, in Diktaturen transformieren – ein Vorgang, der einen an der Sinnhaftigkeit der Demokratie selbst zweifeln lasse –, der um sich greifende Antiintellektualismus, den die Intellektuellen selbst zu verantworten haben, und die damit einhergehende Legitimation der Ignoranz, die offen geäußerte Sehnsucht nach starken Führern, der moralische Bankrott der Wirtschaftseliten, die sich benehmen wie die letzten Gebrauchtwagenhändler, die drohende nächste Wirtschaftskrise, der die Zentralbanken nichts entgegenzusetzen haben werden, weil sie das Geld gar nicht mehr billiger machen können und demzufolge ihren letzten Pfeil im Köcher bereits verschossen haben, die Freihandelspolitik, kombiniert mit einem protektionistischen Subventionssystem, welches die Millionen Armen des Südens in den Norden treibt, die Stagnation des Wirtschaftswachstums, trotz digitaler Revolution, die Alternativlosigkeit des Kapitalismus, obwohl dieser zwangsläufig zu einem immer steiler werdenden Wohlstandsgefälle führt, welches dem System selbst, in naher Zukunft, die Beine wegziehen wird, die Millionen überschüssiger junger Männer in China und Indien, schlecht ausgebildet, sexuell frustriert und ohne Hoffnung auf eine Zukunft, ein Problem, das man am elegantesten mit einem großen Angriffskrieg löst; und das alles werde er, obwohl ihm natürlich bewusst ist, dass das eine unzulässige, jedoch umso wirkungsvollere Vereinfachung sei, theoretisch und narrativ mit einer zyklischen Geschichtsphilosophie unterfüttern, damit er am Ende eine Wiederkehr der Verhältnisse der Weimarer Republik beschwören könne und der Dritte Weltkrieg unausweichlich über der Versammlung schweben werde. Et voilà..., sagt Bertrand, ... alles ist schlecht.

Kraft zupft an einem Salatblatt in seinem angebissenen

Schinkenbrot. Du hast den Klimawandel vergessen, sagt er, an Ducavalier gewandt.

Achtzehn Minuten, mein lieber Kraft, da muss man sich beschränken. Achtzehn Minuten, das ist zu kurz, um die Verworfenheit der Welt in ihrer Gesamtheit zu beschreiben.

Kraft nutzt die verbleibenden Stunden, um aus seiner Collage eine Power-Point-Präsentation zu basteln. Pragmatisch, aber freudlos setzt er Bullet Point für Bullet Point: Gott, der die Welt als beste aller möglichen realisiert, die Notwendigkeit des Übels, die Schwächen des Einzelnen, die den Zusammenhalt der großen Kette der Wesen garantieren, die schlichte Schönheit des Systems – dabei muss er an Herb denken, den er als Systemapostel verunglimpft und dessen Kakao er so dankbar getrunken hatte. Es ist nur noch wenig Kraft in ihm, und er hat auf dieser Reise vieles geschluckt, jetzt kann er auch noch den Rest des Weges gehen und sich selbst vollends den Rücken kehren. Also missbraucht er Punkt für Punkt Vogls Oikodizee und wendet sich dann dem Lob der Technik zu, bis ihn seine Systematik zur technologischen Singularität führt. Und plötzlich versteht er, weshalb sich Erkner nach diesem Moment sehnt, und es scheint ihm jetzt auch ganz logisch, dass es so weit kommen muss, dass die künstliche Intelligenz der menschlichen ebenbürtig werden und sie übersteigen wird, womit es zu einer rasenden Beschleunigung der technologischen Entwicklung kommen wird, deren Richtung niemand voraussagen kann, und zu einer Verschmelzung von Mensch und Maschine, bei der der Mensch seine biologisch limitierte Existenz hinter sich lassen und in zeitlosen Substraten weiterexistieren darf.

Die engstirnigen kulturkritischen Einwände schrumpfen angesichts der Erlösungsdimension dieser Vision zu mutlosen Kritteleien. Sicher, noch kann die KI nicht einmal zwischen einem Abbild und dem realen Hintern der Nicki Minaj unterscheiden, aber ist das nicht ganz falsch gedacht... ein typisch europäischer Einwand... pessimistische Kleingeisterei, statt anzuerkennen, was bereits alles möglich ist, in wie kurzer Zeit Fortschritte gemacht wurden, eben noch Undenkbares bereits alltäglich erscheint; und wenn wir die exponentielle Entwicklung mit einbeziehen, haben wir dann nicht Grund, die fantastischen Erwartungen zu extrapolieren?

Nein, Kraft will sich nicht mehr wehren, die Singularität ist unausweichlich, und jetzt, da er dies akzeptiert hat, versteht er auch, dass es angesichts der Dimension des bevorstehenden Wandels sinnlos ist, zu bedauern, dass schlichtweg alles, was er kennt, seine ganze ideelle – und materielle Welt, den Weg des Diafilms und der Schallplatte gehen und bestenfalls als verschrobenes Hobby wohlstandsverwöhnter Männer überleben wird. Und ebenso unbedeutend, weil sich schlicht in den falschen Kategorien bewegend, sind seine Ängste. Die Maschinen, den Menschen an Intelligenz überlegen, werden uns, so warnen die Apokalyptiker, wie Sklaven oder Nahrungsmittel behandeln, im besten Fall wie Haustiere... Das ist doch Blödsinn. Als ob in jener neuen Welt die Begriffe der alten Ordnung auch nur noch die geringste Rolle spielen werden.

Es ist ihm, unserem Kraft, ob dieser Aussicht, als erlöse man ihn von einer schweren Last, und ein Gefühl der Reinheit überwältigt ihn, das er nur im Zusammenhang mit jenem seltenen und kostbaren Tagtraum kennt, in dem ihm die letzte Wahrheit als silberner Brocken von spiegelndem Glanz und diamantener Härte begegnet, aber jetzt weiß er, dass er ihn nicht wird freilegen müssen, indem er mit unerbittlichem Nachdenken, Argument für Argument, den ganzen dahinrottenden, organischen Kot und Dreck beseiteräumt. Nein, dies silberne Ding wartet am Ende der Geschichte, denn die Geschichte, das scheint ihm nun ganz einsichtig, wird zu einem Ende kommen, und eine neue wird beginnen. Eine Geschichte, in der es sich der Mensch auf dem Beifahrersitz der Evolution bequem machen und zusehen kann, wohin die Reise führt. Ob Fuchs, Igel oder Stachelschwein, das wird keine Rolle mehr spielen, der Mensch wird sein können, was er will, und er wird etwas sein wollen, von dem wir uns gegenwärtig noch nicht einmal eine Vorstellung machen können.

Eine Weile sucht Kraft nach einem passenden Bild, mit dem er seine Präsentation abschließen will. Er klickt sich durch Bilder von Sonnenaufgängen und Tunnels, an deren Ende Licht zu sehen ist, verliert sich im Bildarchiv der NASA, zwischen Abbildungen von startenden Raketen und den Nebeln entfernter Galaxien, und entscheidet sich schlussendlich für ein Foto aus der Blauen Grotte von Capri, in dessen Zentrum als strukturlose, weiße Fläche das Licht ins Dunkle bricht.

Den Empfang am frühen Abend, bei dem Erkner die Konferenzteilnehmer im Innenhof der Hoover Institution begrüßt, schwänzt er.

XV.

Heile, heile Gänsje
Es is bald widder gut,
Es Kätzje hat e Schwänzje
Es is bald widder gut,
Heile heile Mausespeck
In hunnerd Jahr is alles weg.

Deutscher Trostvers

Jetzt, jetzt weiß Kraft, was er zu tun hat. Es ist kein Geistes-
blitz, vielmehr eine Möglichkeit, die ihn seit Langem, ja, vielleicht schon sein ganzes Leben begleitet, die in dieser schlaflosen Nacht, unter dem Eindruck der Scham, die ihm bei
dem Gedanken an Johanna, an Heike, an die unsägliche
PowerPoint-Präsentation, mit der er, so muss er befürchten,
bei Erkner punkten und am Ende noch mit einer Million nach
Hause reisen wird, heiß in die Glieder fährt, zur Gewissheit
gereift ist und nur noch in die Tat umgesetzt zu werden
braucht. Ein Fuchs ist kein Igel und auch kein Stachelschwein.

Kraft setzt sich im Dunkeln an den Schreibtisch, klappt
sein Notebook auf und beginnt, systematisch alle Spuren seiner Arbeit der letzten Tage zu löschen. Den Rucksack räumt
er leer, nur seine Notizen lässt er drin. Dann zieht er sich an,
den leichten Anzug, poliert mit einer Socke die Kappen seiner Schuhe, steckt sein neues Telefon ein. Die Schuhe nimmt

er in die Hände, schultert den Rucksack und schleicht durchs nachtschlafende Haus, die Treppe hinunter. Im Eingang liegt in einer Glasschale Ivans Schlüsselbund. Kraft steckt ihn ein und geht durch die Küche in die Garage. Lange braucht er nicht zu suchen, das Seil auf dem Regal war ihm bereits vor Tagen ins Auge gestochen, und Kraft merkt sich seit Langem, wo er ein Seil hat liegen sehen.

Vor dem Haus setzt er sich auf die Treppe und zieht die Schuhe an. In der Einfahrt gegenüber entsorgt er seine Notizen in der Altpapiertonne. Die Straßen sind leer, und die Absätze seiner Budapester hallen laut durch die milde Nacht. Kraft schreitet zügig aus. In einem Laborgebäude brennt noch Licht. Einmal begegnet ihm ein joggender Student, der ihm atemlos zunickt.

Grob hebt sich der Bücherturm gegen den nachtblauen Himmel ab. An den vier Ecken der Aussichtsplattform und auf dem Turmhelm brennen Lichter. Mit Ivans Schlüssel öffnet er die Tür. Ein Notausgangsschild erhellt notdürftig das Foyer der Hoover Institution on War, Revolution and Peace. Der Fahrstuhl ist außer Betrieb, also nimmt er die Treppe. Tastet sich durch das Dunkel voran, bis ihm einfällt, dass er die Taschenlampe seines Telefons benutzen kann. Kraft stößt die Tür zur Aussichtsplattform auf. Einen kurzen Moment stellt er sich an eine der vergitterten Nischen. Unter ihm flimmern die Lichter des Silicon Valley. In der Ferne verliert sich San Francisco im Nebel. Dann wendet er sich dem Carillon zu. Das gläserne Kabuff mit dem Manual, darüber die Glocken im dunklen Gebälk. Mühsam klettert er auf das Häuschen. Die Scheiben geben seinen Ledersohlen keinen Halt, und er muss Schuhe und Strümpfe ausziehen. Ein Gitter versperrt ihm den Weg zu den Glocken, aber das kann er aufdrücken, ohne viel Lärm zu machen. Dann zieht er Strümpfe und Schuhe wieder an und poliert dabei mit dem

Handballen noch einmal die Kappen. Von da kommt er ganz leicht über die Balken hoch. Er zieht das Seil aus dem Rucksack. Ein feiner Geruch von Mortadella kommt ihm entgegen. Deswegen hält er nicht inne. Wie man die Schlinge richtig knotet, so etwas weiß Kraft. Sorgfältig prüft er die Länge und befestigt das andere Ende am Klöppel der größten Glocke. Er öffnet die Famethrower App, die ihm einer der Entrepreneurs installiert hat. Verbindet sie mit einer der Live-Stream-Apps, startet die Übertragung. Das Telefon lehnt er auf der richtigen Höhe an einen Balken. Kraft legt sich die Schlinge um den Hals und prüft das Bild. Keiner schaut zu. Er wartet. Jetzt schaltet sich ein Nutzer aus Bogotá ein.

– *Hola, qué pasa!*

Keine Famestars. Aber auch keine Wrinkles. Kraft wartet. Bogotá klinkt sich bald wieder aus. Kraft prüft den Knoten und wartet. Dann hat er einen Zuschauer aus der Türkei und bald einen aus Finnland. Dann schaltet sich noch Greg aus Winnipeg dazu. Greg zeigt sich besorgt.

– *Hey Dude, don't do whatever you plan to do! Where are you? Shall I call somebody? Dude ... she is not worth it!!!!*

Finnland klinkt sich aus. Kraft wartet. Er ist halt kein Bieber; auch das weiß Kraft. Aber fünf oder sechs sollten es schon sein. Greg insistiert.

– *Don't do it, man!!! I promise, whatever it is, it will be right.*

Kraft lässt sich in die Leere fallen. Es bricht sein Genick mit jenem verlässlichen Geräusch, als schalte man eine alte Bakelittondeuse ein. Die Glocke gerät ins Schwingen. Der Klöppel schlägt an. Das hört Kraft schon nicht mehr. *For Peace Alone Do I Ring.*

Zitatnachweise

S. 5 © Paul Ford: «Höflichkeit», aus dem Englischen übersetzt von Ekkehard Knörer, in: MERKUR Deutsche Zeitschrift für europäisches Denken, hrsg. von Christian Demand, Juli 2015, S. 95.

S. 25 © Richard Thiess: *Ladendiebstahl erkennen, verhindern, verfolgen. Ein Handbuch für die Praxis*, Tectum: Marburg 2011, S. 18.

S. 36 Lutherbibel 1912, Buch Hiob, 40.16-17.

S. 50 Honoré de Balzac: Histoire des treize/II. La Duchesse de Langeais (1834)

S. 65 Voltaire: *Candide oder die beste Welt*, Zitat neu übersetzt von Jonas Lüscher.

S. 77 © Karl-Hermann Flach, Werner Maihofer und Walter Scheel: *Die Freiburger Thesen der Liberalen*. Rowohlt: Reinbek 1972, S. 61.

S. 96 Auszug aus «THE MARTIAN», © 2015 Courtesy of Twentieth Century Fox. Written by Drew Goddard. All rights reserved.

S. 118 © Hildegard Hamm-Brücher: *Untersuchungen an den Hefemutterlaugen der technischen Ergosterin-Gewinnung*, Diss. München 1945, S. 94.

234

S. 129 Georg Christoph Lichtenberg: *Sudelbücher J 166*, nach-zulesen in: Ders.: *Schriften und Briefe. Band 2*, Hanser: Mün-chen 1967, S. 103.

S. 146 © Ford Sakaguchi: *Riding History. Sketches on Shifting Presences and Converging Horizons*, Huntington University Press: Lands End 1992, S. 69.

S. 155 © Gary Cowton (Text): «Looking for Freedom», Pop-Song 1978, gesungen von Marc Seaberg, produziert von Jack White; die von David Hasselhoff gesungene Neuaufnahme stammt aus dem Jahre 1989.

S. 156 © Odo Marquard: *Individuum und Gewaltenteilung. Philo-sophische Studien*, Reclam: Ditzingen 2004, S. 126.

S. 165 Alexander Pope: *Essay on Man*, The Project Gutenberg eBook, hrsg. von Henry Morley, Salt Lake City 2007, S. 28.

S. 175 Friedrich Wilhelm Joseph Schelling, nachzulesen in: Johann Wolfgang von Goethe: *Begegnungen und Gespräche: 1800–1805*, hrsg. von Renate und Ernst Grumach, Walter de Gruyter: Berlin 1985, S. 142.

S. 188 Pietro Metastasio: *Didone abbandonata*, I, 13; Deutsche Übersetzung von Johann Leopold van Ghelen, Steyr 1941.

S. 211 Herbert Hoover, zitiert nach: William E. Leuchtenburg: *Herbert Hoover: The American Presidents Series: The 31st President, 1929–1933*, Times Books 2006, S. 172.

Danksagung

Die ETH-Stiftung hatte mir ermöglicht, drei Jahre lang an der Professur für Philosophie an einer Dissertation zu arbeiten. Aus der Dissertation ist leider nichts geworden, dafür ist nun der vorliegende Roman entstanden, in den einiges eingeflossen ist, über das ich im Rahmen meiner wissenschaftlichen Tätigkeit nachgedacht habe. Ich danke Michael Hampe und meinen ehemaligen Kolleginnen und Kollegen an der Professur für Philosophie für das anregende Umfeld.

Der Schweizerische Nationalfonds hatte mir ein Stipendium für einen neunmonatigen Forschungsaufenthalt an der Stanford University gewährt, in dem die ersten Skizzen für *Kraft* entstanden sind. Sepp Gumbrecht war ein wunderbarer Gastgeber am Department of Comparative Literature, und ich bin dankbar für die vielen Gespräche mit ihm und anderen, namentlich Adrian Daub, der viel über die Kultur des Silicon Valley nachgedacht hat, und Amir Eshel, in dessen Seminar wir uns mit Hiob und der Theodizee auseinandergesetzt haben.

Bei einigen der oben Erwähnten muss ich mich entschuldigen, dass ich die Dissertation an den Nagel gehängt habe, und ich habe die leise Hoffnung, dass für den einen oder anderen dieser Roman als Entschädigung gelten mag.

Die Stadt Zürich hat mir mit der Verleihung eines Werkjahres die Entscheidung, mich ganz der Schriftstellerei zu widmen, erleichtert.

Am Anfang meiner Beschäftigung mit der Theodizee standen Odo Marquards Essays. Während des Schreibens war Marion Hellwigs Untersuchung *Alles ist gut* (Würzburg 2008) eine große Hilfe. Wichtig war, neben den klassischen Texten, auch die Lektüre von Hans Posers Essay *Von der Theodizee zur Technodizee. Ein altes Problem in neuer Gestalt* (Hannover 2011) und Joseph Vogls *Das Gespenst des Kapitals* (Zürich 2010/11).

Ich danke Ulrike Arnold und Stefan Willer für die sorgfältige Lektüre des Manuskripts und für ihre zahlreichen Anmerkungen und meiner Agentin Karin Graf für ihre Begleitung.

Mein Dank gilt den Mitarbeiterinnen und Mitarbeitern des Verlages, namentlich meinem Lektor Martin Hielscher, sowie Maximilian Häusler für die Unterstützung bei der Recherche.

Und ich danke meinem Freund Michael Zichy dafür, dass er jederzeit bereit ist, mit mir das Übel in der Welt in all seinen Facetten zu erörtern.

Aus dem Verlagsprogramm

Megan Hunter

Vom Ende an. Novelle
Aus dem Englischen von Karen Nölle
160 Seiten. München 2017

Riikka Pelo

Unser tägliches Leben. Roman
Aus dem Finnischen von Stefan Moster
495 Seiten. München 2017

Jean-Luc Seigle

Ich schreibe Ihnen im Dunkeln. Roman
Aus dem Französischen von Andrea Spingler
207 Seiten. München 2017

Kristín Steinsdóttir

Hoffnungsland. Roman
Aus dem Isländischen von Anika Wolff
216 Seiten. München 2017

www.chbeck.de

Aus dem Verlagsprogramm

Adolf Muschg
Der weiße Freitag. Roman
251 Seiten. München 2017

Jochen Schmidt
Zuckersand. Roman
206 Seiten. München 2017

Achim Zons
Wer die Hunde weckt. Thriller
399 Seiten. München 2017

Nico Bleutge
nachts leuchten die schiffe. gedichte
87 Seiten. München 2017

www.chbeck.de